KB076780

그토록 선연한 체온

그토록 선연한 체온

발행	2024년 05월 07일
저자	문병곤
펴낸이	한건희
펴낸곳	주식회사 부크크
출판사등록	2014.07.15.(제2014-16호)
주소	서울특별시 금천구 가산디지털1로 119 SK트윈테크타워 A동 305호
전화	1670-8316
E-mail	info@bookk.co.kr
ISBN	979-11-410-8396-0

www.bookk.co.kr

그토록
선연한
체온

문병곤 소설

/ 차례 /

무슨 새일까.

해를 위로 두고 날고 있는 새의 배와 날개 밑에 그림자가 져

새가 검게 보였다.

조난

　육 차선 도로 너머 오른쪽으로 기울어지는 비탈에 늘어선 건물들이 우중충한 하늘에 잠기자 옥상의 모서리들이 하나의 선으로 이어지며 가파른 암벽을 드러내는 능선을 이루었다. 둔탁한 쐐기를 박아 균열을 낸 것처럼 깊게 팬 건물 사이로 짙은 땅거미가 몰려나와 보도를 오가는 행인들과 신호를 기다리는 차들의 긴 그림자를 집어삼켰다. 거대한 유리 상자를 격자무늬로 둘러싸고 있는 기둥 사이로 새어 나오는 병실 빛이 대기를 찌르고 진입로 끝에 세워진 앰뷸런스에 응급의료센터의 붉은 간판이 번들거렸다. 병원 정문에서 나온 수많은 사람들이 횡단보도를 건넜고 그중 일부는 내가 앉아 있는 버스 정류장에 들어와 빈자리에 앉거나 버스 정류장과 도로 사이의 좁은 보도에 주춤주춤 섰다. 그 와중에 버스 정류장에 뒤늦게

7

도착한 사람들은 의자에 앉아 있는 사람들의 다리를 조심스럽게 건너뛰며 그나마 남아 있는 공간에 다리를 모으고 서거나 어깨와 등을 벽에 바싹 붙이고 운행 노선과 도착 시각을 들여다보았다. 나는 버스 정류장 안을 오가는 사람이 실수로라도 내 발등을 밟거나 종아리를 걷어찰까 봐 다리를 의자 밑에 밀어 넣고 시선을 들어 주위를 힐끔거렸다. 대강 둘러봐도 스무 명 이상의 사람들이 버스를 기다리고 있었는데 하나같이 고단한 기색으로 스마트폰이나 도로를 멀거니 내려다보고 있어서 약간 비현실적인 느낌이 들었다. 심지어 통유리로 가로막힌 버스 정류장 안에 앉아 있어서 그런지 미술관에서 일과를 마친 군상을 조형한 설치 미술 작품을 관람하는 것 같았다. 저 멀리 횡단보도 앞에 멈춰 선 버스를 내다보느라 나는 고개를 기웃거렸는데 의자 하나 건너 양손을 무릎 사이에 끼우고 보도의 경계석에 눈길을 던지는 여자가 보였다. 여자는 버스 정류장 안을 휘돌다 보도를 쓸며 빠져나간 바람에 오한이라도 느낀 것처럼 근육통 밴드를 손목에 붙인 오른손으로 왼팔을 쓸어내렸고 그 때문에 목에 걸려 있는 명찰이 빙글 돌았다. 나는 여전히 명찰에서 눈을 떼지 못한 채 명찰이 다시 뒤집히기를 기다렸는데 명찰의 앞면이 갑자기 상의에 붙더니 여자가 자리에서 일어섰다. 그러고는 내 앞을 빠르게 지나쳐 버스 정류장에 정차하는 버스에 타기 위해 너나 할 것 없이 도로에 내려서는 인파로 뛰어들었다. 아직 열리지 않은 버스 문에 깔때기 모양으로 몰려든 사람들이 요령껏 서로의 앞뒤에 끼어들며 한 줄로 서기 시작했다. 줄의 끝자락에 서 있던 여자는 명찰을 벗지 않은 것을 마침내 알아챘는지 목덜미에 걸린

끈을 벗기려다 말고 명찰을 상의 주머니에 그대로 넣었다. 여자가 버스 문의 계단을 올라가 요금 단말기에 교통카드를 찍고 승객들 틈으로 홀연히 모습을 감출 즈음 또 다른 버스 한 대가 버스 정류장에 들어섰다. 나는 번호를 확인하고 의자에서 일어나 버스를 향해 천천히 걷기 시작했다. 내가 다리를 살짝 절며 걸어가자 나를 지켜보던 운전자가 브레이크를 풀어 버스를 보도에 가까이 대었고 덕분에 나는 보도에서 버스 문의 계단으로 수월하게 올라설 수 있었다. 나는 요금 단말기에 스마트폰을 대며 운전자에게 가볍게 고개를 숙이고 뒷문을 마주 보는 좌석으로 향했다. 좌석에 엉덩이부터 내려놓고 오른 다리의 허벅지를 양손으로 끌어안아 왼 다리에 붙이려는데 앞좌석 등받이에 부착된 손 소독제 광고가 눈에 띄었다. 하얀 펌프를 달고 있는 투명한 용기에 에탄올의 함량이 표시되어 있었는데 그제야 나는 여자가 내 앞을 스쳐 지나갈 때 코끝을 찌르던 맵싸한 냄새가 공기에 배인 소독용 알코올이라는 것을 알아차렸다.

　버스는 내부가 훤히 들여다보이는 이동 통신사 대리점 앞에 멈춰섰다. 버스 정류장에서 버스를 기다리던 사람들이 승객이 다 내리고도 버스 문이 닫히지 않는 것을 의아하게 쳐다보다 내가 파이프로 된 난간을 잡고 계단에서 발을 내디뎌 보도에 올라서고 나서야 비로소 수긍한다는 듯 고개를 돌렸다. 나는 버스에서 내린 뒤 잠시 숨을 고르며 이동 통신사 대리점의 유리벽에서 깜빡이고 있는 전구들을 바라보았다. 연말연시의 분위기를 내는 전구들은 굳이 시기에 연연하지 않고 사방에서 피어오르는 봄의 초입에도 여전히 행인들의 이목을 붙들고 있었다. 여기에 이동 통신사 대리점이 있다니. 나는 머쓱한 웃음을 짓고는 집을 향해 걷기 시작했는데 거리를 촬영한 필름을 영사기가 느린 속도로 비추는 스크린 앞에서 걷는 것 같았다. 사실 차를 몰고 이 구역의 도로를 지나친 일은 간혹 있어도 이 거리를 걷는 것은 생경했다. 왜냐하면 차를 몰고 다녔을 때는 버스 정류장 위 사거리에서 아파트 단지 정문으로 이어지는 이 차선 도로를 우회전으로 진입했거나 좌회전으로 빠져나왔었기 때문이었다. 그래도 기왕에 길을 나섰으니 나는 거리에 어떤 가게들이 있는지 구경하기로 했다. 처음에 내 눈길을 잡아끈 것은 기묘한 외관을 가진 은행 건물이었는데 이 층의 절반 정도가 '디귿' 모양으로 파여 있었다. 즉 일 층의 천장이 이 층의 베란다가 되는 구조였다. 이 층의 천장은 모자챙처럼 툭 튀어나와 있었고 타원형의 구멍이 뚫려서 이제는 구름의 형상을 짐작할 수 없는 어스레한 하늘이 올려다보였다. 이 층의 난간 안쪽에는 가지각색의 꽃망울을 내보이는 화분들이 죽 나열되어 있었고 그 때문에 직원이 간간이 바람을 쐬는 야외 휴게실처럼 보였다. 하지만 지금 내가 하는 생각이 무슨 대수냐는 듯 일 층의 현금 출납기를 이용하는 사람들은 건물의 외관 따위는 상관하지 않고 불투명한 유리문을 부지런히 여닫았다. 양손의 엄지와 검지로 만든 직사각형을 가슴팍에 들어 보이는 축구 선수가 치아를 드러내며 수줍게 웃고 있는 입간판이 보여서 가게 안을 들여다봤더니 뜻밖에 카페였다. 매대 위의 키오스크 앞에 줄을 선 손님들이 차례로 메뉴를 고르고 그 안에서 두 명의 직원이 바쁘게 커피를 추출하고 있었다. 금속끼리 맞부딪치며 딸그락거리는 소리와 증기를 사출할 때마다 들리는 쉭 소리가 규칙적으로 교차하며 직원들의 능숙한 솜씨를 들려주고 있었다. 이 시간에 커피를 마시지 않은 지 이미 여러 달이 지난 터라 나는 아무런 관심도 없이 카페를 지나쳤다. 다른 가게에 비해 보도에 내비치는 조명이 유독 약해서 고개를 돌려보니 가게의 전면을 반쯤 가린 가판대 위에 세 단짜리 찜기 두 세트가 뚜껑을 들썩이며 김을 내뿜고 있었다. 뚜껑의 상부를 휩싸다가 어둑한 공기 중으로 떠오른 김은 차양에서 한 번 뭉그러지고 간판의 주위에서 사그라졌는데 간판을 보니 어디선가 들었던 맛집이었다. 음식 사진을 보기 위해 가판대를 훑어보니 가판대의 아래가 어둠에 잠기고 차양 안에 매달린 전구가 희멀건 빛을 떨어뜨려서 가판대는 마치 두 개의 거대한 굴뚝으로 밤하늘을 휘저으며 항해하는 증기선처럼 보였다. 나는 저녁 식사 대용으로 요기하기에는 아이들도 좋아할 것 같아 위풍당당한 증기선 앞에서 조금 고심했지만 다리가 저릿하여 손에 무언가를 들지 않는 편이 낫겠다는 생각이 들었다. 하필이면 오르막길이라니. 집과 병원을 오가는 것도 나름의 운동이 될 거로 생각하고 버스를 탔는데 버스 정류장에서 집까지 이렇게 멀 줄이야. 그래도 불과 저번 주까지 발목과 정강이에 깁스하고 목발에 의지해서 집 안을 돌아다녔던 것을 생각하면 지금 이렇게 걷는 것조차 감지덕지해야 할 상황이었다. 나는 잠시 걸음을 멈추고 어느덧 이마를 적시고 있는 땀을 손으로 훔치며 도로를 바라보았다. 전조등으로 도로 주변의 풍경에 부연 빛을 덧칠하는 차들이 질주할 때마다 도로 위에 떨어져 있던 벚꽃 잎들이 허공으로 떠올라 벚나무 언저리에 쌓였다. 대개는 바퀴에 깔려 짓이겨지거나 먼지가 묻은 벚꽃 잎들이 서로 엉겨 있었는데 마치 질척하게 녹은 눈처럼 보였다. 보도의 가장자리에 서 있는 벚나무들은 불과 며칠 전까지 흐드러지게 피었을 꽃잎들을 거의 떨어냈고 성기게 돋은 이파리 사이로 가로등의 빛을 내보였다. 올해는 벚꽃을 보지도 못했구나. 발령 난 학교에 수령이 오래된 벚나무가 있다고 하던데. 내가 출근할 즈음이면 벚꽃 구경은커녕 떨어진 벚꽃 잎조차 볼 수 없을 것이다. 끝도 없이 이어지는 굉음에 질려 다시 무거운 발걸음을 떼려는 순간 흐릿한 불빛이 번지는 주황색 천막이 조그맣게 보였는데 처음에는 그저 기시감 정도로 치부했던 나는 고개를 저으며 웃고 말았다. 그것은 내가 퇴근할 때마다 운전석 창으로 내다보았던 붕어빵을 파는 노점이었다. 나는 방향을 분간할 수 없는 밤바다에서 반쯤 수면에 잠겨 항로를 알려주는 부표를 발견한 것처럼 오른 다리를 성큼 내디디며 걸어갔다.

두꺼운 문이 철컹하고 닫히며 집 안으로 쌀쌀한 공기가 들이치자 중문에 끼워진 유리가 문틀에 부딪히며 바르르 떨었고 귀 안에서 고막을 팽팽하게 붙들던 이명이 귓바퀴를 타고 빠져나갔다. 센서 등에 빛이 들어오며 현관 안이 밝아졌고 신발장의 전신 거울에 무릎을 끝까지 펴지 못해 앞꿈치만 살며시 딛고 있는 다리가 비쳤다. 현관은 마치 태풍이 한차례 쓸고 지나가서 만신창이가 된 선착장 같았다. 오른쪽 구석에는 휘몰아치는 바람에 줄기가 휘어지고 잎을 퍼덕이는 야자수처럼 비뚜름하게 세워진 목발과 풀어헤쳐진 장우산 이 서로 뒤엉켜 있었다. 신발장으로 미처 대피하지 못한 대여섯 켤 레의 신발은 밑창을 드러내며 다른 신발 위에 뒤집혀 있거나 신발장과 바닥 사이에 모로 쓰러져 있어 좌초하거나 난파한 배를 연상시켰다. 나는 널브러진 신발들을 조심스럽게 피하며 현관 문지방에 엉거주춤하게 앉아 신발 끈을 풀었다. 그리고 벗은 신발을 신발장에 밀어 넣고 문틀에 손을 짚으며 뒤로 돌아섰다. 나는 거실 등도 켜지 않고 아직은 어두컴컴한 거실에 빛을 발산하고 있는 센서 등에 의지해서 테이블과 수납함의 사이를 지나 원 모양의 소파에 그대로 쓰러졌다. 오른발이 좁은 소파 밖으로 비어져 나가 다리에 통증이 느껴지자 나는 양 무릎을 구부리며 적당하게 웅크렸다. 그러고는 팔을 옆구리 뒤로 넘겨 허리와 등받이 사이에 끼여 있던 쿠션을 꺼내고 얼굴을 받쳤다. 끔찍하게 힘들었던 물리 치료부터 병원에서 집으로 돌아오기까지의 여정이 꽤 고생스러웠던 탓에 이제야 새어 나오는 안도의 숨이 내 체중에 파인 소파의 굴곡을 서서히 메웠다. 숨을 고르게 내쉬며 잠시 눈을 감았다가 떴는데 눈이 어둠에 적응한 듯 거실의 형체가 조금씩 모습을 드러내기 시작했다. 그랜드 피아노의 다리가 가로로 기울어져 배의 뒷부분이 수직으로 들린 채 심해로 가라앉기 시작한 타이태닉 갑판의 난간처럼 보였다. 그 사이로 작은방의 문과 바닥 틈에서 새어 나오는 빛이 보였지만 아무런 인기척도 들리지 않았다. 나는 피아노의 다리를 따라 눈을 움직여서 천장을 보았다. 쿠션에 안구가 눌렸었는지 밤바다의 수면을 물속에서 올려다보는 듯 천장에 낮은 파도가 너울거렸고 세 개의 형광등 안에 남아 있는 잔광이 잠수정 바닥의 탐조등처럼 보였다. 오늘 어지간히 피곤했다고 자조하면서 형광등을 계속 응시했는데 몸이 느른해지면서 시야가 흐려졌다. 그러다 문득 느릿한 조류에 떠밀리는 심해어처럼 내 몸이 부유하고 있다는 느낌이 들었는데 그 순간 그랜드 피아노의 뚜껑을 희끄무레하게 비추고 있는 로봇 청소기만 한 잠수정이 보였다. 나는 도저히 믿기지 않아 쿠션에서 고개를 들어 잠수정을 쳐다보았고 잠수정은 탐조등의 각도를 바꿔가며 거실의 벽과 바닥에 원뿔 모양의 빛줄기를 뿌렸다. 나는 헛웃음을 치며 쿠션에 얼굴을 반쯤 묻고는 의식 속에서 잠수정에게 말을 건넸다. 네가 무엇을 찾으러 왔는지 알 수 없지만, 그게 무엇이든 여기에 있을지 모르겠구나. 잠수정은 그랜드 피아노의 기울어진 뚜껑을 따라서 하강하다 보면대와 건반 위로 선회하며 빛을 비췄다. 그러고는 무언가를 묻는 것처럼 선체의 정면을 내게 돌렸다. 나는 쿠션에 떨떠름한 웃음을 떨어뜨리며 내키지 않는 심정으로 말했다. 큰딸이 피아노를 치고 있단다. 나는 잠시 말을 멈췄다가 잠수정이 움직이지 않는 것을 보고 말을 이었다. 만약 네가 보면대를 탐사한다면 쇼팽의 악보집을 발견할 수 있겠지. 탐조등의 하나가 각도를 바꿔 '별표'가 표시되어 있거나 '매만지듯이', '부드럽게', '생기 있게' 등의 문구가 여기저기 쓰여 있는 악보를 비췄다. 잠시 악보를 살펴보던 잠수정은 선체를 돌려서 거실 창을 가리고 있는 블라인드에 다가갔다. 블라인드는 아침부터 밤까지 처져 있단다. 간혹 내가 블라인드를 올려 보지만 피아노를 연주할 때 방해가 되는 모양인지 블라인드는 그새 내려져 있지. 때마침 네가 빛을 비추고 있는 블라인드를 보니 몸을 기울여 거실 창을 스쳐 지나가는 고래의 주름진 배처럼 보이는구나. 잠수정은 선체의 방향을 틀어 창의 오른쪽 벽에 붙어 있는 디지털 피아노를 비췄고 곧 상부의 덮개 위에 먼지가 내려앉은 액자와 트로피, 상패에 부스러진 빛이 맺혔다. 큰딸이 콩쿠르에 참가했었단다. 잠수정이 액자를 살피며 천천히 오른쪽으로 이동하자 액자의 그림자가 탐조등의 빛이 부시기라도 한 것처럼 왼쪽으로 숨어들었다. 잠수정은 멈추며 액자에 빛을 모았고 액자의 테두리에 고여 있던 어둠이 벗겨지며 자기 키만 한 기타를 안고 있는 큰딸이 모습을 드러냈다. 잠수정은 호기심을 어느 정도 해소했는지 책장 앞으로 이동하며 책등을 하나씩 훑었다. 작은딸이 읽고 있는 책들이야. 작은딸은 독서광이라고 할 수 있지. 밥을 먹을 때조차 책장을 넘겨서 종내 식은 밥알을 그릇에서 떼어내느라 매번 고생하지. 잠수정은 내 설명에 별다른 반응도 없이 기수를 돌려 이번에는 유리장 안의 브릭으로 만든 차 모형들을 들여다보았다. 나는 뭐라고 말해야 할지 곤란해서 잠시 머뭇거렸는데 잠수정이 탐조등으로 내 얼굴을 비췄다. 어쩌다 보니 생긴 취미야. 새벽 라디오 방송의 흥얼거림과 내 목덜미부터 허리를 타고 내려오는 서광과 함께 조립했지. 가끔은 다음 날이 주말일 때 목구멍이 따끔거리는 맥주의 취기를 더해서. 잠수정은 차 모형들을 지나쳐 물살에 허물어진 것 같은 테이블 위의 참고서 더미와 최근에 자전한 적이 없는 수납함 위의 지구본을 건성으로 비추더니 현관문으로 향했다. 나는 녹초가 된 몸을 반쯤 일으켰지만 잠수정의 뒷모습을 그저 무력하게 바라보았다. 현관문의 손잡이가 아래로 돌아가고 문이 조용하게 열렸다. 잠수정은 내가 만류할 기운조차 없다는 것을 알고 있다는 듯 그대로 복도로 나갔고 열린 문밖에서 탐조등의 빛이 점차 희미해졌다. 잠수정은 내 기억을 따라 복도에서 계단을 타고 지하 주차장으로 내려가기 시작했다. 유리문을 통과한 잠수정은 지하 주차장의 천장에 선체를 붙이고 지난해 폭설의 여파로 눈을 피하느라 한 칸의 빈자리도 없이 세워진 차들이 한기에 잠겨 있는 모습을 내려다보았다. 천장을 레일처럼 가로지르는 철골 구조물에 매달린 형광등을 따라 잠수정은 천천히 나아갔고 탐조등의 빛이 차들의 천장과 유리창, 후드 위에 내려앉아 눈의 결정처럼 얼어붙었다. 돌연 휭 하는 소리와 함께 지하 주차장의 공기를 휘젓는 바람이 한바탕 들이쳐 잠수정의 선체가 흔들렸고 차의 상부를 드러내던 빛이 차 사이에 들어차 있는 어둠 속으로 떨어져 자취를 감추었다. 잠수정은 서서히 하강하여 마치 자신의 그림자 속에 침수되어 바퀴가 매몰된 것처럼 보이는 차들의 하부를 밝히며 왼쪽의 경사로를 비치는 반사경 밑에 도달했다. 경사면을 따라 잠항을 계속한 잠수정은 더욱 세차게 몰아치는 바람에 요동치면서도 아직은 동이 트지 않아 어둠이 새까맣게 몰려 있는 출구까지 계속 직진하더니 출구에 인접한 주차칸에 웅크리고 있는 소형차의 범퍼 앞에서 멈췄다. 잠수정이 후드 위로 상승하여 전면 유리창을 비추었는데 그 때문에 차에 시동이 걸리기라도 한 것처럼 전조등과 후미등에 빛이 들어오면서 오른쪽 화살표와 출구가 표시되어 있는 주차장의 벽을 밝혔다. 차는 여전히 졸음에 겨우면서도 귓등을 펴고 그르렁거리는 소리를 내더니 몸을 천천히 일으켜 출구를 빠져나갔다. 잠수정은 출구를 벗어나자마자 오른쪽으로 바퀴를 트는 차를 따라가다 말고 탐조등을 좌우로 움직이며 출구 밖의 도로를 비췄다. 진입로의 중앙분리대 차단봉들이 눈에 파묻혀 빙산의 일각처럼 보이는 모습을 살피더니 잠수정은 작동을 멈추고 그대로 허공에 떠 있었다. 나는 쿠션에 얼굴을 파묻으며 나직하게 중얼거렸다. 네가 무엇을 찾고 있었는지 알 수 없지만, 그게 무엇이든 이제는 없을 거야. 내가 몰고 나갔던 잠수정은 침몰했고 나는 아직 조난자란다. 잠수정은 탐사의 목적을 잃은 듯 선체를 뒤흔드는 바람에 저항하지 않았다. 그리고는 피아노 다리의 윤곽이 차츰 흐릿해지는 의식 속에 잠겨 형체가 스러졌다.

가늘어지는 눈썹

동영상을 보느라 새벽이 되어서야 잠이 든 나는 얼굴에 미세한 떨림이 스멀거리는 것을 느꼈다. 손으로 문지르면 이마와 뺨, 입가의 이물감을 떨어낼 수 있다는 듯 반사적으로 얼굴을 손바닥으로 비비며 반대 방향으로 돌아누웠다. 입가에 말라붙은 뒤에도 여전히 남아 있던 끈적한 침이 손바닥에 묻었고 나는 베개를 끌어당기며 베갯잇에 손바닥을 닦았다. 얼굴이 베개에 묻히면서 만들어진 경사 면으로 무언가 단단한 물건이 미끄러져 온 오른 관자놀이에 부딪혔고 나는 잠결에 인상을 쓰며 그 물건을 치워 내려고 왼손으로 베개 위를 쓸어 냈다. 그 물건은 침대 받침대에 부딪히며 매트리스 위에 떨어졌지만 그 뒤에도 진동음을 귓구멍과 이어폰의 틈으로 지치지도 않고 밀어 넣었다. 나는 손을 뻗어 베개와 받침대 사이를 더듬으며 스마트폰을 찾아 얼굴 위로 들어 올렸다. 게슴츠레하게 뜬 눈 위로 요란하게 떨고 있는 스마트폰의 화면에 알람이라고 적힌 빨간 원이 깜빡거리고 있었다. 나는 화면을 눌러 알람을 끄고 스마트폰을 베개 옆에 내던졌다. 아직도 눈을 반쯤 가리고 있는 눈꺼풀을 손가락으로 문지르며 간신히 들어 올린 뒤 받침대에 등을 기대고 다시 스마트폰을 내려다보았다. 무릎께까지 올라오는 물속에 넘어져 일어나지 못하는 수영객처럼 여전히 잠기운에 취해 이불 속에서 허우적거리는 내게 늦은 기상에 대한 경각심을 일깨워 줄 좋은 기회라고 생각했는지 8시 36분을 표시하던 디지털시계가 마지막 자리의 숫자를 재빨리 올려 37분으로 바꿨다. 무언가 꺼림칙했지만 그게 무엇인지는 알 수가 없어서 머릿속에 작은 벌레가 기어가는 것처럼 이마가 간지러웠다. 나는 머리를 긁적이며 앞머리를 쓸어 올리고 침대 옆 창문의 커튼을 젖혔다. 이미 보도와 도로에는 어디론가 향하는 행인들로 혼잡했다. 미간을 찌푸리고 잰걸음을 재촉하는 사람들을 계속해서 바라보니 점차 눈의 초점이 잡히면서 걸음새뿐만 아니라 행색도 눈에 선명하게 들어왔다. 나는 잠도 깰 겸 창문을 열어 얼굴을 밖으로 내밀었는데 아직은 노곤한 공기가 고여 있는 방 안에 한기가 훅 끼쳐 뺨과 목덜미를 얼음장에 댄 것 같았다. 나는 잠옷의 목깃을 양손으로 꽉 여며 쥐고 고개를 왼쪽으로 돌려 횡단보도가 대각선으로도 연결된 교차로를 바라보았다. 보도 위에 한 줄로 박혀 있는 점자 블록이 마치 마라톤 대회의 출발선이라도 되는 것처럼 짧거나 긴 머리카락이 덮고 있는 수십 명의 얼굴이 신호등을 쳐다보며 횡단보도 앞에 몰려 있었다. 초록 조끼를 입은 한 무리의 학부모들은 보행 신호가 켜지기도 전에 횡단보도에 올라서는 학생들이 없도록 노란 수신기를 옆으로 펼치고 나머지 한 손으로 부드럽게 미는 시늉을 하며 서로 밀고 밀리는 인파를 제지했다. 곧 보행 신호가 켜지고 학교 정문 부근에서 날카로운 호각 소리가 울리자 가방을 들썩이며 휘적휘적 걷거나 어깨와 어깨 사이를 비집으며 뛰어가는 학생들이 횡단보도를 따라 여울을 이루며 교차로의 오른쪽 상단으로 흘러갔다. 횡단보도를 건너는 사람들을 보니 대개는 내 또래이거나 나보다 어린 학생들이라는 것을 깨닫고 나는 뭔가 불길한 예감에 사로잡혔지만 그럼에도 그 이유를 좀처럼 떠올리지 못했다. 그러다가 내가 스마트폰에서 알람을 설정한 이유가 불현듯 생각났는데 그것은 바로 오늘이 개학일이기 때문이었다. 나는 눈을 휘둥그레 뜨고 다시 스마트폰의 화면을 다급하게 들여다보았다. 시계는 나의 무딘 눈치에 부루퉁한 면박을 주며 8시 41분을 표시하고 있었다. 나는 침대에서 뛰어내려 거실로 뛰쳐나가 세면실로 향했다. 뜨거운 물을 기다릴 새도 없이 수도꼭지에서 콸콸 쏟아지는 물줄기에 손바닥을 밀어 넣고 오므린 손바닥에 얼굴을 담갔는데 피부가 온통 얼얼했다. 치약을 간신히 붙든 칫솔을 입안에 밀어 넣고 다시 방 안으로 뛰어 들어가 옷장에서 상의와 하의를 눈에 보이는 대로 빼내어 옷 속에 몸을 끼워 넣었다. 그리고 옷장 하단의 서랍에서 몸을 말고 있는 양말 한 켤레를 풀어 헤치고 양말을 발목까지 끌어당겼다. 책가방을 메고 세면실에서 입을 헹군 뒤 그대로 현관으로 달려가 신발에 발을 쑤셔 넣는데 집 안에 인기척이 없었다. 엄마가 나를 깨우지도 않고 출근한 모양이었다. 현관 문지방에 쪼그리고 앉아 신발 끈을 질끈 매면서 지각한 핑곗거리를 찾아낸 김에 분한 감정을 혼잣말로 쏟아 내는데 생각해 보니 엄마가 방문을 두드리며 나를 깨웠던 것 같기도 했다. 아마 이 정도로 두드리고 불렀으면 내가 일어났겠거니 생각하고 엄마도 바쁜 출근길을 서둘렀을 것이다. 이제 와서 새삼스럽게 누구를 원망하겠는가. 원망할 사람도 없으니 마음이 더 답답했다. 팔 개월 전 엄마가 귀청이 찢어지는 소음을 내며 진공청소기로 방 여기저기를 들쑤시고 있을 때 이불을 둘러쓰고 있던 내가 결국 고개를 치들고 내 방은 내가 알아서 청소한다고 엄마에게 소리를 버럭 질렀었다. 그때 엄마는 진공청소기의 전원을 끄더니 멍한 눈초리로 내 얼굴을 바라보다 별다른 말도 없이 진공청소기를 앞세우고 앞치마를 묶은 매듭을 풀며 내 방에서 나갔다. 그 뒤로 엄마에 대한 반발심 때문에 수업이 끝나면 편의점에 들러 컵라면과 도시락으로 끼니를 대충 때우고 학교 운동장이나 근린공원을 배회하다 집에 뒤늦게 들어갔다. 가끔 부엌 식탁에서 저녁 식사를 하는 엄마와 아빠, 남동생을 마주쳤는데 엄마는 현관문이 닫히는 소리를 듣고도 고개를 돌리지 않았다. 아빠는 엄마에게 들은 말이 있는지 나를 슬쩍 쳐다보더니 턱을 받치고 있던 손바닥으로 피곤한 기색이 어려 있는 눈언저리를 비비고는 엄마와 나누던 대화를 계속 이어 나갔다. 엄마와 아빠의 대화는 거실을 가로지르는 내게도 잘 들리지 않을 만큼 줄곧 나직했는데 마치 말소리가 식탁을 벗어나기라도 할까 봐 주의하는 것 같았다. 엄마는 아빠와 이야기를 하는 와중에도 숟가락을 동생의 입안으로 조심스럽게 밀어 넣었고 동생은 부엌 어딘가에 시선을 고정하며 입을 살짝 벌린 채 음식을 천천히 씹었다. 반찬과 뒤섞인 국물이 입가로 새어 나와 우물거리는 턱 위에 번져도 엄마는 당황하는 기색도 없이 숟가락으로 음식을 걷어 올려 다시 입안으로 밀어 넣고 물티슈로 동생의 입 주위를 정성스럽게 닦아냈다. 동생의 얼굴을 바라보며 식탁 위에 물티슈를 쥔 손을 내려놓은 엄마의 눈가는 언제나 그렇듯 퀭했다. 엄마와 아빠는 혹여 동생이 놀라지 않도록 동생이 주변에 있으면 늘 낮은 목소리로 얘기했다. 하지만 대화의 주제가 나일 것만 같으면 나는 괜스레 화가 치솟곤 했다. 동생 앞에서 큰 소리를 내지 말아 달라고 어릴 때부터 엄마에게 부탁받아 왔었기에 나는 그저 굳게 다문 입술 안으로 화를 밀어 넣고 내 방으로 서둘러 들어가 침대 위로 뛰어드는 것이 습관이 되었다.

신발장에 붙은 거울에 내 얼굴을 비춰 보았다. 잠잘 때 몸부림이 심했는지 머리가 산발이었지만 머리카락을 매만질 시간이 없었다. 손으로 머리카락을 쓸어내려 머리를 대충 정리하고 엘리베이터를 기다릴 시간도 없이 계단을 허겁지겁 뛰어 내려갔다. 이럴 땐 집과 학교가 가까운 거리라는 것이 천만다행이라는 생각이 들었다. 뛰어가면 오 분이 채 걸리지 않았기에 나는 내심 자신만만하게 학교를 향해 힘껏 달렸지만 곧 호흡이 가빠졌다. 심지어 창가에서 내다보았던 그 수많은 학생들이 모두 학교에 들어갔는지 이제는 운동장의 트랙 위에 몇몇 학생들의 뒷모습만 조그맣게 보였다. 그나마 반쯤 뛰면서 아꼈던 시간을 횡단보도에서 보행 신호를 기다리느라 고스란히 허비하자 수신기를 올렸다 내리며 교통지도를 하는 녹색어머니가 느닷없이 원망스러워졌다. 물론 무단 횡단할 생각은 없었지만 속절없이 밀려오는 낭패감에 아직은 공기가 차가운데도 손바닥의 손금을 따라 땀이 차올랐다. 신호등의 색이 바뀌고 배움터 지킴이가 학교 정문 앞에 있는 횡단보도를 밟으며 호각을 불자 이제는 횡단보도를 건너는 사람이 거의 없는데도 수신기들이 일제히 올라갔다. 나는 횡단보도가 마치 허들이라도 되는 양 무릎을 높이 쳐들며 운동장으로 뛰어들었다. 운동장을 둘러싸고 있는 펜스와 체육관 지상 주차장 사이의 낮은 계단을 한꺼번에 뛰어올라 운동장의 한복판을 가로질러 중앙 현관까지 한달음에 내달렸다. 유리문을 열고 현관 안에 들어서니 분홍색 책가방을 멘 저학년 학생이 신발주머니를 쥔 엄마의 도움을 받으며 새 운동화를 발보다 큰 실내화로 갈아 신고 있었다. 나는 그제야 실내화를 챙겨 오지 않은 것을 알아차렸지만 이미 자포자기의 심정이었다. 나는 주저하지 않고 현관에서 운동화를 벗은 다음 사 층으로 이어지는 계단을 뛰어 올라갔다. 계단참을 가운데 두고 지그재그로 이어진 계단을 한 층 오르자 십자 형태로 쌓아 올린 가정통신문 더미를 손으로 받치고 각자의 교실로 향하는 학생들이 보였다. 방송부원들은 방송 원고와 무선 마이크를 손에 쥐고 방송실과 조정실을 수선스럽게 오가더니 곧 시업식을 시작한다는 안내 방송이 복도에 울려 퍼졌다. 사 층 복도에 올라섰지만 몇 반에 배정되었는지 모르는 나는 일 반부터 확인할 수밖에 없다고 생각하고 일 반 교실에 붙은 반 배정표를 확인하기 위해 왼쪽 복도 끝으로 뛰다시피 걸어갔다. 사 반 교실 앞 복도에서 나와 같은 방향으로 걸어가는 남자 선생님을 지나쳤는데 어깨부터 허리까지 흔들리는 내 가방을 눈여겨보는 선생님의 시선을 의식했지만 천천히 걸을 수는 없었다. 일 반 교실 앞 복도에 도착해서 교실 앞문에 붙은 반 배정표에 손가락을 대고 명단의 위에서부터 아래까지 훑어내렸지만 내 이름은 없었다. 나는 힘이 빠진 무릎 위에 양손을 올리고 상체를 수그려서 고막에서도 박동하는 심장을 잠시 진정시켰다. 내가 숨을 몰아쉴 때마다 교실 앞문의 유리에 김이 설핏 서렸다가 이내 사라졌다. 나는 헛웃음이 나왔다. 내가 십일 반이라면 어쩌지? 나는 허리를 펴고 고개를 들었는데 일 반 교실에 앉아 있는 아이들이 창문을 통해 복도에 황망하게 서 있는 나를 한꺼번에 내다보고 있었고 당혹스럽게도 나는 그들과 일일이 눈을 마주쳤다. 나는 몸을 돌려 복도 가운데 두 줄로 쌓여 있는 사물함을 돌아 이 반 교실로 달려갔는데 공교롭게도 방금 지나친 선생님과 복도에서 마주쳤다. 나는 순간적으로 움찔했지만 반 배정표를 확인하지 않을 수 없기에 이 반 교실 앞문으로 걸어갔다. 선생님은 나를 보고 복도에 멈춰 서더니 내게 이름을 물었다. 나는 숨을 헐떡이면서도 시간이 없는 와중에 여러 번 말하지 않도록 호흡을 가다듬고 이름을 또박또박 발음했다. 선생님은 손에 들고 있는 반 편성 명단을 보지도 않고 "우리 반 학생이구나."라고 대답했다. 나는 좀처럼 믿기지가 않아서 어안이 벙벙해졌다. 내심 십일 반의 반 배정표까지 확인할 각오를 했었는데. 나는 그제야 긴장이 풀렸는지 얼어붙었던 얼굴에 화색이 돌면서 뺨을 달아오르게 했던 열감을 느꼈다. "그래도 늦지는 않았구나." 선생님은 창문으로 들여다보이는 벽시계를 힐끗 쳐다보며 말했는데 늦지 않아서 다행이라는 건지, 교실에 얼른 들어가라는 건지 종잡기 어려운 평탄하고 느린 어조였다. 하지만 희

미한 빛살이 들이치는 처마처럼 살포시 올라간 입술 끝에 친밀함이
감돌아서 폐를 욱신거리게 만들었던 조급함이 숨을 내쉴 때마다 옅
어졌다. 선생님은 교실 천장에 매달린 선풍기 밑에 하나밖에 남지
않은 빈자리를 가리키며 "아마 저기가 네 자리인 것 같은데."라고
말하고 나를 다시 바라보았다. 나는 풀이 죽어 쭈뼛거리면서 교실
안을 들여다보다 이미 앉아 있는 아이들의 눈에 덜 띄려 굳이 뒷문
으로 들어갔다. 선생님은 나를 복도에서 지켜보다 내가 교실로 들
어가서야 앞문을 열었다.

　책상 위에 반듯하게 쌓여 있는 육 학년 교과서를 의아하게 살피
며 의자를 끌어내어 앉는 그 짧은 시간에도 서로 처음 만나 서먹한
분위기에 휩싸였던 교실이 급격하게 술렁였다. 선생님이 아이들을
보지도 않고 칠판 앞을 가로질러 교탁 의자에 앉더니 키보드를 두
드리며 마우스를 클릭했고 떨리는 시선을 교환하는 아이들은 자신
도 모르게 터지는 탄식을 드러내지 않으려 숨죽이고 있었다. 나는
교과서를 책상 서랍에 조용하게 집어넣으며 주위를 흘끔거렸는데
고개를 한쪽으로 기울이고 낙담한 눈빛으로 칠판을 보거나 뒷덜미
를 손으로 문지르며 책상 위에 엎드린 아이들의 모습이 보였다. 내
왼쪽 줄에 앉은 여자아이가 앞에 앉은 여자아이의 등을 손으로 토
닥여서 무언가를 속삭였는데 귀를 내준 여자아이는 눈을 동그랗게
뜨며 아직도 모니터에 시선을 박고 있는 선생님을 새삼스럽게 돌아
보았다. 웅성거리는 소리가 조금씩 커지며 교실 바닥을 채워 책상
높이까지 차오를 즈음 아이들은 옷매무새를 정리하고 의자에서 일
어나 칠판 앞에 서는 선생님을 눈으로 좇았다. 선생님이 이름과 연

락처를 칠판에 적기 시작했다. 나중에 교실을 떠도는 풍문을 얼결에 들어서야 알았지만 작년에 오 학년 사이에서도 입방아에 오르내릴 만큼 엄격하게 학급을 운영한다고 소문난 육 학년 선생님이었다. 그런데 올해는 같은 학년을 맡지 않을 거라는 아이들의 근거 없는 바람이 무색하게도 지금 우리의 눈앞에 버젓이 서 있는 것이었다. 나는 선생님에 대해 몰랐고 누가 담임이 되던 그다지 상관없었기에 오히려 수군대는 아이들을 찌푸린 얼굴로 조소하며 심드렁하게 주위를 둘러보았다. 그때 외벽에 면한 창가의 세 번째 자리에 앉았던, 한참이 지나서야 대화를 나누게 된 은재가 눈에 띄었는데 그 이유는 다른 아이들과는 달리 실망하는 기색을 그다지 내비치지 않았기 때문이었다. 은재는 책가방에서 알림장을 꺼내고 필통에서 연필을 집더니 칠판에 적혀 있는 이름과 전화번호를 적기 시작했다. 고개를 숙인 탓에 쏟아진 은재의 긴 머리카락을 배경으로 하얀 손가락의 차분한 손놀림이 어두운 관중석의 아이스링크에서 몇 바퀴 선회하는 피겨 선수의 스케이팅 연기처럼 보였다. 선생님은 피치 못할 사정이 있는 경우에만 직접 연락하고 그 외의 통상적인 연락은 교실로 전화해 주기를 바란다고 말한 뒤 자신을 소개하기 시작했다. 은재는 펜을 알림장 위에 내려놓고도 굳이 고개를 들지 않는데 자꾸 아래로 흘러내리는 머리카락이 거추장스러웠는지 오른손으로 머리카락을 귀 뒤로 넘겼다. 그러자 완만하게 곡선을 그리는 이마 아래로 맵시 있게 가늘어지는 눈썹 끝이 내보였다.

일상의 세공

　봄은 완연하고 하루는 쏜살같이 지나갔다. 아프리카의 사바나에서 해가 뜨면서 지는 광경을 십육 배속으로 재생하는 것처럼 여간해서는 떠올리기 어려운 잔상조차 기억이라는 그림자를 남기지도 않고 모두 증발해 버리는 것만 같았다. 이제는 아침의 햇살마저 제법 따가워지고 오후의 후덥지근한 열기가 아지랑이처럼 피어올라 운동장에서 쉼 없이 돌아가는 스프링클러의 물줄기에 조금이라도 닿으려고 갈증에 허덕이는 잔디가 짙푸른 줄기를 공중으로 내뻗고 있었다.

　나는 동쪽 현관 입구에 서서 얼굴에 손그늘을 드리우고 쏟아지는 햇빛으로 온통 하얗게 물든 운동장을 바라보았다. 종례가 끝나고 방과 후 수업이 시작되기까지 불과 이십여 분의 시간에도 여태껏 교실에 앉아 무료함을 삼키느라 사례가 들렸던 아이들은 온데간데 없이 사라지고 가젤을 사냥하는 표범처럼 풀썩이는 먼지바람을 헤집으며 공을 쫓고 있었다. 옷 밖에 드러난 살갗이 검게 그을려 멀리서는 좀처럼 학년을 구분할 수 없는 아이들이 뒤엉키며 달리고 걔들 중의 몇몇은 잔디밭에 넘어지기도 했다. 하지만 발목이나 무릎을 끌어안고 누워 있거나 우는 시늉을 하는 아이는 없었고 자못 분연하게 다시 일어나서는 공을 향해 맹렬하게 달려가 거침없이 발을 휘둘러 정강이와 정강이가 맞부딪치는 아찔한 상황도 벌어졌다. 경기를 하기에는 짧은 시간이라 그저 공을 차보는 정도일 줄 알았는데 골키퍼 장갑을 끼고 있는 우솔이 왼손으로 골대를 짚고 오른손을 동그랗게 오므려 입에 대더니 고함을 질렀다. 때마침 공을 잡고 있던 범구가 우솔을 돌아보며 고개를 끄덕였고 공을 앞으로 치고 내달려 상대의 골문을 향해 긴 크로스를 올렸다. 공은 당혹스럽게도 골대를 크게 벗어나 넘어가고 골대 앞에 몰려 있던 아이들이 하나같이 질책하는 눈초리로 범구를 흘겨봤지만 범구는 미안해하기는커녕 손바닥을 내보이며 어깨만 으쓱했다. 골키퍼가 골대 뒤로 한참을 굴러간 공을 주워 오며 시계탑을 손가락으로 가리키자 시계를 올려다본 아이들은 하나둘씩 가슴과 등에 들러붙은 상의를 떼어내며 입구로 들어왔다. 신발장에서 실내화를 꺼내어 갈아 신지만 운동화나 축구화를 신발장에 넣는 아이들은 거의 없었고 아무렇게나 벗어 던진 신발 십수 켤레가 그대로 현관 바닥에 나뒹굴었다. 학교 벽을 타고 정원으로 휘돌아 가는 바람에 신발 밑창에서 떨어져 나온 잔디 줄기와 검은 흙이 부드럽게 떠밀려 바닥 타일의 틈새에서 멈추고 정원에 박혀 있는 바위 위에서 검은색 점퍼가 한 번 부풀었다가 가라앉았다.

매주 월요일 오후 세 시에는 모든 교직원이 모여서 그 주의 업무를 협의하거나 행사를 안내하기 위해 교직원 회의를 하는데 나는 회의실에 가기 전 행정실에 먼저 들렀다. 졸업 앨범 제작 업체를 몰랐던 나는 행정실의 문을 조용하게 열고 들어가 우후죽순 솟은 서류 더미와 여기저기 펼쳐진 책자 사이에서 재정 문서를 확인하고 있는 행정실장에게 학교 보관용 졸업 앨범을 볼 수 있는지 물었다. 행정실장은 보고 있는 문서에서 눈을 떼지 않고 오른손으로 옆에 있는 캐비닛의 문을 열더니 졸업 앨범 세 권 중 한 권을 꺼내어 내게 건넸다. "작년에 오 학년 선생님께서 육 학년을 맡았었기 때문에 물어보시면 잘 말씀해 주실 거예요." 나는 소리 내어 대답하면 행정실장이 하는 일을 방해라도 할 것처럼 고개만 끄덕이고 졸업 앨범을 받아들었다. 행정실장은 내게 졸업 앨범을 건네준 뒤 이번에는 셀마다 갇힌 숫자가 초조한 마음으로 처분을 기다리고 있는 모니터를 신중하게 들여다보았다. 나는 문을 닫고 나와 오 학년 교실로 향했다. 교실 문을 두드려도 안에서 아무런 소리가 들리지 않아 문을 열었는데 교실에 선생님은커녕 학생도 없어 도통 이유를 모르겠다는 생각이 드는 순간 벽에 매달려 있는 시계의 분침이 어느덧 시침과 수직을 이루고 있었다. 나는 회의가 있다는 사실을 잊어버렸던 사람처럼 서두르며 회의실로 향했는데 회의실 문을 열고 안을 들여다보니 선생님마다 회의를 준비하느라 분주했다. 스테이플러로 왼쪽 상단의 귀퉁이를 박은 서류를 책상마다 배부하거나 오늘 연수가 있는 모양인지 텔레비전에서 영상과 음성의 재생 여부를 점검하는 선생님도 있었다. 교무부장이 아직 오지 않은 선생님의 교실에 전화하고 수화기를 딸각하며 내려놓았는데 때마침 마른침을 삼키느라 내 목 안에서 울리는 소리와 묘하게 겹쳤다. 회의실 안을 재빨리 둘러보다 맨 뒷줄 가운데 앉아 있는 오 학년 선생님과 눈을 마주쳤다.

"얼른 들어오세요." 여전히 문가에 서서 머뭇거리고 있던 내게 그가 웃으며 자리를 권했다.

나는 손에 쥐고 있는 앨범을 책상 위에 내려놓고 양손으로 책상과 의자 등받이를 짚은 다음 의자에 왼 다리부터 얹고 오른 다리를 구붓하게 당기며 천천히 앉았다. 그는 알고 있었지만 이 정도일 줄은 몰랐다는 표정을 지으며 내 다리부터 얼굴까지 찬찬히 훑어보았다. 본의 아니게 주위 선생님들의 시선을 끌어 겸연쩍어진 나는 책상 위에 놓인 자료를 대강 들춰보는데 "회의 끝나고 차 한 잔 마실래요?"라고 제안하는 그의 수더분한 목소리가 뺨에 와 닿았다. 나는 그가 먼저 보이는 호의에 조금 놀라며 "네, 그럴게요. 졸업 앨범에 대해 여쭤볼 것도 있어서 회의가 끝나면 오 학년 교실로 가겠습니다."라고 다소 성급하게 용건을 말했다. 내 얼굴에 드러난 조급한 낯빛이 약간은 과했는지 그는 내가 무안하지 않도록 졸업 앨범의 표지를 뭉툭한 손톱이 내보이는 손가락으로 쓸어내렸다. "꼭 그 때문이 아니어도 언제든지 오세요." 그는 목소리만큼이나 수더분한 미소를 입꼬리가 가늘어지는 짧고 두툼한 입술 안에 머금었다. 나는 다른 선생님들이 우리의 대화가 끝나기를 기다리고 있는 낌새를 눈치채고 고개만 살짝 끄덕였다. 교무부장이 관광교육 선도학교 운영 프로그램의 일환으로 추진해야 할 현장체험학습을 위해 다음 주까지 사전 답사를 마무리해달라는 안내를 시작으로 교직원 회의가 시작되었다.

그는 의자에 앉자마자 의자를 뒤로 돌리고 캐비닛 위에 놓인 전기 포트의 버튼을 눌러 물을 끓이기 시작했다. 나는 벽시계를 올려다봤는데 시침과 분침이 오른쪽으로 입을 벌리는 부등호를 그리며 4시 3분을 가리키고 있었다. 회의실에서 오 학년 교실로 걸어가며 그는 내게 커피를 좋아하냐고 물었는데 그의 짧은 질문은 마치 나를 커피 애호가인 양 상정하고 커피에 관한 내 지식과 취향을 대략적으로 가늠하려는 것처럼 느껴졌다. 일 년이 넘도록 집에 있는 캡슐 커피 기계로 추출한 커피를 평일에는 아침, 주말에는 오전에만 마셔 왔던 나는 만약 이 시간에 커피를 마셔도 숙면에 지장이 없을지 판단하기 어려웠다. 그마저도 커피는 혀를 찌릿하게 찌르고 목구멍을 부드럽게 넘어가는 기호 식품이라기보다는 아침 식사를 마치고도 혼미한 의식을 재빨리 깨우기 위한 기능성 음료에 가까웠다. 하지만 즐거워하며 질문을 건네는 그의 어조를 돌이켜보건대 교실에서 커피믹스 정도를 타 줄 생각이라면 그렇게 물어보지는 않았을 것이다. 그래서 나는 자못 궁금하다는 표정으로 "커피에 대해서는 아는 게 없지만 자주 마시기는 합니다."라고 대답했었다. 전기 포트 옆에는 핸드 드립 커피를 추출하는 온갖 도구가 이 단의 우드랙에 가지런히 정돈되어 있었는데 커피에 대해 문외한인 나조차 도구들은 물론이고 우드랙까지 굉장히 정교하고 세련된 물건이라는 것을 한눈에 알 수 있었다. 맨 앞줄의 의자를 끌어내어 교탁 가까이에 가져다 놓고 캐비닛 위의 물건들을 호기심 어린 눈빛으로 쳐다보는 나를 보며 그는 "커피를 추출하는 과정을 좀 알려드릴까요?"라고 조심스럽게 물었다. 나는 그가 자신의 관심 사항에 대해 누군가와 '심도 있는' 대화를 즐기는 사람이라는 것을 알아챘다. 나는 기꺼이 고개를 끄덕이며 그가 커피를 추출하는 모습을 가까이에서 지켜보기 위해 교탁에 팔꿈치를 올리고 상체를 살짝 기울였다. 그는 적극적으로 자기 말을 경청하려는 내 모습에 약간 놀라면서도 만족스러운 웃음을 눈가에 흘렸다. 그는 지식을 과시하는 것을 경계하려는 듯 되도록 간명하게 설명했고 나는 진심으로 궁금하기도 하고 그가 말하고 싶은 내용을 설명할 기회를 주기 위해 간간이 질문을 던졌다. 나는 방금 나온 애피타이저를 오물거리며 작은 숟가락의 방향을 돌려 화제를 꺼내는 사람처럼 우드랙이 인상적이라고 말했다. 그는 우드랙에 대해서는 물어볼 것을 미처 예상하지 못한 듯 당황해하며 블랙 파우더 코팅을 한 요철 모양의 철제 프레임에 호두나무 널빤지를 올려놓은 거라고 설명했다. 그는 우드랙에 있는 모든 물건과 우드랙 옆에 있던 스탠드, 필터 홀더까지 교탁 위에 한꺼번에 올려놓고 내 눈앞에서 천천히 핸드 드립 커피를 추출하기 시작했다. 제일 먼저 스탠드의 고리에 드리퍼를 얹고 받침대에는 서버를 올려놓았는데 그 모양새가 마치 기체를 발생시키는 실험을 하기 위해 스탠드에 유리 깔때기와 삼각플라스크를 결합한 것처럼 보여서 나는 피식 웃음을 터트렸고 그는 영문은 모르지만, 긍정적인 신호로 받아들였다. 그는 필터 홀더에서 여과지를 한 장 집어

들더니 접합 부위를 손끝으로 꾹꾹 눌러서 드리퍼 안에 넣었다. 그 새 전기 포트의 물이 다 끓어 딸깍하며 버튼이 제자리로 돌아갔고 그는 전기 포트를 들어 드립 포트에 뜨거운 물을 신중하게 부었다. 드립 포트의 노즐은 길고 우아하게 휘어져 있었는데 그는 노즐의 입구가 좁을수록 물의 양을 조절하기가 수월하기 때문에 자신은 좁은 입구의 드립 포트를 선호한다고 알려주었다. 그가 드립 포트를 들고 여과지의 한가운데부터 물을 부어 흠뻑 적시자 드리퍼 위에 붕 떠 있던 여과지가 드리퍼의 경사면에 들러붙었다. 텅 빈 여과지에 물을 붓는 것을 의아하게 바라보는 내게 그는 사발을 집으며 종이 필터의 냄새를 줄일 수 있고 드리퍼와 서버를 예열하기 위해서라고 진지하게 말했다. 서버에 떨어진 물을 사발에 부은 뒤 다시 서버를 스탠드의 받침대에 올려놓고 이번에는 앙증맞은 나무 국자를 쥐더니 원두 보관 용기에서 원두 네 스푼을 퍼서 원통 안에 넣었다. 그는 열쇠 구멍 모양의 국자를 내게 내보이며 십 그램짜리 커피 스쿱이라고 알려주었는데 즉 그의 말대로라면 커피 한 잔당 이십 그램의 원두를 사용하는 셈이었다. 그는 핸드 밀이라고 용어를 설명한 원통을 쥐고 스테인리스 막대기로 연결된 나무 공 손잡이를 잡아 몇 차례 돌렸는데 과연 이름처럼 손 안에서 원두가 분쇄되는 소리가 들렸다. 그러고 나서 핸드 밀 상부와 하부를 따로 잡아 원두받이통을 분리했고 소금 알갱이 크기로 갈린 원두 가루를 그대로 드리퍼에 털었다. 그는 내게 마법의 약물을 만들기 위해 모든 절차를 엄격하게 준수하는 연금술사처럼 보이기 시작했다. 그는 의자에서 일어나 드립 포트를 기울여 원두 가루가 충분히 젖도록 드리퍼의 중심에서부터 원을 그리며 가장자리까지 천천히 물을 붓고 삼십 초 정도 뜸을 들였다. 기다리는 시간 동안 그는 뜨거운 물을 부으면 원두 가루에서 가스가 방출되는데 가스를 먼저 빼내 주지 않으면 원두 가루가 가스에 둘러싸여 물이 잘 닿지 못한다고, 그래서 우리가 보통 '맹물'이라고 표현하는 밋밋한 맛의 커피가 추출되기 때문에 원두 가루를 한 번 '헹구는' 거라고 말했다. 그는 같은 방식으로 두 차례에 걸쳐 드리퍼에 물을 더 부었고 드리퍼에서 서버로 검은 물줄기가 쏟아지기 시작했다. 그는 마법의 약물에 담갔다가 꺼낸 손가락을 입에 넣어 효능을 직접 확인하고 싶어 하는 동료 연금술사처럼 커피를 추출하는 모습을 관찰하고 있는 내게 "첫 번째와 두 번째 추출에서는 원두의 고유한 맛과 향이 추출돼요. 저는 한 번 더 물을 부을 건데 세 번째 추출에서는 커피의 농도가 정해지죠."라며 서버의 눈금에서 눈을 떼지 않고 말했다. 커피가 서버의 사백 밀리리터 눈금까지 채워지자 그는 추출을 중지하고 서버를 빼낸 다음 사발을 집어넣어 마저 떨어지는 커피를 받았다. 그리고 머그잔 홀더에서 머그잔을 두 개 집더니 커피를 반반씩 채워서는 내게 한 잔을 건넸다. "맛보시고 커피가 너무 진한 것 같으면 물을 더 부어드릴게요." 나는 커피를 입안으로 약간 흘려 맛을 보았는데 조금 과장하자면 혀가 타는 기분이었다. 이미 드립 포트의 손잡이를 쥐고 있던 그는 물을 내 머그잔에 조금 더 부어 주었다. 그제야 커피가 '적당히' 진해졌고 나는 커피를 여유롭게 마시며 핸드 드립 커피를 추출한 도구들을 하나씩 살펴볼 수 있었다. 스탠드는 세로로 세워진 황동봉을 가로와 대각선으로 가로지르는 황동봉들이 교차했는데 황동봉들을 연결하고 있는 볼트를 돌리면 세심하게 고리의 높이를 조정할 수 있었다. 스탠드 아래쪽의 손잡이는 가죽으로 둘러싸여 있었는데 그의 설명에 따르면 이탈리아산 소가죽을 프랑스제 린넨실로 바느질한 것이었다. 나는 그의 설명이 기억해 둘 만한 가치가 있다고 여기지는 않았지만 그는 나와 비교해 '심미'적인 사람이었고 가죽을 꿰맨 자리를 꼼꼼하게 확인하는 나는 그에 비해 '실용'적인 사람이라는 생각이 들었다. 커피 스쿱은 나뭇결이 느껴지지 않을 만큼 표면을 매끄럽게 마감했고 심지어 걸어 둘 수 있도록 가죽끈이 달려 있었다. 여과지를 걷어낸 드리퍼를 들여다보았더니 밑변이 없는 삼각형 모양의 돋을새김이 국화 꽃잎인 양 늘어서 있었고 바깥쪽은 부챗살 형태의 면들이 모서리를 맞붙인 백색 도자기와 닮아 보였다. 나는 핸드 드립 커피를 추출하는 과정이 단순히 맛있는 커피를 만드는 것을 넘어서서 일상을 세공하여 그의 감각적인 욕구를 충족시키는 하나의 '의식'이라는 것을 깨달았다.

그는 커피를 한 모금 마시더니 책상 위에 내려놓고 등받이에 느긋하게 기대앉았다. 등받이가 뒤로 젖혀지며 캐비닛과 교실 벽 사이의 낮은 탁자 위에 놓인 음향 기기에 등받이가 닿을 듯 말 듯 했다. 커피를 추출할 때는 캐비닛과 등받이에 가려져서 잘 보이지 않았던 모양이었다.

"음악을 좋아하시나 봐요?" 나는 그가 앉은 의자 손잡이 위로 간신히 상판을 드러내고 있는 레트로 스타일의 블루투스 스피커를 가리키며 물었다.

"집에 있던 건데 학교로 가져왔어요. 수업이 끝나면 음악을 틀어 놓고 일할 때도 있지만 수업할 때도 도움이 되거든요." 그가 의자를 돌려 전원이 꺼진 스피커의 버튼을 일없이 딸깍거리며 눌렀다.

"음악을 종종 틀어 주시는 것 같던데요." 가끔 수업 시간에 오학년 교실에서 들려왔던 뮤지컬의 주제곡들을 떠올리며 말했다. 아마 『캣츠』의 「Memory」와 『웨스트 사이드 스토리』의 「Tonight」이었던 것 같았는데 그 외에 들렸던 몇 곡은 내가 모르는 노래였다.

"저는 주로 클래식을 듣는데 클래식을 좋아하는 학생은 별로 없죠. 가끔 동영상으로 뮤지컬을 아이들에게 보여주는데 소리에서 현장감이 나야 하거든요. 그럴 땐 교실 앞으로 스피커를 옮겨 놓고 뮤지컬을 보여주죠. 클래식 좋아하세요?" 그가 커피에 대해 물었을 때처럼 눈이 반짝였다.

"아니요. 클래식이 아니어도 음악은 잘 듣지 않는 편이에요." 나는 그의 기대에 부응하지 못한 것이 약간 미안한 듯 말하고 그걸 만회하기 위해 얼른 덧붙였다. "그런데 큰딸이 피아노를 조금 쳐서 걔가 연습하는 곡 정도는 알고 있어요. 곡 하나를 몇 주씩 연습하거든요."

"딸이 피아노를 잘 치나 봐요?" 그의 눈에 생기가 돌았지만 방금 전만큼은 아니었다.

"몇 년 전부터 콩쿠르에 참가해서 집에 피아노도 들여다 놓고 레슨도 받고 하는데 요새는 도통 연습하지를 않아요." 나는 괜한 말을 꺼낸 것처럼 어색하게 웃었다.

"아이가 다 그렇죠. 자식 일이 마음대로 되는 부모가 세상에 있는지 모르겠어요." 그는 잘 알지도 못하는 남의 집안일에 아는 척 간섭하지 말아야 한다는 듯 그 정도로 적당하게 멈추고 아직은 따뜻한 커피를 한 입 마셨다. 나도 더 이상 이야기하지 않고 머그잔 안을 들여다보다가 커피를 한 모금 들이켰다.

큰딸이 초등학교에 입학하자 나와 아내는 학원 문제를 상의했다. 교육열이 높아서가 아니라 우리가 맞벌이 부부였기 때문에 딸이 수업을 마쳐도 제시간에 데리러 갈 수가 없었기 때문이었다. 물론 돌봄교실이 운영된다는 것을 알고 있었지만 딸이 다니는 학교가 직장과 집의 동선에서 멀리 떨어져 있다는 사실을 감안하면 학교에 들르는 것과 집 인근의 학원에 들러 아이를 데려오는 것은 분명 다른 일이었다. "우리가 퇴근길에 서두르지 않아도 되잖아. 그리고 딸이 뭘 잘할지도 시켜 보지 않으면 알 수 없고." 나와 아내는 몇 주에 걸쳐 상의했지만 자녀를 처음 키우는 부모는 누구나 그렇듯 어떻게 하는 것이 딸에게 최선의 결정일지 아무것도 자신할 수 없었다. 딸의 적성이 외국어일 수도 있고, 악기일 수도 있고 아니면 운동일 수도 있었다.

"하나씩 시켜 봐서 좋아하면 오래 다니게 하고 좋아하지 않으면 다른 걸로 시켜 보자. 잘하면 좋고 아니어도 괜찮고." 아내가 고심 끝에 결정했다.

바이올린과 플롯, 첼로마저도 방과 후 교실에서 흔하게 가르치는 요즘 피아노 학원은 아파트 단지 주변에 몇 군데씩 있었다. 집에서 가까운 학원에 보내려는 생각과 악기를 시켜 볼 거라면 피아노부터 시작하는 것이 좋을 것 같아 딸을 피아노 학원에 보내게 되었다.

퇴근길에 딸을 데리러 학원에 수없이 갔었지만 정작 딸이 피아노를 치는 모습을 보지는 못했다. 자녀를 데려가느라 들락날락하는 부모들 때문에 피아노를 연주하는 아이들의 주의가 쉽사리 흐트러져 애초에 부모들은 학원 안에 들어갈 수 없었기 때문이었다. 그래서 부모들은 현관문 옆에 설치된 인터폰으로 선생님에게 자녀의 이름을 말하고 아이가 나올 때까지 밖에서 기다려야 했다. 현관문이 열리면 좀처럼 나오지 않는 자녀를 기다리느라 지친 얼굴들이 한꺼번에 돌아갔고 아이는 그중 한 명의 품으로 뛰어들었다. 그러면 다들 그렇게 묻기로 미리 약속이라도 한 것처럼 부모는 "잘 쳤어?"라고 물었고 아이는 천진난만하게 무슨 질문이어도 상관없다는 듯 "네!"라고 대답했다. 지금 생각해 보면 나도 별생각 없이 그렇게 물었고 딸도 그렇게 대답했던 것 같다. 딸이 학원에 다닌 지 일 년이 조금 지났을 때 아내는 '특강비' 얘기를 꺼냈다. 학원 원장이 전화가 와서는 딸이 피아노를 잘 쳐서 콩쿠르에 내보내려고 하는데 저녁에 시간을 따로 내어 가르쳐야 하므로 강습비가 '추가'된다는 것이었다. '추가'된다는 강습비가 수십만 원이어서 나는 입이 벌어졌다. 처음에는 학원비를 더 받아 내기 위한 학원의 전형적인 수법이라는 생각에 부아가 치밀었다. 부모에게 괜한 바람을 넣어 딸의 피아노 실력에 대한 환상을 심어 주고 자신은 '추가'로 강습비도 받으니 그야말로 일석이조가 아닌가. 일 년 정도 다녔으면 초급 교재를 겨우 마쳤을 정도인데 콩쿠르에 나갈 실력이 된단 말인가? 원장 말로는 콩쿠르에 나가기 위한 곡을 하나 선정해서 두 달 정도 따로 연습한단다. 딸이 또래에 비해 피아노를 잘 친다고. 재능이 있는 것 같다고. 재능이라니. 고등학교 삼 학년까지 그야말로 평범하게 교과서나 외우고 문제집이나 풀던 내 모습이 머릿속을 순식간에 스쳐 지나갔다. 아내는 이미 마음을 정한 듯 상기된 표정이었다. "딸에게 좋은 추억 하나 만들어 주는 셈 치고 한번 내보내 보자." 나는 그저 웃기만 했다. 눈 뜨고 코 베어 간다더니. 그런 상황을 내가 당할 줄이야.

딸을 대기실에 들여보내기 전에 긴장하지 말고 편안하게 연주하라고 말하는 아내의 모습에서 긴장은 딸이 아닌 아내가 하는 것을 알 수 있었다. 딸은 검은색 원피스가 마음에 들었는지 치마에 수놓인 무늬에 정신이 팔린 채 "다녀오겠습니다."라고 엉뚱하게 대답하더니 대기실 안으로 총총히 사라졌다. 나는 여전히 떨떠름한 기분이었다. 나나 아내나 잘 다루는 악기가 없었다. 심지어 음악을 잘 듣지도 않는다. 청중석은 어두웠지만 무대를 밝은 조명이 비추고 있어서 빈자리를 찾는 것은 어렵지 않았다. 세 명의 심사자가 무대로부터 두 번째 줄에 있는 좌석에 앉아 있었고 그 뒤로는 좌석의 구역 전체에 청중이 출입할 수 없도록 줄이 쳐져 있었다. 비교적 어두운데도 나머지 구역의 좌석에 많은 청중들이 앉아 있는 것으로 보아 콩쿠르의 인지도와 규모를 짐작할 수 있었다. 청중들의 표정과 몸짓에서 긴장과 조급함이 내보였다. 아직은 콩쿠르가 시작되기 전이어서 귓속말을 소곤대는 것처럼 누군가와 통화를 하거나 벌써부터 지루한 내색을 보이는 자녀를 옆 좌석에 앉히고 스마트폰을 쥐여 주며 주의해야 할 사항을 일러주는 부모들의 모습이 더러 눈에 띄었다.

무대의 왼쪽 앞을 스포트라이트가 비추더니 말쑥하게 차려입은 사회자가 걸어 나와 원활한 심사를 위해 스마트폰을 무음 모드로 바꿔 달라고 안내했다. 플래시가 연주에 방해되므로 사진 촬영은 금지되나 동영상은 촬영할 수 있으니 최대한 연주에 방해되지 않도록 에티켓을 지켜 달라고 덧붙였다. 군데군데 밝은 빛을 내던 스마트폰이 하나둘씩 꺼지더니 어디선가 칭얼대는 아이와 다그치는 부모가 실랑이를 벌였다. 아내는 무대 중앙의 그랜드 피아노에 스마트폰 카메라의 초점을 맞추며 카메라 앱을 미리 만져 보고 있었다. 연주는 저학년부터 고학년 순으로 하게 되어 있어서 딸 또래의 참가자가 먼저 나와 피아노를 연주하기 시작했다. 사회자가 참가 번호를 호명하면 참가자가 한 명씩 무대로 나와 피아노 의자 위에 앉아보고 높이나 피아노와의 간격을 조절했다. 하지만 대개는 발이 바닥에 닿지 않아 결국엔 관계자가 일일이 도와주어야 했는데 참가자는 관계자가 대기실로 미처 돌아가기도 전에 연주를 시작하곤 했다. 음악은 잘 모르지만 그래도 연주곡의 난이도 정도는 알 수 있었기에 같은 학년이어도 실력의 편차가 있음을 알 수 있었다. 우리 딸은 어느 정도나 칠까? 입상에 유리한 곡이 따로 있는 모양인지 같은 곡이 띄엄띄엄 여러 번 연주되면서 슬슬 지겹다는 생각이 들 무렵 검은색 원피스를 입은 딸이 무대로 사뿐하게 걸어 나왔다. 딸은 십사 번이었다. 심장이 조금 빠르게 뛰었고 나도 모르게 자세를 고쳐 앉았다. 아내는 벌써 스마트폰으로 동영상을 촬영하고 있었다. 딸은 건반 위에 손을 올려놓고 신중하게 건반을 누르기 시작했다. 건반을 누르는 동작이 앞서 연주한 참가자에 비해 조금 어색하게 느껴졌는데 리듬에 맞춰 가볍게 끄덕이는 고개와 미세하게 들썩이는 어깨가 약간 연극조로 느껴져서 그랬던 것 같았다.

심사 결과가 나오기까지 생각보다 오랜 시간이 걸렸다. 공항의 입국장에서 전광판을 하염없이 바라보며 언제 나올지 알 수 없는 도착선의 승객을 기다리는 기분이었다. 마침내 대기실의 문이 열리며 직원이 나오더니 종이 한 장을 게시판에 부착했다. 순식간에 의자에 앉아 있던 사람들이 모두 일어나 심사 결과가 붙어 있는 벽 앞에 우르르 몰려갔지만 곧 밀고 밀리는 아수라장 속에서 환호성을 지르거나 고개를 떨구는 사람들이 빠져나오면서 인파가 차츰 줄기 시작했다. 벽에 부딪혀 사방으로 산란하는 빛의 입자들처럼 결과를 확인한 사람들이 흩어져 공연장을 빠져나가자 나는 드문드문 남아 있는 사람들을 헤치고 게시판으로 다가갔다. 나는 굳이 명단을 위아래로 살펴볼 필요가 없었는데 명단의 맨 위에 딸의 이름이 적혀 있었기 때문이었다. 처음에는 머리가 멍해질 정도로 믿기지 않다가 놀라움은 금세 기쁨으로 바뀌었다. 아내가 얼굴로 딸의 볼을 비비며 안아주는 모습이 보였다. 딸은 웃고 있었지만 자신도 도무지 믿기 어려운지 눈을 몇 번 끔벅였다. 그날 콩쿠르가 끝나고 무대 위에서 찍은 기념사진에는 부상으로 받은 기타를 안고 있는 딸이 환하게 웃고 있다. 기타를 처음 봐서 신기하다는 듯 줄을 손가락으로 튕기거나 줄감개를 잡아 이리저리 돌려보던 딸의 모습을 기억하는 사람은 이제 나뿐일까. 디지털 피아노 위에 놓여 있는 상패와 트로피, 액자에는 꽃다발 속에서 부스러진 꽃잎과 잎의 잔해 같은 먼지만 잔뜩 들러붙어 있었고 누구 하나 먼지를 닦는 사람도 없었다.

뜻밖에도 졸업 앨범 제작을 위한 업체를 선정할 필요가 없다고 그가 말했다.

"그러면 누가 앨범을 만들죠?" 거의 남지 않은 커피가 머그잔의 바닥을 덧칠하도록 머그잔을 이리저리 돌리며 내가 물었다.

"선생님이요. 선생님께서 촬영하시고 앨범을 제작할 수 있는 웹 사이트에서 레이아웃들 중 하나를 골라서 사진을 넣으실 수 있어요. 표지도 마음대로 고르실 수 있고 여백에 문구도 넣으실 수 있고요. 그다음에 결재하시면 완성된 앨범을 업체에서 학교로 배송해 줘요. 학교에 카메라가 있기는 한데 저는 스마트폰으로 촬영했어요. 수학여행이나 현장체험학습까지 카메라를 들고 다니기에는 좀 무겁기도 하고 워낙 고가의 물건이라 고장나거나 분실하는 것도 걱정되기도 해서요. 게다가 스마트폰에는 사진 앱도 많아서 사진을 편집하거나 보정하기가 훨씬 편리하더라고요. 그래도 카메라로 촬영하고 싶으시면 제가 교무실의 보관함에서 갖다 드릴게요." 나는 완전히 빈 머그잔을 교탁 위에 천천히 내려놓으며 생각에 잠겼는데 그의 말에 일리가 있었다. 내가 만약 직접 촬영하고 앨범까지 만들어야 한다면 교실에서 순발력 있게 교육 활동을 촬영해야 하는 경우도 많을 텐데 그럴 때마다 카메라를 꺼내는 일이 쉽지 않을지도 몰랐다. 결정적으로 내가 카메라를 잘 다루지 못했다.

"괜찮아요. 저도 사용하기에 익숙한 스마트폰으로 촬영하는 것이 좋을 것 같아요." 나는 새삼스럽게 주머니에 손을 넣어 스마트폰의 돌출된 렌즈를 만져 보았다. 그는 내가 어련하게 알아서 결정하라는 듯 고개를 끄덕였다. 그러고는 벽시계를 흘끔 쳐다보더니 이제는 슬슬 정리해야 할 시간이 된 것처럼 커피를 추출할 때 사용했던 도구들과 머그잔을 타원형의 나무 쟁반에 주섬주섬 담고 교실 뒤의 싱크대로 걸어갔다.

"설거지는 제가 할게요!" 나는 커피를 대접받은 것도 고마운데 설거지까지 그가 하는 것이 낯간지러워 머그잔을 들고 그를 쫓아갔다.

"깨지기도 쉽고 세척하기에 까다로운 부분도 있어서 설거지는 제가 하는 것이 좋을 것 같아요." 그는 내 손에서 머그잔을 부드럽게 빼내어 싱크대 바닥에 내려놓았다. 그러고는 고무장갑을 끼고 스펀지에 세제를 묻히더니 스펀지를 주물럭거려서 오밀조밀한 거품을 냈다. 나는 싱크대 옆의 의자 등받이에 걸터앉아 그가 설거지하는 것을 한참 동안 지켜보았다.

"그나저나 개학한 지도 한 달이 넘어가는데 이번 주 금요일에 우리 저녁이나 한번 먹을까요?" 하얀 거품 줄기가 흘러내리는 머그잔을 수도꼭지에서 쏟아져 나오는 뜨거운 물줄기에 헹구며 그가 물었다.

"저와 선생님 둘이요?" 나는 그의 제안을 반기면서 유쾌하게 반문했다.

"저녁을 같이 드시고 싶은 다른 선생님이라도 있으세요?" 그가 헹군 드리퍼를 싱크대 위에서 가볍게 털며 서버 옆에 뒤집어 놓고 고무장갑을 벗어 싱크대 가장자리에 걸쳤다.

"아니요. 저는 둘만 만나도 좋은데요." 나는 쟁반을 들고 교탁을 향하는 그를 뒤따르며 대답했다.

그는 쟁반에서 드리퍼와 서버, 머그잔을 하나씩 집어 들어 표면에 남아 있는 물기를 복슬복슬한 행주로 말끔하게 닦아내고 우드랙과 머그 홀더에 올려놓았다. "식사 장소는, 제가 정해도 될까요? 맛있을 거예요."

"제가 아는 곳이 많지 않아서요. 장소를 정해주시면 오히려 좋아요." 나는 그가 선택한 식당은 인테리어든 메뉴든 하나라도 예사롭지 않을 거라고 예감하며 의자를 제자리에 놓았다.

"그럼, 금요일에 제 차로 같이 퇴근해요." 그는 내 다리에 눈길을 주지 않으려고 노력하며 콧등을 약간 찡긋거렸다.

"커피를 대접받는 것도 그렇고 벌써 신세만 지는 것 같아 죄송하네요." 나는 멋쩍게 입을 오므렸고 그는 "선생님과 대화하는 것이 즐거운데요."라며 맑게 갠 저녁의 빛이 맺힌 듯 노긋한 윤기가 흐르는 우드랙의 핸드 드립 도구들을 바라보았다. 나도 그를 따라 캐비닛을 향해 시선을 돌렸는데 머그 홀더에 거꾸로 엎혀 있는 머그잔에 나와 정해준 선생님의 마주 선 모습이 작은 유화처럼 어른거리고 있었다.

내가 아닌 존재

    물론 나는 개학일이 되어서야 은재를 처음 보았다. 우리 학교에서는 학년이 올라갈 때마다 학급의 인원을 세 명씩 나누어 새롭게 반 편성을 하는데 공교롭게도 나 말고 우리 학급에 배정된 나머지 두 명은 오 학년 때 말도 몇 번 나눠보지 않은 남학생들이었다. 저희들끼리도 그다지 친하지 않았던 모양인지 일주일이 지나자 각자 친구를 만들고 복도와 운동장을 부지런히 들락거렸다. 유난스럽게 쑥스러워하고 그것을 감추기 위해 낯을 가리는 편이라 새로운 친구를 사귀는 데 숙맥인 나로서는 난감한 상황이었다. 덕분에 거의 한 달 동안 쉬는 시간이나 점심시간은 그야말로 '고역'이라는 단어의 뜻을 체감할 좋은 기회가 되었다. 그새 여학생들은 그간의 짧은 탐색 기간을 끝내고 마음이 맞는 사람을 찾아 좋아하는 아이돌에 대해 얘기하거나 팔짱을 끼고 화장실에 몰려가는 등 가슴 설레는 학기를 이미 시작했지만 나는 자리에서 일어나지도 않은 채 어색하게 주변만 두리번거렸다. 나처럼 혼자 자리에 앉아 있는 은재가 눈에 띄었지만 쉬는 시간, 점심시간 가릴 것 없이 문제집을 푸느라 바쁜 것 같았다. 누군가가 말을 걸면 문제집을 잠시 덮고 친절하게 응대했지만 용건이 끝나면 은재의 눈길은 오로지 다시 펼친 문제집에 머물렀다. 몇 번 말을 걸어 볼까 속으로만 생각하다가 물에 담근 발의 각질을 입으로 물어뜯는 닥터피시처럼 눈꺼풀 위를 간지럽게 유영하는 졸음을 쫓아내지 못하고 나는 책상 위에 엎드렸다. 눈을 조금 붙이고 나면 긴 수업 시간을 견디는 일이 한결 수월했기에 차츰 다른 아이들의 시선은 의식하지 않고 오히려 겉도는 대화를 하느니 차라리 이게 낫다고 합리화하게 되었다.

어수선했던 일주일이 지나고 개학한 지 이 주 차가 되어 교과서의 책등에 슬슬 세로 방향으로 주름이 생길 무렵 그나마 기대했던 첫 번째 미술 수업 시간에 조형 원리를 설명하는 선생님의 목소리가 나를 아연실색하게 했다. 한 마디로 선생님은 그림을 그리기 위해서는 조형 원리가 무엇인지 알아야 한다고 생각하는 것 같았다. 내가 만일 선생님이었다면 이론 수업은, 제일 마지막 차시에 했을 것이다. 정말로 필요하다면 말이다. 애당초 그림이라는 것은 그릴 때의 기분과 감정에 따라 떠오르는, 형언할 수 없는 영감을 종이 위에 손이 가는 대로 연필로 긁고 물감을 묻힌 붓을 문지르는 행위가 아니던가. 말로 표현할 수 있다면 글로 쓰면 될 일이지 왜 그림으로 그린단 말인가. 선생님이 마우스를 클릭하자 교실 천장에 매달린 텔레비전에 똑같은 꽃무늬가 반복되는 슬라이드가 떴다. 선생님이 여기에서 느껴지는 조형 원리가 무엇인지 반 전체를 대상으로 물었고 누군가가 혼잣말처럼 "통일."이라고 중얼거리자 선생님은 그 작은 속삭임을 용케 듣고는 흡족한 미소를 지으며 "맞았다."라고 말했다. 이번에는 길이가 다르고 점차 진한 파란색으로 칠해진 나무젓가락을 나열한 사진을 보여주며 "이 사진에서는 어떤 조형 원리가 떠오르니?"라고 또다시 누군가가 맞출 것을 기대하는 것처럼 물었다. 저건 뭘까? 나무젓가락의 전체적인 형상이 출렁이는 물결 같다. 선생님은 잠시 기다렸지만 아무도 대답하지 않자 "리듬."이라고 스스로 대답했다. 그렇군. 저건 리듬이군. 슬라이드는 끝이 나지 않을 것처럼 반으로 접은 종이를 나비 모양으로 오리는 영상을 재생했고 선생님이 물어보기도 전에 몇몇 학생들이 성급하게 "대칭!"이라고 외쳤다. 나는 선생님의 질문에 열심히 대답하는 아이들을 흘겨보고는 억누르기 어려운 좌절감이 들어 책상 위에 엎드렸다. 하지만 '엄한' 선생님에게 혼날 수도 있다는 생각에 다시 고개를 들었는데 나는 그만 울상이 되었고 내 기분을 알 도리가 없는 선생님의 얼굴만 빤히 쳐다보았다. 지지대를 받쳐 묶었지만 결국 기울어지는 줄기처럼 의자 등받이에 삐딱하게 기대고 앉아 있는 나를 누군가가 바라보는 눈길이 느껴져 고개를 왼쪽으로 돌렸더니 은재가 손바닥으로 입을 가리고 조용하게 웃고 있었다. 은재는 나와 눈이 마주치자 당황해하면서도 나의 심정을 알겠다는 듯 고개를 끄덕여 보였다. 나는 동조의 웃음을 입가에 지어 보이고 다시 고개를 돌렸다. 일 교시 미술 시간이 끝나고 쉬는 시간에 은재에게 말을 걸어 볼까 생각하다가 이번에도 막상 쉬는 시간이 되자 조형 원리에 관한 지적인 탐구에 나가떨어진 나는 만사가 귀찮다는 자세로 책상 위에 널브러졌다.

쉬는 시간에 선생님은 학급 임원들을 교실 앞으로 불러 모으더니 무언가를 얘기했고 반장과 부반장의 얼굴에 모처럼 활기가 돌았다. 삼 주 동안이나 미술 수업 시간에 이론 수업이 이어지더니 난데없이 반장과 학습 부장은 태블릿PC를, 남 부반장은 팔절지를, 여 부반장은 수채화 물감을 아이들에게 나눠주기 시작했다. 여 부반장은 학급 사물함에 보관하고 있는 물감을 꺼내다가 아크릴 물감인 것을 뒤늦게 알아채고 수채화 물감을 제대로 찾아 나눠주었다. 선생님은 부반장이 미술 시간에 필요한 준비물을 책상 위에 올려놓는 동안 아이들에게 사물함에서 개인 미술 용구를 가져오라고 말했다. 아이들은 오늘도 이론 수업을 예상했는지 들뜬 표정을 감추지 못하고 자리에서 벌떡 일어나 사물함에서 붓이며 팔레트, 물통 등을 한 아름 들고 자리로 돌아왔다. 다들 책상 위의 태블릿PC를 무슨 용도로 사용할지 궁금해하며 저마다 전원을 켰다. 선생님이 책상 사이를 돌아다니며 수업 준비 상태를 살펴보더니 태블릿PC로 각자의 얼굴을 촬영한 다음 사진을 보며 자화상을 그려야 한다고 말했다. 그 말을 들은 아이들은 고개를 돌리며 서로에게 어안이 벙벙한 얼굴을 내보였다. 세상에 얼굴이라니. 이걸 단순히 우연이라고만 말할 수 있을까. 나는 의미심장한 미소를 한껏 머금고 태블릿PC를 요리조리 돌려보며 화면에서 보이는 자기 얼굴을 관찰하는 아이들을 휘둘러보았다. 대개는 얼굴의 정면이 보이도록 태블릿PC 바로 앞에 얼굴을 댔지만 태블릿PC를 이마 위로 들고 왼뺨을 드러내는 것이 좋을지, 오른뺨을 드러내는 것이 좋을지 고민하는 아이들도 있었다. 표정도 가지가지로 입꼬리를 끌어올려 웃는 얼굴을 만드는 아이들이 가장 많았지만 걔들 중의 한둘은 얼굴의 근육을 괴상하게 일그러뜨리거나 눈동자를 다른 쪽으로 돌려서 딴청을 부리는 표정을 짓기도 했다. 다들 몇 번의 연습 끝에 촬영할 표정과 구도를 결정했는지 한 명, 두 명 얼굴을 찍기 시작하더니 연이어 찰칵하는 소리가 섬광처럼 터졌다가 사라졌다. 은재는 무미건조한 표정을 짓고 정면에서 딱 한 번 촬영하더니 곧바로 화면에 사진을 띄우고 얼굴의 윤곽을 그리기 시작했다. 은재가 그림을 그리기 시작한 것을 본 나는 얼굴 정면을 촬영하기 위해 태블릿PC를 얼굴 앞에 들어 올렸다. 그러고는 눈을 질끈 감고 입을 꽉 다문 채 숨을 한껏 참는 시늉을 하며 촬영 버튼을 눌렀다.

　모두가 사진과 종이에 시선을 번갈아 옮기며 사진의 선과 면을 그대로 종이 위로 옮기는 데 열중했지만 나는 사진으로 박제한 내 얼굴을 한참 들여다보고는 태블릿PC의 전원을 껐다. 나는 이마부터 시작해서 얼굴의 윤곽을 힘 있고 거침없이 그려 나갔다. 미간에서 내려오는 콧등을 가운데가 가늘어지도록 늘어뜨리고 그 양 끝에 콧방울을 날렵하게 세웠다. 콧등과 콧방울이 만나는 코끝을 콧등에 자연스럽게 연결하고 콧방울의 윤곽선을 콧등에 살짝 밀어 넣어 코끝을 나지막하게 그렸다. 알아차리기 어렵지만 턱을 내밀고 이마를 뒤로 젖힌 모습을 표현하기 위해 콧구멍의 안쪽에 빛이 들이치도록 콧방울의 안쪽과 코끝 아래에 음영을 엷게 넣었다. 그러자 얼굴의 각도가 약간 틀어지면서 앞에서 바라보는 평면적인 얼굴에 미묘한 구도의 변화가 생겼다. 눈꺼풀은 실제 비율보다는 크고 눈꼬리가 아래로 살짝 처지도록 그렸는데 그 때문에 광대뼈의 굴곡이 간접적으로 드러났다. 나는 그리는 것을 잠깐 멈추고 책상 옆에서 종이 뒷면을 손가락으로 툭툭 쳐서 연필 가루를 털어냈다. 그러고는 다시 종이를 책상 위에 올려놓고 미간부터 얼굴의 옆면까지 짧은 사선을 수없이 그려 눈썹을 시커멓고 굵게 칠했다. 연필을 세워 연필심의 한쪽 면이 닳아 뾰족해진 끝으로 얇고 짧은 윗입술이 아랫입술을 짓누르면서 입꼬리가 비어져 나와 입가에 주름을 드리우도록 세심하게 그림자를 넣었다. 그리고 연필을 다시 눕혀 연필심의 넓어진 면으로 풍성하고 검은 머리카락이 목덜미 위로 퍼져 올라가 너울거리도록 손목과 팔꿈치를 종이 위에서 크게 휘저었다. 나는 종이에서 눈 한 번 떼지 않고 손과 팔이 내 것이 아닌 것처럼 종이의 여기저기를 헤집으며 그림을 그렸다. 연필심이 닳을 만큼 닳아서 연필대의 깎인 부분이 긁고 지나간 선마다 끽끽 거슬리는 소리를 내고 종이 부스러기가 올라왔다. 스케치를 마치고 연필을 내려놓았더니 비로소 어깨를 물고 있는 통증이 느껴졌다. 나는 오른손으로 왼쪽 어깨를 가볍게 주무르며 책상 밑으로 다리를 쭉 뻗고 교실 천장을 올려다보았다. 교실 천장에 매달려 있는 선풍기가 고개를 꺾어 벽시계를 바라보고 있었고 초침이 내 심장 박동에 맞춰 하나씩 칸을 옮기며 돌아갔다. 나는 눈을 감고 의자 옆으로 팔을 축 늘어뜨린 채 심호흡을 내쉬었다. 내가 가장 좋아하는 순간이었다. 보이지도, 들리지도, 느껴지지도 않지만 텅 비어있는 마음에 평온이 차오르는 순간. 나는 한동안 움직이지 않았다. 그러다가 눈을 뜨고 의자 등받이에 등을 붙이며 몸을 끌어올린 뒤 자리에서 일어섰다. 내 다리에 밀려 바닥을 끄는 의자 소리에 교실에 앉아 있는 모두가 나를 쳐다봤지만 나는 교실에 혼자 있는 사람처럼 태연하게 교탁으로 걸어갔다. 선생님은 내가 자신에게 걸어오는 모습을 눈썹을 추켜세우며 바라보다 자리에서 일어섰다. 선생님 앞에 선 나는 아크릴 물감도 써도 되는지 그리고 B4 크기의 OHP 필름도 한 장 주실 수 있는지 물어보았다. 선생님은 고개를 갸웃하며 내 얼굴을 자못 호기심이 넘치는 눈으로 내려보면서도 용도를 물어보지는 않았다. 교탁 뒤 수납함에서 OHP 필름을 한 장 꺼내 주며 아크릴 물감은 학급 보관함의 수채화 물감 바로 옆에 있으니 쓰고 싶은 만큼 쓰라고 말했다. 그리고 아크릴 물감은 수채화 물감용 팔레트에 짤 수 없으니 그 옆 칸의 종이 팔레트도 한 장 꺼내 쓰라고 덧붙였다. 내가 학급 보관함에서 아크릴 물감의 상태가 온전한지 뚜껑을 열어 일일이 확인하고 교실로 돌아섰을 때 교실 중앙에서 교탁으로 돌아가는 선생님의 뒷모습이 보였다. 나는 아크릴 물감을 책상 위에 올려놓고 물통을 들어 교실 뒤에 있는 싱크대에서 물을 채웠다. 그러고는 칼날이 제대로 벼려져 있는지 확인하는 것처럼 다양한 크기의 붓을 눈에 대어 어떤 붓을 쓸지 신중하게 살펴보고 큰 붓과 중간 붓을 하나씩 골라 물통에 넣었다. 팔레트에 노란색과 갈색, 분홍색 수채화 물감을 담뿍 짜내고 큰 붓에 노란색 물감을 묻혀 얼굴 전체에 연한 색조로 넓게 펴 발랐다. 그리고 갈색 물감을 중간 붓에 묻혀 눈두덩과 귓불에서 턱까지 이어지는 얼굴의 가장자리에 군데군데 엷게 칠했다. 중간 붓을 물에 헹구고 이번에는 분홍색 물감을 묻혀 광대뼈부터 구레나룻까지 무심하게 문질렀다. 입술을 칠하려고 붉은색 물감을 집어 들어보니 다홍색이라고 적혀 있었는데 나는 오히려 물감의 이름이 마음에 들었다. 얼굴이 물속에 잠겨야 했기에 다홍색 입술이 맞물린 경계선에 남색을 가늘게 칠해서 창백한 느낌을 내는 것으로 얼굴의 채색을 마무리했다. 머리카락을 칠할 때는 그야말로 사투를 벌였는데 나는 마치 행위 예술가가 된 것 같았다. 내 격한 동작에 주위에 앉아 있는 아이들이 놀랐지만 나는 그런 모습에 개의치 않고 오히려 집중했다. 왜냐하면 붓 칠 할 때는 중도에 멈춰서는 안 되는데 붓을 누르는 정도에 따라 색의 굵기와 두께, 방향에 변화가 생기기 때문이었다. 그림을 대강 완성하고 보니 서투르게 화장을 한 고집 센 소녀 같았지만 내가 표현하고 싶었던 분위기가 느껴져서 만족스러웠다. 하지만 작업은 끝나지 않았다. 이번엔 OHP 필름을 책상 위에 올리고 아크릴 물감을 일회용 종이 팔레트에 짜내어 잔물결의 무늬를 그렸다. 나는 내 귀에만 들릴 만큼 콧노래를 작게 흥얼거렸고 우습게도 선생님이 설명했던 조형 원리들 중 변화와 율동이 느껴지도록 그려야겠다는 생각이 들었다. 정작 선생님은 나의 의도를 알아차리실까? 아크릴 물감은 진한 광택을 내며 순식간에 말랐다. 아크릴 물감이 마르자마자 OHP 필름을 종이 위에 대어 연필로 따라 그리고 OHP 필름과 똑같은 크기가 되도록 종이를 잘랐다. 그리고 종이 위에 OHP 필름을 포개어 앞에서는 최대한 보이지 않도록 네 귀퉁이에 스카치테이프를 세심하게 붙였다. 그렇게 OHP 필름을 종이 위에 씌우고 나니 마치 잔잔한 물결이 이는 수면 밑에 잠긴 내 얼굴을 그린 것처럼 되었다. 나는 완성한 그림을 들고 선생님에게 제출했다. 선생님은 내가 제출한 그림을 조심스럽게 받아들고 한참이나 그림에서 눈을 떼지 않더니 교탁 위에 천천히 내려놓았다. "선생님이 그림은 잘 모르지만 이제껏 맡아 왔던 육 학년 학생들이 그린 모든 그림 중에서…… 가장 인상적이라는 점은 확실하구나." 나는 예상했던 칭찬을 듣고 기분이 좋아졌지만 짐짓 겸손하게 선생님에게 인사하고 홀가분한 마음으로 내 자리로 돌아갔다. 갑작스럽게 수군거리는 소리로 교실 안이 잠시 소란스러워졌지만 나는 미술 용구들을 정리하며 내 책상만 내려다보았다. 다만 아크릴 물감을 제자리에 놓기 위해 복도로 나서며 은재를 흘깃 돌아봤는데 은재는 주변의 상황 따위는 아랑곳하지 않고 붓끝에 시선을 집중하며 눈을 그리는 데 열중하고 있었다. 내 그림은 교실 뒷벽의 한가운데 게시되었다. 한동안 내 그림 앞에 아이들이 모여들어 갑론을박을 펼쳤고 나는 굳이 관심이 없는 척하면서도 누군가가 내게 다가와 그림을 그린 의도 등을 물어봐 주기를 기다렸다. 하지만 저토록 반의 화제가 되었어도 오늘의 수업이 다 끝나가도록 그림에 대해 말을 건네는 사람은 아무도 없었다. 나는 종례가 끝나도 알림장에 의미 없는 낙서를 하며 한참 동안 교실에 앉아 있다가 가방을 둘러메고 자리에서 일어났는데 긴 머리카락을 어깨 위에 늘어뜨린 아이 한 명이 내 그림 앞에 서 있는 모습이 보였다. 나는 반가운 마음을 숨기느라 애써 느릿한 걸음으로 그 애 옆으로 다가갔다. 내가 옆에 선 기척을 느끼자 그 아이는 긴 머리카락 한쪽을 귀 뒤로 넘기며 내 그림을 검지로 가리켰다. "도대체 누구를 그린 거야?" 나는 예상치도 못한 질문에 그 애의 얼굴만 멀뚱하게 바라보았다. 그 애가 여전히 내 대답을 기다리고 있다는 것을 알아챈 나는 뒤늦게 입을 열었는데 나도 모르게 생뚱맞은 대답이 튀어나왔다. "나지만, 내가 아닌 존재." 은재는 말문이 막힌다는 듯 입이 조금 벌어졌고 은재의 아랫입술에 OHP 필름에서 튄 빛의 파편이 물기처럼 어렸다. 은재는 검지를 구부려 턱을 받치고 다시 그림을 쳐다보더니 마침내 고개를 주억거리며 내뱉었다. "둘이 닮은 구석이 있기는 하네."

그날부터 나와 은재는 친구가 되었다.

그림자가 만든 모자이크

　매표소의 작은 미닫이창으로 직원이 내게 긴 엽서 한 장을 내밀
었다. 엽서에는 움직이지 못하는 손가락처럼 뒤틀린 나무 한 그루
가 서쪽으로 떨어지는 달을 배경으로 가파른 암벽에 고적하게 매달
려 있었다. 심상치 않은 사진의 분위기에 나는 다시 한번 엽서를
들여다보며 자동문 버튼을 누르고 안으로 들어갔다. 복도 중앙에
나뭇결을 드러내는 탁자가 놓여 있었고 그 위에 둥근 손잡이의 사
각형 도장 두 개와 수북하게 쌓인 엽서 더미가 마치 두 개의 기둥
이 떠받치고 있는 주랑으로 들어가는 미술관 모형처럼 배치되어 있
었다. 오른쪽 벽에는 액자에 담긴 달력 크기의 포스터와 쉽게 고를
수 있도록 번호가 매겨진 엽서, 작품 사진과 갤러리 로고가 인쇄된
자석 견본이 붙어 있었다. 나는 혹시나 아이들이 흥미를 느낄 만한

기념품인지 눈을 대어 살펴보거나 손으로 만져 보면서 가늠해 보았다. 대개는 만 원 이하의 가격으로 한두 개 정도 사기에는 부담이 없었지만 아이들이 크게 욕심을 낼 만한 물건들은 아닌 것 같았다. 하지만 인근의 미천굴과 식물원을 경유하고 이곳에 오게 될 경우 현장체험학습에 가져올 수 있는 용돈의 액수를 이번 주 학급 회의 시간에 아이들과 토의해야겠다는 생각이 들었다. 기념품 견본 옆에는 전시실의 작품을 본격적으로 감상하기에 앞서 작품 세계를 이해하는 데 도움이 될 만한 에세이집과 사진집이 나란히 놓여 있었다. 나는 작가의 약력과 오름의 사진들을 조심스럽게 들춰보다 내려놓고 복도에서 왼쪽으로 꺾어 하날오름관에 들어갔다. 세 개의 교실을 연결한 면적에 스무 개 정도의 액자가 레일 와이어에 매달려 있었고 아기를 재울 때 낼 만한 목소리가 애잔한 선율에 실려 실내에 흘러들고 있었다. 나는 전시실 벽을 따라 걸으며 천천히 사진을 둘러보기 시작했다. 이곳에서 태어나고 자란 나조차 한 번도 가본 적이 없는 오름들이 희멀건 조명이 어른거리는 전시실 벽에서 척박한 야생의 풍광을 한껏 발산하고 있었다. 작품의 대다수는 카메라의 초점을 사진 중앙의 오름에 맞춰서 사진 가장자리에 머무는 꽃과 나무는 초점이 안 맞아 흐릿하거나 흔들렸는데 그 때문에 정적이고 무한한 시간 안에 자리 잡은 오름과 동적이고 유한한 존재인 초목이 대비되었다. 나는 한 걸음 다가섰다가 물러섰다가 하며 사진을 바라보다 문득 이질적인 감각을 느꼈는데 전시실의 이름에도 불구하고 정작 내 시선을 잡아끈 것은 오름이 아닌, 오름 주변의 가냘프거나 억센 초목이었기 때문이었다. 그래서 나는 액자 틀 속에 낀 먼지를 확인하는 것처럼 사진의 가장자리를 눈으로 따라가며 오름을 감싸는 꽃과 나무를 들여다보기 시작했다. 멀리 있는 수더분한 오름과는 다르게 지평선부터 밝아 오는 하늘을 메마른 잎사귀나 거친 가지가 흔들리며 마구 긁어 대고 사다리꼴 모양으로 몸을 웅크리고 있는 오름 기슭의 억새밭이 휘몰아치는 바람에 꺾어질 것처럼 오른쪽으로 떠밀렸다. 사방에 온통 웃자라 있는 메밀이 여울지는 바람결에 줄기를 구부리며 세찬 소용돌이를 만들었고 방사형으로 뻗고 있는 수없는 가지가 낮게 드리운 구름 속을 집요하게 파고들었다. 굵은 눈발이 그쳐 하얀 점이 소복하게 내려앉은 들녘에 수척한 나무 한 그루가 덩그러니 서 있었는데 놀랍게도 이 모든 사진이 머금고 있는 분위기는 평온했다. 꽃과 나무는 응어리처럼 엉겨 있는 구름에서 쏟아지는 비와 눈에 껍질이 트고 땅 위의 모든 것을 할퀴고 지나가는 바람에 생채기가 벌어져도 그 어떤 신음이나 비명도 내지 않았다. 심지어 옆의 나무가 보이지 않을 만큼 짙은 안개에 잠겨 있는 나무조차 일말의 의구심을 내색하지 않고 고개 한 번 돌리거나 수그리지 않았다. 사진 속의 살아 있는 모든 것은 연약할지언정 의연함을 내보였지만 그럼에도 그것들을 감싸고 있는 광막한 하늘과 땅은 여전히 가혹했기에 나는 미세한 전기에 감전된 것처럼 눈언저리가 떨렸고 폐부가 경직되어 답답함을 느꼈다. 처음에는 별일이 아니라고 생각하며 보고 있던 사진에서 눈을 떼고 전시실을 마저 둘러보려고 걸음을 옮겼는데 전시실 안의 공기가 희박해진 것처럼 숨을 쉬기가 차츰 어려워졌다. 결국 나는 전시실에 더 이상 머무르지 못하고 그곳을 휘적거리며 빠져나와 폐에 숨을 허겁

지겹 밀어 넣었다. 사방이 휘청대며 주변의 형상이 뭉그러져 나는 그만 복도 벽에 손을 짚고 잠시 눈을 감아야 했다. 한동안 숨을 고르며 손바닥으로 가슴을 문지르고 나서야 그네처럼 흔들리던 바닥이 점차 벽에 들어맞으며 수평으로 멈춰 섰다. 이런 일을 겪어 본 적이 없던 터라 나는 어지간히 당혹스러워하며 고개를 내저었는데 그때 바닥에 맞닿은 유리문에 내 얼굴이 비치는 모습이 보였다. 나는 한 번 숨을 깊게 내쉬고 복도를 느릿하게 가로질러 지금은 들어갈 수 없는 유품 전시실 안을 들여다보았다. LP와 책이 빼곡하게 꽂혀 있는 책장과 대개는 가부좌를 틀고 표정을 종잡을 수 없는 토기 조각상이 전시된 탁자가 좌우 벽에 놓여 초점이 틀어진 소실점을 만들었고 그 끝에서 작은 탁자와 텅 빈 의자가 나무의 그림자가 일렁이는 창문을 내다보고 있었다. 의자 뒤에는 보기에도 묵직한 카메라를 받치고 있는 삼각대가 굵은 다리를 펼치고 서 있었고 창문을 향해 돌출된 렌즈의 테두리를 따라 멀건 빛이 고였다. 나는 벽 여기저기에 걸려 있는 액자들을 바라보다 눈이 침침한 탓인지 사진이 잘 보이지 않자 유품 전시실 내부에서 시선을 거둬 문 옆에 걸려 있는 사진 속의 작가를 보았다. 열매 모양의 단추로 여민 잿빛 상의 위에 나목의 옹이처럼 보이는 두 개의 눈이 카메라 렌즈의 중앙을 아련하게 응시하고 있었다. 그의 왼쪽 어깨에서 뻗어 나와 허벅지 위에 올려놓은 손등에 창문을 투과한 여린 빛이 내려앉아 앙상한 손가락 사이로 희미한 굴곡을 만들었다. 저 손이 방금 내가 보았던 사진들을 촬영하느라 카메라를 움켜쥐었던 손이란 말인가. 도대체 그의 손에 무슨 일이 있었던 것일까. 나는 불안한 의구심을 떨치지 못한 채 좁은 복도를 걸어 영상실로 향했는데 뒤뜰이 언뜻 보이는 후문에서 다사로운 햇빛이 들이쳤고 그 때문에 벽과 바닥에 비껴 그은 빛줄기가 또 다른 문을 만들었다. 영상실에는 아무도 없었고 대형 텔레비전을 중심으로 작가의 모습을 찍은 사진들이 벽에 드문드문 걸려 있었다. 텔레비전에서는 작가의 생전 활동을 촬영한 다큐멘터리가 상영되고 있었는데 심경을 토로하는 그의 목소리는 종종 가빠지는 숨에 실려 간신히 새어 나왔지만 그마저도 갈라지고 부스러졌다. 나는 그의 병세를 설명하는 아나운서의 목소리를 들으며 벽에 걸려 있는 사진을 망연하게 들여다보았다. 영상의 그와는 달리 사진에서는 어깨에 자기 키만 한 삼각대를 걸치고 큰 보폭으로 허리춤까지 자란 억새밭을 예사롭게 헤치고 있었다. 머리를 뒤로 넘겨 묶은 그의 얼굴에는 겸연쩍은 표정이 어려 있었고 눈이 부신지 눈꺼풀과 눈두덩이 만드는 초승달 모양의 눈매에 검은 눈동자가 반쯤 드러났다. 나는 방금 유품 전시실 문 옆에서 보았던 그의 사진을 떠올리며 생각에 잠겼다. 누구보다도 본연의 생명력을 갈구하며 뷰파인더를 들여다보는 동안 그의 눈을 통해 흘러 들어온 조락의 계절은 그의 몸 안을 휘저으며 근육을 얼어붙게 했고 그의 손가락은 더 이상 셔터를 누르지 못했다. 나는 그의 눈을 휘감았던 경외와 그의 몸에 깃든 좌절이 혼재하는 모순이 혼란스러웠고 받아들이기 어려웠다. 더군다나 같은 존재의 양면을 동시에 내보이는 영상과 사진이라니. 나는 영상실을 의기소침하게 빠져나왔다. 영상실 출구에서 두모악관 입구로 이어지는 짧은 복도에도 벽을 채우는 사진들이 걸려 있었다. 방풍림이 분할하는 밭과 목초지를 배경으로 정상이 옴팡하게 파인 오름이 양지와 음지로 형상을 느긋하게 드러내는 사진과 용눈이 오름의 품으로 파고드는 이 차선 도로 위에 한 차례 그었던 비가 그치고 청명하게 갠 하늘이 고여 있는 사진. 나는 반대편의 벽에 등을 기대어 사진에 눈길을 던졌지만 사진이 주는 찰나의 위안에도 불구하고 바로 옆의 전시실에 들어가는 것을 망설였다. 여전히 환한 빛이 어른거리는 후문에 눈길을 주다가 고개를 돌리고 나는 무거운 발걸음으로 전시실에 들어섰다. 하날오름 관과 마찬가지로 벽을 따라 밭에서 캐낸 감자 같은 현무암들이 바닥에 쌓여 있었고 전시실의 구석마다 서까래로 쓰였던 자재를 가져온 듯한 나무 기둥들이 서 있었다. 이번엔 하늘과 구름이 주제인지 대개는 지평선과 함께 검은 실루엣으로 처리된 오름의 너울거리는 능선 위로 날씨와 계절에 따라 각양각색으로 하늘을 덮고 있는 구름들이 찍혀 있었다. 나는 하늘과 구름을 보자 느닷없이 바다와 포말을 떠올렸다. 용오름처럼 맹렬한 바람의 소용돌이로 만들어진 기둥이 부채꼴로 흩어지며 하늘을 뒤덮는 구름의 사진은 거센 물줄기가 밀어 올린 파도가 솟구쳤다가 해변에 부딪혀 산산이 부서지는 모습 같았다. 지평선 언저리의 사위는 어두컴컴하지만 하늘 한가운데 하얀 구름이 몸부림치는 사진은 수면에서 물거품이 뭉개지며 터지는 모습을 물속에서 올려다본 장면을 연상시켰다. 왼쪽 상단의 두툼한 구름이 오른쪽 하단으로 밀려나면서 우둘투둘한 구름의 잔해를 남기며 사라지는 광경을 찍은 사진은 잘게 밀려오는 파도에 잠겼다가 바닥을 드러내어 햇빛이 반짝이는 모래사장과 비슷했다. 나는 시선을 떨구고 옅은 조명이 번들거리는 바다를 내려보았다.

이번엔 하늘이 오름이라면 구름은 초목이었다. 시간이 흘러감에 따라 형상을 잃어버리기에 오히려 모질도록 생명력을 부여잡는 나약한 존재에게 매료되어 "삽시간의" 순간을 "황홀"한 영원으로 붙잡아 둔 것일까. 나는 희소병으로 인해 절룩이는 걸음으로 자신이 찍었던 사진 앞을 서성이는 그를 떠올렸다. 그 때문에 나는 심란해져 결국 발길을 돌렸다. 전시관의 후문으로 이어지는 복도를 걷다가 들어올 때는 보지 못했던 칸막이를 마주쳤는데 칸막이에도 사진이 걸려 있었다. 다시 보고 싶지 않았던 사람을 우연히 마주친 것처럼 사진을 피해 옆으로 지나치려다가 시야에 들어오는 서광에 나는 멈춰 서고 말았다. 음영의 농도가 다른 실루엣들이 부드러운 곡선의 층을 이루는 지평선 한가운데 보일 듯 말 듯 한 해가 차가운 하늘로 떠오르기 위해 사력을 다하고 있었다.

후문의 바깥에는 소나무 둥치에 허리를 붙이고 옹기종기 모여 있는 독들이 나른한 볕을 쬐고 있었다. 독이 올라서 있는 둥근 테두리의 돌담을 돌아 걸어가자 동백나무 밑에 판석이 깔린 좁은 산책로가 이어졌다. 풋풋한 청록색의 잎을 부드럽게 흔드는 가지가 기분 좋은 그늘을 드리웠고 심지어 구릉의 사면에 뿌리와 엉겨 붙은 돌무더기가 드러나서 전시관의 뒤뜰에 관상용 곶자왈을 조성한 것 같았다. 나는 산책로를 걷기 시작했는데 직사각형의 시멘트 판석은 곧 울퉁불퉁한 자연석으로 바뀌었고 흙바닥은 늘 그늘지는지 이끼가 두텁게 돋아 제법 숲의 정취를 자아냈다. 웃음이 나올 정도로 짧은 산책로를 걸어 나오자 현무암을 절묘하게 쌓아올려 사람의 형상을 만든 석상들이 전시관의 뒷벽에 서 있었다. 자잘한 구멍들이 뒤덮은 석상의 표면을 무성하게 자란 고사리가 보듬고 보드라운 넝쿨이 감싸 안는 것처럼 타고 올랐다. 나는 문득 쪼그리고 앉아 석상의 얼굴을 만져 보았다. 석상의 뺨과 턱의 거친 질감에 손끝의 피부가 긁혔지만 곧 석상이 머금고 있던 온기가 손가락을 데웠다. 나는 현무암의 어두운 구멍 안을 들여다보다 손으로 무릎을 짚으며 일어섰다. 슬슬 집으로 돌아가기 위해 매표소를 통과하여 앞뜰로 나갔는데 앞뜰은 낮은 돌담으로 만든 미로 같았다. 모양과 높이를 달리하며 굽이치는 돌담을 담쟁이 이파리가 온통 뒤덮고 있었고 그 안에서 가지를 뻗은 벚나무와 소나무, 감나무, 자목련이 마사토가 깔린 바닥에 흔들리는 그림자를 뿌렸다. 군데군데 방사탑처럼 쌓아 올린 돌무더기 사이의 좁은 통로를 한참 동안 걸어 벗어나자 이제는 벚꽃 하나 없이 잎이 무성한 벚나무 가지가 하늘을 뒤덮으며 시원한 터널을 만들고 있는 넓은 통로가 나타났다. 벚나무를 밀쳐 내면서도 껴안는 바람이 잎을 나부껴서 그림자의 조각이 수시로 무늬를 바꾸는 모자이크를 만들었다. 발등에서 그늘이 벗겨지자 나는 눈을 들어 주위를 둘러보았다. 나는 어느덧 앞뜰의 입구에 다다라 있었고 입구 오른쪽에 자목련이 꽃잎을 벌리고 이제는 따갑게 떨어지는 햇살을 받고 있었다. 요란하게 지저귀는 새소리에 뒤를 돌아보자 예전에 폐교였던 하얀 전시관의 옥상 너머로 크고 작은 새 세 마리가 연이어 날아갔다.

초췌한 낮빛

    나는 아이들이 '엄하다'라는 단어를 선생님이 학급을 일사불란하게 운영하는 것을 두고 썼던 말임을 체감하기 시작했다. 우리 반은 수업이 시작되기 일 분 전에 모두 교실에 들어와 교과서와 공책, 필기도구를 책상 위에 꺼내고 머리 위에 양손을 올린 뒤 눈을 감아 수업을 미리 준비해야 했는데 쉬는 시간이 끝나도록 복도에서 배회하는 아이들이 있으면 학급 임원들이 교실 밖으로 나가 수업 시간이 임박했음을 알려주어야 했다. 모두가 자리에 앉으면 남 부반장은 남학생의 교과서를, 여 부반장은 여학생의 교과서를 일일이 확인하며 학습 부장이 칠판에 미리 적어 놓은 교과서의 쪽수로 펼쳐져 있는지 점검했다. 반장은 칠판 앞에 서서 모든 상황을 지켜보다 수업 준비가 되었다고 판단하면 머리 위에 올린 팔이 아파 슬슬 꾸

물거리기 시작하는 아이들에게 손을 내리고 눈을 뜨라고 말한 다음 자신도 자리로 돌아갔다. 처음에 아이들은 우리 반이 무슨 군대도 아니고 이렇게까지 해야 하냐고 험상궂게 쑥덕거리거나 생명같이 소중한 쉬는 시간의 일 분을 이렇게 보내는 것은 학생의 권리를 침해하는 것이라고 자못 분개했다. 하지만 학기 초 아무런 사전 양해나 늦은 이유에 대한 설명도 없이 교실에 뒤늦게 들어오거나 서랍을 들쑤셔도 나오지 않는 교과서를 그제야 가져온다고 복도에 있는 사물함을 들락날락하는 모습을 내심 불만스러워했던 아이들은 차분하게 수업이 시작되자 다들 생각이 조금씩 바뀌기 시작했다. 학습부장이 시간표를 미리 확인하고 쉬는 시간 중에 다음 수업의 과목과 교과서의 쪽수를 칠판 오른편에 잘 보이도록 적어서 선생님에게 준비해야 하는 교과서나 펼쳐야 하는 쪽수를 습관처럼 물어보는 아이들이 서서히 사라졌다. 옆줄에 앉은 아이가 혹여 잘못된 쪽을 펼치기라도 하면 부반장이 오기 전에 슬그머니 도와주고는 서로 희미하게 뜬 눈을 마주치며 의미심장한 웃음을 주고받았다. 한번은 선생님이 동 학년 선생님들과 수학여행을 협의하느라 오 교시가 시작되도록 교실에 돌아오지 않았는데 그때 반장이 자리에서 벌떡 일어나 앞으로 걸어가자 우리는 반장이 연구실에 가서 선생님을 데려올 거로 생각했다. 하지만 예상과는 달리 반장은 교탁 위에 놓인 국어 교과서를 손에 들더니 "오늘 공부할 단원의 주장하는 글을 읽어 볼 사람?"이라며 태연하게 수업을 진행하기 시작했고 아이들은 서로 눈치를 보다 몇몇이 읽겠다며 손을 들었다. 반장이 지목한 아이가 교과서를 들고 일어서서 크게 읽자 놀랍게도 우리 반 전체가 고개를 숙이고 교과서를 함께 읽기 시작했다. 그렇게 교과서를 읽던 와중에 옆 반이 체육 시간이었던 모양인지 운동장에 나가느라 우리 반 복도를 우르르 지나쳤는데 창문으로 선생님도 없이 우리끼리 수업하는 광경을 보고 저희들끼리 수군댔다. 아이들은 아직 이런 상황에 익숙지 않은 듯 어리둥절해하면서도 무언가 으쓱하는 분위기가 교실에 감돌았다. 오 분이 채 지나기 전에 선생님이 서두르는 걸음으로 교실에 들어왔고 자기 자리로 돌아가는 반장에게 어련히 잘할 줄 알았다며 반 전체가 들리도록 칭찬했다. 자리에 앉은 반장은 교과서를 보고 있었지만 겸손한 표정으로 감추기 어려운 뿌듯함을 애써 억누르고 있었다. 그때부터 선생님을 반신반의하던 우리는 급격하게 바뀌었다. 반장과 부반장은 물론이고 부장들과 더불어 선생님은 매주 월요일 점심시간마다 복도에 있는 원탁에 둘러앉아 책 한 권 두께의 학급일지를 함께 살펴보며 그 주의 학급 일을 분담했다. 반장과 부반장이 일주일씩 돌아가며 여덟 시까지 우유 바구니를 교실에 들고 와서 아직 아무도 오지 않은 아이들의 책상 위에 우유를 한 개씩 올려놓았다. 그리고 날씨가 궂지 않은 이상 학교 외벽의 교실 창문과 교실과 복도 사이의 창문, 운동장 방면의 복도 창문을 열어 일찌감치 환기했다. 학습 부장은 오늘의 시간표와 과목별로 공부할 부분을 확인하고 미술 시간처럼 준비물이 필요한 경우 학급 보관함에서 구비 여부를 미리 살폈다. 도서 부장은 도서 대여 목록과 학급 문고에 꽂혀 있는 책을 대조하고 도서 대여 목록에 책 제목과 대여 일자, 이름을 쓰지 않거나 연체가 예상되는 아이들을 찾아다니며 사전에 알려주었다. 환경 부장은 미술 시간이 끝나면 완성된 작품을 이전 작품과 바꿔 가며 교실 뒷벽에 게시하고 바꾼 작품은 복도 보관함의 개인 파일철에 차곡차곡 끼워 넣었다. 선생님은 학급 임원들에게 무언가를 부탁할 때마다 "잘했다.", "고맙다.", "고생이 많다." 등의 말을 수시로 했고 학급 임원이 아닌 아이들조차 자신도 도와줄 수 있게 해달라며 학급 일을 자청했다. 이렇게 학급 임원들이 종횡무진으로 활약하고 있을 때 우리는 우리대로 지켜야 할 소소한 학급 규칙들이 꽤 있었다. 우선 등교하자마자 제일 먼저 책상 위에 놓인 우유를 마시고 뚜껑을 접어 바구니에 팩을 '던지지 말고' 내려놓아야 했다. 그러고 나서 사물함 문 안쪽에 붙인 학생용 시간표를 확인하여 사물함에서 교과서와 준비물을 책상 서랍으로 옮겨야 했다. 그다음 그날 제출해야 할 과제물이나 회신해야 할 가정통신문이 있는 경우 과제물과 가정통신문 바구니에 넣어 두어야 했다. 그러면 일 교시 수업 십 분 전에 시작하는 조회 전까지 반장은 알림장, 남 부반장은 과제물, 여 부반장은 가정통신문의 제출 여부를 확인하고 학습 부장이 이를 학급일지의 조사표에 표시하여 교탁 위에 올려 두었다. 당연하게도 여러 가지 이유로 셋 중의 하나를 제출하지 않은 아이들이 있기 마련이었는데 선생님은 조사표를 보고 한 명씩 호명하며 제출하지 못한 '타당한' 이유를 물어보았지만 채근하지는 않았다. 대개는 집에 두고 왔거나 제출하는 것을 잊어버렸다는 이유를 웅얼거렸는데 선생님은 이것이 '사소한 제출'의 문제가 아니라 '중요한 신뢰'의 문제라고 단언했다. 이런 일이 벌어질 때마다 무언가를 잊어버리는 자신의 성격을 탓하기보다 잠을 자기 전에 알림장을 한 번 읽어보거나 수첩에 적어 두고 실행 여부를 표시하는 등의 작은 습관을 만들면 될 일이라고 말했다. 그 이후에 누가 먼저 시작했는지 책상 위에 포스트잇을 붙이는 습관이 유행처럼 번졌고 무언가를 제출하지 않아 호명되는 아이들의 숫자가 점차 줄었다. 우유만 하더라도 처음에는 우유를 마신 아이들이 뚜껑을 제대로 닫지 않고 팩을 바구니 안에 던져 넣어서 반장이나 부반장이 바구니를 급식실로 가져가고 나면 쓰러진 팩에서 새어 나온 우유가 교실과 복도에 줄줄 흘렀다. 그뿐만 아니라 바닥에 흥건한 우유를 닦기도 전에 누군가가 밟고 다녀서 실내화 밑창이 끈적해지고 우유 냄새가 사방에 진동하기까지 했었다. 선생님은 팩을 그렇게 던져 넣은 아이를 찾는 대신 조회 시간에 우리가 팩 뚜껑을 잘 접어서 바구니에 내려놓으면 어떤 일이 일어날지 우리와 얘기를 나누었다.

"만약 너희들이 팩의 뚜껑을 잘 접지 않고 바구니에 던져 넣어서 팩이 쓰러진다면 어떤 일이 일어날까?" 선생님은 우리가 익히 답을 알고 있는 질문을 던졌다.

"바구니를 급식실로 가져갈 때 우유를 교실과 복도에 흘리게 돼요." 우리는 우유 팩을 던진 용의자가 당연히 내가 아닌 것처럼 주위를 둘러보며 대답했다.

"바구니를 들어 올렸더니 교실 바닥에 우유가 고여 있다고 상상해 보자. 물론 책임감이 강한 우리 반장과 부반장이 솔선수범해서 우유를 얼른 닦을 수도 있겠지만 우유를 닦아도 냄새마저 금방 사라질까? 만약에 그 냄새 때문에 우리 반에 풍뎅이만 한 파리가 들어와서 너희들 머리에 들러붙으며 귀찮게 한다면 기분이 어떨까?"

아이들은 상상하기조차 싫다는 듯 몸서리를 치며 저마다 얼굴을 일그러뜨렸다.

"그러면 흘린 우유 자국을 따라다니며 열심히 닦는 것이 '최선'의 방법일까?" 우리는 말도 안 된다는 듯 선생님을 바라보며 고개를 가로저었다.

"너희들도 깨달았겠지만 애초에 그런 일이 벌어지지 않도록 하는 것이 '최선'이란다. 사실 팩 뚜껑을 접고 바구니에 내려놓는 것은 '최선'이라는 단어를 사용하기에 무색할 정도로 너희들에게는 쉬운 일이다. 그렇게 사소한 일에 신경 써서 남에게 폐를 끼치지 않으면 친구의 호감을 얻을 수 있을뿐더러 그렇게 행동하는 자신이 뿌듯하지 않겠니? 너희들에게 만족스러운 하루가 그렇게 시작된단다." 선생님은 이런 식의 말을 하고 나면 마치 울상을 짓는 것처럼 입꼬리가 내려간 입매를 만들었는데 아마 이런 말을 해야 하는 것이 자신의 의무이지만 마냥 달갑지만은 않다는 것을 아이들에게 알리고 싶었던 것 같았다. 하지만 그러니저러니 해도 어차피 내게는 설교 내지는 훈계로 들려서 나는 속으로 못마땅했다.

교정을 둘러싸고 있는 벚나무의 푸른 이파리가 가지 사이에서 뭉그적거리는 바람을 떨어내느라 서로 부딪치는 모습을 일 층 과학실 복도의 창문으로 내다보며 우리는 한 줄로 섰다. 마침내 학습 부장이 실험 도구 정리를 마치고 실험실 밖으로 나와 줄에 합류하자 맨 앞에 서 있던 반장이 손가락으로 아이들을 일일이 가리키며 인원수를 확인했고 인원수에 이상이 없었는지 반장을 선두로 우리는 교실로 돌아가기 시작했다. 오늘은 황설탕과 방울토마토를 이용하여 용액의 진하기를 비교하는 실험을 했는데 수업 시간 내내 모둠원이 그렇게 만류했음에도 결국 선생님 몰래 실험 준비물인 방울토마토를 황설탕에 찍어 먹는 만행을 저지른 시완이 누가 물어보지도 않았건만 앞에서 걸어가는 동하에게 설탕에 절인 토마토 맛에 관해 주절거렸다. 결국 보다 못한 아립이 뒤에서 시완의 옆구리를 쿡 찌르고 줄의 끝을 손가락으로 가리키며 찡그린 얼굴로 눈치를 주었다. 시완은 그 때문에 주눅이 들었는지 맨 뒤에서 우리를 따라오는 선생님을 돌아보더니 책을 고쳐 쥐고 조용히 계단을 올랐다. 과학실 앞에서 줄을 서고 교실까지 이동하느라 쉬는 시간을 거의 소진한 우리는 교실에 도착하자마자 화장실 정도만 다녀오고 도덕 교과서를 준비해야 했다. 삼월 초였으면 부루퉁한 입술을 선생님이 보란 듯 내밀었을 테지만 다들 수업 준비에 여념이 없었다. 수업 준비도 제법 능숙해져 이제는 손을 올리자마자 내릴 정도로 빠르게 끝났다. 선생님은 도덕 교과서도 없이 맨손으로 칠판 앞에 서더니 난데없이 퀴즈 하나를 내겠다고 모두에게 말했다.

"선생님이 양동이에 맑은 물을 가득 채웠는데 검정 잉크를 몇 방울 떨어뜨려서 물이 탁해졌다면 어떻게 해야 물이 다시 맑아질 수 있을까?"

우리는 교과서의 진도를 나가지 않는 것도 그렇고 바로 이전 수업 시간에 용액의 진하기를 비교했던 실험을 했던 터라 혹시 그것과도 관련이 있는 건가 싶어 웅성거리기 시작했다. 뭐지? 난센스 퀴즈인가? 나는 맞출 생각도 없어 부지런히 머리를 짜내고 있는 아이들을 구경꾼처럼 둘러보기만 했다. 과학 영재반인 규민과 준휘는 물에서 검정 잉크를 추출할 수 있는 방법을 서로 이야기했다. 물을 정밀한 필터에 통과시키면 물과 크기가 다른 잉크의 입자를 걸러낼 수 있는지, 물과 잉크의 끓는점의 차이를 이용하여 증류시키면 물에서 잉크를 분리시킬 수 있는지에 관해 진지하게 의견을 나누었는데 그 모습을 본 나는 규민과 준휘가 나와 같은 교실에서 공부한다는 사실이 새삼스러웠다. 누군가가 검정 잉크를 부었으니 그만큼 하얀 잉크를 부으면 되지 않겠냐고 외쳤지만 그 말을 들은 선생님은 웃기만 했다. 툭 튀어나온 색깔 얘기에 나는 귀가 솔깃했지만 당연하게도 곱씹을 만한 의견은 아니었다. 선생님은 책상 사이를 오가며 두서없이 들리는 아이들의 대화에 귀를 기울이다 아마 답을 알고 있는 학생이 없었던 모양인지 마침내 교실 앞으로 돌아와서 답을 알려주었는데 그 답이라는 것이 모두의 맥을 빠지게 했다.

"양동이에 맑은 물을 더 부으면 된단다." 선생님은 우리가 속이 터지는 것을 모르는 것처럼 모두를 쓱 둘러보았다. 아이고, 저걸 말씀해 주시자고 이렇게 아이들의 애를 태웠단 말인가. 규민이 망연자실한 표정을 지으며 준휘에게 손바닥을 오므리고 책상 위를 내리쳐 손에 쥔 무언가를 세우는 시늉을 했고 준휘는 그것만 보고도 "콜럼버스의 달걀"이라는 것을 알아차리고 자신도 가상의 달걀을 깨뜨렸다.

"지금은 도덕 시간이니까 질문을 바꿔 보자. 만약 검정 잉크를 너희들이 가지고 있는 결점이라고 생각한다면 물은 무엇에 비유할 수 있을까?" 또 시작이었다. 선생님을 뜯어말리고 싶지만 나는 그저 몸을 웅크리면서 책상 밑으로 팔을 내뻗어 기지개를 켤 따름이었다. 갑작스럽게 시작된 선문답에 물이 다시 맑아지는 방법을 찾기 위해 열띠게 말을 주고받던 아이들조차 멀뚱하게 선생님의 입만 쳐다보고 있었다. 아이들의 얼굴을 일일이 들여다보며 대답을 기다리던 선생님은 바람 한 점 없는 연못의 수면처럼 고요해진 교실에 작은 물살을 내었다. "짐작하는 사람도 있겠지만 물은 마음에 빗댈 수 있단다. 그렇다면 물에서 검정 잉크를 없애기 어려운 것처럼 누구라도 자신의 결점을 고치는 일이 과연 쉬운 일일까?" 선생님은 도대체 무슨 말씀을 하고 싶으신 것일까? 나는 책상 아래에 있던 고개를 들어 수면에 비치는 물그림자 안에서 눈을 굴리는 도롱뇽인 양 책상 위로 얼굴을 내밀었다. 여전히 팔은 책상 밑에서 쭉 뻗은 상태였다. "한 걸음 더 나아가 자신도 고치기 어려운 결점을 다른 사람이 어쩌지 못한다는 이유로 그 사람을 원망하는 일이 과연 온당할까?" 선생님은 잠시 말을 멈추고 생각에 잠겼는데 선생님의 굳은 얼굴 근육 때문인지 떫은 열매를 입안에서 굴리는 것 같았다. "물속의 검정 잉크를 칼로 베는 것이 의미가 없는 것처럼 다른 사람의 결점을 날 선 눈길로 못마땅해 하기보다는 맑은 물을 더 붓듯 너희들의 마음을 그 사람의 마음에 부어 주렴. 그래야 그 사람의 마음에 떨어진 검정 잉크가 너희들의 마음에 닿게 되고 그러면 그게 무엇을 의미하는지 너희들도 조금은 알 수 있겠지. 그것이 선생님이 나 자신을 포함해서 너희들에게 바라는 모든 것이란다. 선생님도…… 너희들의 마음을 헤아리도록 노력하겠다." 선생님은 마치 스스로의 다짐 같은 설명을 담담하게 마무리하고 교탁에서 교과서를 집어 책장을 펼쳤다. 약간은 모호한 선생님의 설명을 대강은 이해했는지 다들 잠시 숙연해졌다가 곧 선생님을 따라 교과서를 펴기 시작했다. 쉬는 시간이 되어 그새 쾌활함을 회복한 아이들이 교실을 나가느라 내 어깨를 스쳐 지나갔지만 나는 무언가에 심사를 부리는 사람처럼 교과서를 덮으며 동생이 앉은 휠체어를 매번 너끈하게 들고 계단을 조심스럽게 오르내리는 아빠와 잠을 자는 동생의 작은 기척에도 몸을 일으켜 안색을 걱정스럽게 살피는 엄마를 떠올렸다. 나는 누구를 원망해야 할지 지금도 몰랐기에 자포자기의 심정이 되었고 답답한 마음이 들어 은재와 복도 창문에서 바람을 쐬고 싶었다. 은재는 교실 벽에 머리를 기대고 앉아 창문 밖을 내다보고 있는 선생님의 옆얼굴을 물끄러미 바라보고 있었다. 하지만 내가 앉아 있는 곳에서는 선생님의 얼굴이 보이지 않았고 축 처진 선생님의 그림자만 교실 바닥에 어룽졌다.

도덕 수업 시간 이후 우리는 교실에서 벌어지는 온갖 문제의 결과를 선뜻 떠오르지 않는 긍정적인 가치와 연결 짓는 선생님의 묘한 어법에 설득되었다. 다들 톱니바퀴가 된 것 같았다. 서로 부딪힐 때도 있지만 뜻밖에 서로가 가지고 있는 모난 부분이 톱니바퀴의 이가 되어 맞물렸다. 처음에는 끼익 소음을 냈지만 점차 톱니바퀴의 이가 들어맞고 톱니바퀴는 부드럽게 돌아갔다. 우리는 조금씩 끈끈해지는 유대감이 서로의 어깨를 감싸는 것을 느꼈다. 나는 선생님이 상기시킨 가족에 대한 혼란스러운 감정에도 선생님에게 마음을 조금은 열게 되었는데 그것은 선생님이 말했던 검정 잉크에 대한 설명에 감화를 받아서가 아니라 그때의 씁쓸했던 선생님의 표정과 어조 때문이었다. 선생님은 이따금 교실에서 초췌한 낯빛을 감췄는데 이유를 알 수 없었지만 그것은 내게 낯익은 인상을 주었다. 나는 더 이상 선생님의 말을 설교나 훈계 정도로 치부하지 않았다. 선생님은 나를 비롯해서 우리의 일원이 되었다.

수면을 미끄러지는 새

"어쩌다가 여기까지 오게 되셨어요?" 나는 아보카도 명란 튀김을 한 입 베어 물고 젓가락을 내려놓았다. 입을 오물거리자 바삭한 튀김옷이 부서지며 짭조름하면서도 고소한 맛이 혀에 달라붙었다. 기름이 묻었는지 입술이 미끈거렸고 나는 혀를 살짝 내밀어 입술을 훔쳤다.

그는 내가 물어볼 줄은 알았지만 어디부터 말해야 할지 생각할 시간이 필요한 것처럼 고등어 봉초밥 한 개를 입안에 밀어 넣고 천천히 씹었는데 시선은 여전히 봉초밥이 놓여 있던 자리에 머물러 있었다. 그러고는 선홍색 꽃무늬가 감싸고 있는 컵을 들더니 차가운 물을 벌컥벌컥 들이켜 입속을 개운하게 씻어 냈지만 여전히 무언가가 겸연쩍은지 약지로 이마를 긁적이다 입을 열기 시작했다.

타시도 전출 교사로 우리 학교에 부임하기 전에도 서너 차례 이곳에 배낭 도보 여행을 왔었다고 했다. 그때 이미 핸드 드립 커피에 관심이 많았던 그는 옛 통신 시설이었던 벙커를 개조하여 개관한 미디어아트 전시관 옆에 커피 박물관이 있는 것을 우연히 알게 되어 성산읍으로 향했는데 공항에서 거리가 멀었던 탓에 뒤늦게 도착하기도 하고 그 때문에 조금 피곤하기도 해서 그곳에 오후 세 시까지 여유롭게 눌러앉았다고 했다. 박물관은 콘크리트 구조물을 흙과 나무로 뒤덮어 한때 둔덕으로 위장까지 했던 벙커의 위치 때문에 나무가 꽤 우거진 호젓한 숲속에 있었는데 건물을 둘러싸고 있는 일 층의 청동색 난간과 한 번 추출한 커피색의 벽돌로 마감한 이 층의 건물 벽이 숲과 어우러져 그윽한 분위기를 냈던 모습을 지금도 기억한다고 말했다. 전시관은커녕 박물관에도 가보지 않아 좀처럼 내외부를 상상하기 어려워하는 나를 보며 그는 고심하는 기색을 내비치더니 잠시 말을 멈추었다. 그러고는 헛웃음을 치며 타지 사람인 자신이 본향이 여기 사람인 내게 설명하는 상황이 아이러니하지 않느냐고 반문했고 나는 입이 없는 사람처럼 고개를 주억거려 그의 말에 여지없이 수긍하고 있음을 드러내었다. 그는 주말에 한 번 가보라고 권하며 그저 커피에 대한 호기심 정도로 관람하기에는 입장료가 아깝다는 생각이 들 수도 있겠지만 건물의 규모나 전시물의 수에 연연하지 않는다면 충분히 지불할 만한 소정의 액수였다고 말했다. 그는 자신이 본 장면을 세세하게 말하겠다고 작심한 듯 기억을 되살리기 시작했다. 일 층이 박물관, 이 층이 카페여서 그는 자연스럽게 박물관에 먼저 들어갔는데 세계 지도가 깔린 탁자 위에 작은 국기가 꽂힌 원두 용기들이 놓여 있는 모습이 제일 먼저 눈에 띄었다고 했다. 즉 커피나무의 열매가 생산되는 지역을 표시한 커피 벨트를 말하는 것 같았는데 나는 어느 프랜차이즈 카페 벽에 커피나무가 자라기에 적합한 기후 지역을 다른 색깔의 타일로 붙인 세계 지도가 떠올라 그의 말이 언뜻 이해되었다. 그리고 거기에 전시되어 있던 결점두란 것을 설명했는데 그는 실제로 내게 결점두를 보여주는 것처럼 엄지와 검지를 세우고 그 사이를 들여다보며 말했다. 결점두란 곰팡이가 피거나, 벌레가 먹었거나 따위의 이유로 품질이 떨어지는 커피콩을 말하는데 삼백 그램을 기준으로 몇 개만 들어 있어도 커피의 맛을 떨어뜨리기 때문에 결점두를 잘 분리하는 것이 좋은 커피를 만드는 중요한 작업들 중의 하나라고 했다. 그는 혹시 『밤의 해변에서 혼자』라는 영화를 봤느냐고 내게 물었는데 제목을 들어본 적이 없어 머리를 긁적였지만 십여 년 전에 그 감독의 영화들 중 한 편을 봤던 기억이 어렴풋이 났다. 자세한 기억은 다 휘발되어 버리고 몇몇 장면만 기억에 남았는데 그걸 가지고 대화를 하기에는 영 어설플 것 같기도 하고 지금 대화의 맥락에 맞지도 않아 나는 제목을 떠올리는 것을 이내 포기했다. 그는 약간 정색하더니 그러면 쉴 때는 뭐하냐고 내게 물었는데 나는 딴생각을 하다 들킨 사람처럼 놀라며 입만 오므렸다. 결국 뒤늦게 한다는 대답으로 나중에 말씀드리겠다고 하자 그는 거참 싱거운 사람도 다 있다는 표정을 굳이 감추지 않으며 그 영화에 결점두를 분리하는 장면이 나온다고 말했다. 나는 영화를 보고 싶으니 그 장면만 설명해 달라고 부탁했다. 그는 방금 본 영화처럼 해당 장면을 생생하게 묘사했는데 배우의 이름은 물론이고 영화 속 인물의 이름까지 모두 기억하고 있어서 또 한 번 나와 그와의 성향 차이가 대비되었다. 명수라는 영희의 선배가 도희라는 인물과 강릉에서 카페를 운영하고 있는데 외국에서 오랫동안 머물던 영희가 카페를 찾아왔고 영희와 대화를 나누었단다. 그 와중에 명수가 카페 운영에 무심했던 모양인지 도희가 돌연하게 넌더리를 냈고 그런 상황에 무안해진 영희가 잠시 카페 밖으로 나갔다고 했다. 도희는 커피콩이 들어있는 플라스틱 바구니를 테이블 위에 내던졌고 명수는 마지못해 커피콩을 한 줌씩 테이블 위에 꺼내어 결점두를 골라냈다고. 그는 마치 명수를 연기하는 것처럼 테이블 위에 두 손을 모아 앞뒤로 문지르며 결점두를 고르는 모습을 연출했고 나는 그의 손가락 밑을 구르고 있는 결점두란 것이 보이는 것처럼 미간을 오므리고 시선을 집중했다. 나는 박물관과 영화를 오가는 그의 설명이 무척이나 맛깔스럽게 들렸는데 그는 정작 자기 말이 장광설이라고 생각했는지 박물관에 대한 이야기를 빨리 끝맺으려고 조바심을 내는 기색을 비쳐서 아마 나의 질문에 대한 대답이 박물관 때문은 아닌 것 같았다. 그는 말을 조금 서둘러 바퀴를 닮은 분쇄 손잡이를 가진 수레 모양의 핸드밀과 앤디 워홀의 그림이 인쇄된 것 같은 커피 캔디의 포장 캔, 우물의 물을 퍼 올리는 펌프를 연상시키는 커피 추출기에 대한 이야기를 끝으로 박물관에 대한 설명을 나름 짧게 마무리했다. 대개는 그저 골동품으로 여기며 쓱 둘러보는 정도의 소품들을 이토록 세밀하게 설명하는 그가 흥미로웠다. 그리고 나는 마음이 여유로웠다. 정말 오랜만에 누군가와 저녁 식사를 하는 것이기도 하고. 그가 사케 한 잔을 마시며 목을 축였고 나는 그의 빈 잔에 술을 붓고 물었다. "커피를 드시고 나서 뭐 하셨어요?"

그는 흥취가 났는지 팔짱을 끼고 몸을 좌우로 조금씩 흔들며 말을 이었다. "사실 옆에 있는 전시관에는 들어가지 않았어요."

내가 그의 말이 이외라는 것처럼 눈썹을 찡긋했고 그는 무슨 뜻인지 알겠다는 듯 말을 서둘러 이었다. "박물관까지 버스로 오며 오늘은 어디에서 잘까 고민했는데 기왕에 여기까지 왔으니 우도에 가 보자고 생각했죠. 일인용 텐트가 배낭에 있었거든요. 그런데 박물관에서 나오고 보니 시간이 조금 애매하기도 하고 제가 살던 곳에서 이미 비슷한 전시회를 봐서 그랬던 것 같아요. 여기는 벙커를 개조했지만 거기는 대극장을 개조했는데 애니메이션 기법으로 편집한 그림을 빔프로젝터로 건물 내부에 비추는 방식은 동일했거든요. 물론 화가는 달랐어요. 거기는 세잔과 칸딘스키였는데 여기는 클림트와 실레였죠." 그는 팔짱을 낀 채로 술잔을 잠시 내려다보았다가 다시 나를 쳐다보았다. "그래서 성산포항에 가서 여객선을 탔는데 갑판 위에서 선객이 새우 맛이 나는 과자를 손에 들고 있더니 갈매기가 몰려들어 눈앞에서 부리로 낚아채 가더군요. 저도 과자를 몇 개 얻어서 손을 뻗었는데 갈매기가 생각보다는 크고 날갯짓을 할 때는 겁이 나기도 하더라고요. 그래도 너무 즐거웠죠. 사념 따위는 가지고 있지 않은 것처럼 갈매기들이 바다 위를 활공하거나 수면 위를 미끄러지기도 했어요. 그렇게 하염없이 새 떼를 보고 있는데 하우목동항에 금방 도착하더군요. 이십 분 정도 걸렸던 것 같아요. 인산인해에 파묻혀 하선하고도 날이 완전히 어두워지기까지는 시간이 좀 남아서 비양도까지 걸어갔죠."

 "비양도는 협재해수욕장 앞에 있는 섬 아닌가요?" 내가 사념이라는 단어를 머릿속에 각인하며 물었는데 안 그래도 그가 하우목동항으로 돌아오는 길에 버스 운전사에게 질문했더니 협재해수욕장의 비양도를 서비양도, 우도의 비양도를 동비양도라고 대답했더란다. 그런데 '양'을 표기하는 한자는 또 다르다고.

 "하우목동항에서 비양도까지 도보로 한 시간 정도 걸리더라고요. 제가 그때 십 킬로그램 정도 되는 배낭을 메고 있어서 처음에는 순환버스를 타려고 생각했어요. 그런데 드넓은 바다는 물론이고 슬레이트 지붕의 집이나 헐겁게 서 있는 돌담, 심지어 기울어져 있는 전신주 사이를 시원한 바람이 휘도는 광경을 보고 이런 것을 그저 스쳐 지나가기에는 아깝다는 생각이 들더군요. 걷다가 잠시 멈춰서 돌담 안을 들여다봤더니 청보리밭이 머리를 뉘었던 베개 자국처럼 부드럽게 눌렸다가 솟아오르고 달큼한 내음의 유채꽃들이 누가 들불을 지른 듯 길을 따라 만발하고 있었는데 제가 운이 좋아서인지 하늘마저 쾌청해서 배낭이 무거운 줄 모르겠더라고요. 그렇게 한참을 걸어서 목이 말랐는데 수제 땅콩 아이스크림을 파는 가게가 보여서 컵 아이스크림을 샀더니 컵에 '안녕, 육지 사람'이라고 적혀 있어서 혼자 웃었어요. 딱 저를 두고 하는 말이었죠. 수심에 따라 물빛이 미묘하게 변하는 에메랄드색 바다를 보며 아이스크림을 일회용 숟가락으로 떠먹고 다시 한참을 걸었죠. 슬슬 지쳐 갈 무렵 비양도를 연결하는 다리가 나왔는데 뒤엉키며 지나가는 차와 스쿠터를 피해 저는 노란색 페인트로 칠해진 시멘트 난간에 바싹 붙어

서 야영지까지 걸어갔어요. 도착하고 보니 바람이 어찌나 세게 부는지 이전 여행자가 호 모양으로 돌담까지 쌓아 두었더라고요. 그런데 텐트를 쳤던 땅에 잔디가 파여서 노면이 그대로 드러났는데 쌓아 둔 돌담과 함께 선사 시대의 유적지처럼 보이기도 해서 제가 어쩌다가 여기까지 왔는지 돌연 궁금해져 실소가 났어요. 지금은 배낭 도보 여행자의 성지로 알려져서 북적대지만 그때는 저 말고 텐트가 네 개밖에 없어서 한산했죠. 텐트를 치는데 팔 밀리미터 폴대 두 개만으로는 아무래도 불안해서 십 밀리미터 폴대 한 개를 더 끼우고 팩 열두 개를 박아서 텐트를 땅에 고정했어요. 그리고 텐트 안에 에어매트를 깔고 그 위에 침낭을 펼친 다음 텐트 입구에 털썩 주저앉았는데 바로 앞에 꼭대기를 싹둑 자른 피라미드 모양의 봉수대가 보이더라고요. 사위가 어스름해지고 몸이 천근만근으로 피곤했지만 지금이 아니면 높은 곳에서 주변 경관을 볼 기회가 없을 것 같아 봉수대에 올랐는데 때마침 노을이 지면서 진한 농도의 노란빛이 수평선에 천천히 가라앉고 있었어요. 마침내 어두워진 하늘에 별이 하나둘 명멸하고 텐트에 불빛이 들어찼는데 텐트는 마치 우연히 지나가는 비행기나 선박에 구조 신호를 보내기 위해 조난자가 피운 화톳불처럼 보였어요. 저도 텐트 안으로 들어가 침낭 안을 파고들었는데 천장을 올려다보니 하늘에서 떨어지는 낙하산인 양 거세게 펄럭이더군요. 그래도 제가 누워있으니까 텐트가 바람에 날아갈 일은 없겠다 싶었죠. 그런데 그렇게 바닥이 울퉁불퉁해서 등이 불편하고 팩이 뽑혀 나갈 만큼 텐트가 흔들리는데도 제 마음이 이상하게 평온하더라고요. 그래서 잠이 든 상황이 기억나지 않을 정도로 곯아떨어졌는데 그게 몇 년 만의 숙면이었는지 몰라요. 아침에 부은 얼굴로 일어나 일출을 보았는데 태양은 마치 제 마음에 있던 근심과 염려를 불태워서 정화하는 횃불 같았죠."

나는 놀라서 입이 다물어지지 않았다. 그는 내 표정을 보고 그 정도의 이유로 여기까지 온 것이 납득되지 않을 수도 있다고 지레짐작한 듯 고개를 저으며 숯불로 구운 문어를 젓가락으로 한 조각 집었다.

"개학하기 전에 선생님께서 병 휴직으로 사월 중에 오신다는 소식을 들었었죠." 그의 말이 정확하게 들리지 않았다. 나는 그의 입 모양에 집중하느라 눈을 살짝 치뜨며 오른쪽 귀를 그의 얼굴 방향으로 약간 틀었다. 밤이 깊어져서인지 가게 안에 술기운이 오른 손님들의 언성이 조금씩 높아졌다. 옆 테이블에 회사원처럼 보이는 남자 두 명이 마주 보고 앉아 옥신각신했고 나머지 한 명이 자리에서 일어나 왼손으로 옆에 앉아 있는 남자의 가슴팍을 가로막고 오른손으로 마주 앉은 남자의 어깨를 누르며 그만하라고 말하고 있었다. 누구한테 하는 말인지 그럴 수 있다며 몇 차례 혀가 구부러지는 소리가 들렸고 상대들로 하여금 기어이 잔을 쥐게 하더니 힘껏 잔을 부딪쳤다. 출렁이는 술이 거의 잔 밖으로 쏟아져서 접시 주위에 조그만 웅덩이를 만들었고 열대어 같은 빛이 그 안에 맴돌았다. 건배를 청했던 사람이 뭐라고 흡족하게 혼잣말을 중얼거리더니 턱을 크게 움직여 입에 넣은 안주를 질겅질겅 씹었다. 나는 눈길을 돌려 다시 그를 바라보았다. 그는 조바심을 내지 않고 내가 자신과의 대화에 집중하기를 차분하게 기다리고 있었는데 그런 그의 모습이 문득 어른스럽다는 생각이 들었다.

"교통사고 후에 몸은 좀 괜찮으세요?" 그는 우연히 만난 지인이 그간의 안부를 묻는 것처럼 짐짓 무심함을 가장하며 물었다.

"네, 그럼요. 학교를 다니는 데는 문제가 없죠." 나도 모르게 테이블 밖으로 드러난 허벅지를 오른손으로 가볍게 문지르며 대답했다.

"어쩌다가 사고를 당하신 거예요?" 그가 아랫입술을 끌어올려 윗입술을 밀어올리자 뺨 근육이 봉긋하게 솟았고 그 위로 호기심 어린 눈꼬리가 그어졌다.

이번에는 내가 어디부터 말해야 할지 고심하는 것처럼 물을 한 모금 마시고 목울대를 울렸다. 의식 속에 박혀 있던 날카로운 기억의 파편이 쑥 빠지더니 머릿속을 천천히 부유하기 시작했다. 날이 새려는지 지평선과 하늘의 경계가 희붐하게 밝아졌지만 여전히 컴컴한 하늘에 얼어붙어 미동 없는 구름이 나를 내려보고 있었다. 사방에 빛이 희미하게 돌자 도로변에 늘어선 전신주들이 십자가 모양의 그림자를 도로에 연신 드리웠고 전깃줄이 흔들리며 허공에 하얀 선을 그었던 눈이 성긴 눈발을 날렸다. 맹렬한 속도로 공기를 가르는 차의 엔진 소리가 운전석에 튼 히터의 열기와 뒤섞였고 그 때문에 나는 뜨거운 입김을 내뿜으며 숨을 거칠게 몰아쉬는 짐승 위에 올라타 기적 없는 들판을 한없이 질주하는 것 같았다. 마침내 도로의 왼편에 손톱 모양의 해가 모습을 드러냈고 나는 신열에 들뜬 사람처럼 운전석의 창을 내려 흐리멍덩한 눈으로 먼동이 트는 것을 바라보았다. 일렁이는 빛살에 지평선이 흐물거리고 내 눈에 작은

섬광이 점차 번졌지만 차 안으로 들이치는 날선 바람 때문에 눈 주위에 미세한 경련이 일었다. 저 멀리 중앙분리대가 완만하게 구부러지는 모습이 시야에 들어와 정면을 주시하는 찰나 아스팔트 도로에 투명한 빛이 어렸다. 브레이크를 밟았지만 차의 앞바퀴가 미끄러지면서 중앙분리대로 돌진했고 나는 충돌을 피하기 위해 반사적으로 핸들을 꺾었다.

"밤이 새도록 잠이 오지 않아서 이럴 거면 차라리 바람이나 쐬자는 생각이 들더라고요. 운동복을 대충 껴입고 지하 주차장에서 차를 끌어내어 육 차선 도로를 달렸는데 시간이 시간인지라 도로에는 저밖에 없었고 기분이라도 후련해질까 싶어 속도를 좀 냈죠. 그런데 왼쪽으로 꺾어지는 곡선 구간을 앞두고 도로에 낀 빙판이 보여서 브레이크를 밟았는데 차의 앞바퀴가 미끄러지면서 차가 중앙분리대로 향했고 제가 순간적으로 핸들을 오른쪽으로 틀었어요. 차가 순식간에 경계석으로 조성한 화단을 밟고 허공에 떠오르더니 그대로 철제 가드레일을 들이받았죠. 차의 후드가 반파될 만큼 차가 부서졌지만 그나마 다행스럽게 조수석 쪽으로 들이받아서 에어백이 펼쳐지지 않았던 센터페시아 옆면에 오른 다리가 부딪치는 것으로 그쳤어요. 그래도 복숭아뼈와 정강이뼈가 부서지고 부러지면서 뼛조각을 제거하는 수술과 부러진 뼈를 철심으로 연결하는 수술을 동시에 해야 했죠. 수술 후에 부목을 댄 발목과 정강이에 압박 붕대를 감아서 삼 주 정도 입원했고 퇴원해서는 두문불출하며 한 달 정도 목발을 짚고 다녔어요. 지금도 재활의학과에서 일주일에 두 번씩 물리 치료를 받고 있는데 조금 과장하자면 처음에는 육군훈련소에 갓 입소한 것처럼 힘들었어요. 지금은 뭐, 할 만하지만요." 내가 다시 컵을 쥐자 컵 속의 수면에 작은 원이 일더니 컵 안에 부딪혀 사라졌다. 옆 테이블에 앉아 있던 세 명의 남자가 의자를 바닥에 질질 끌며 일어서더니 외투를 입거나, 손에 쥐거나, 팔꿈치에 걸치고 모두 비척거리며 계산대로 걸어갔다. 그러고는 각자 신용 카드를 꺼내어 여자 직원에게 내밀고 서로 계산하겠다며 아우성을 쳤는데 직원은 황망하게 세 명의 손님을 번갈아 보다 그나마 외투를 입은 손님의 카드를 받아 들고 단말기에 꽂았다. 나는 불현듯 '우리'로 시작했던 영화의 제목을 떠올릴 것도 같았는데 여주인공의 이름이었던 나머지 제목을 끝내 기억해 낼 수 없었고 다만 작년에 맡았던 여학생의 이름이 머릿속을 떠다녀서 정해준 선생님이 한 번에 비운 술잔을 신경 쓰지 못했다.

금속 책갈피

"그나저나 선생님은 어디 가셨어? 오늘은 회의도 없는 날인데."
나는 교실을 돌아보며 말했는데 선생님의 자리에서 선생님 대신 듀얼 모니터 중 한 대가 고개를 살짝 틀어 나를 쳐다보았다.

"반장이 선생님과 오 교시가 끝난 쉬는 시간에 이야기를 나눴는데 선생님께서 딸을 어딘가로 데려가야 해서 조퇴하셨대. 그래서 오늘은 평소대로 청소하고 집에 가라고 하던데." 은재는 선생님의 부재로 청소 검사를 받지 못하게 되어 오히려 의욕을 잃은 것처럼 떨떠름하게 대답했다.

선생님이 청소 검사를 안 하면 좋은 거지. 은재의 대답이 푸념 섞인 말로 들려서 나는 잠깐 어리둥절했다. 나는 은재와 함께 사층 복도 창가에 까치발을 들어 몸을 걸치고 티볼을 연습하고 있는 여자 선수들을 내려다보고 있었다. 타자석을 꼭짓점으로 대형을 만들고 각자의 위치에서 수비하고 있는 선수들이 입은 하얀 유니폼 때문에 선수들은 마치 초록색 타원형 쟁반 위에 떨어진 쌀알들처럼 보였다. 타자석에서 건장한 체구의 체육 선생님이 선글라스를 고쳐 쓰고 테니스공이 수십 개 들어 있는 카트에서 공을 하나 꺼내 들더니 테니스 라켓을 힘껏 휘둘러 공을 띄웠다. 공은 완만한 궤적을 그리며 허공에 잠시 떠 있다가 선수들의 머리 위로 떨어지기 시작했고 모든 선수가 일제히 공을 주시했다. 공이 떨어질 지점에 가장 가까운 선수가 고개를 한껏 젖히고 글러브를 쭉 뻗으며 잰걸음을 디뎠는데 공은 글러브에 맞지도 않고 운동장 바닥에 툭 떨어졌다. 라켓이 공과 부딪히는 탄력 있는 소리와 함께 공은 계속 허공으로 떠올랐고 순서를 돌아가며 선수들의 머리 위로 떨어졌다. 몇몇이 능숙하게 받아 내자 "좋아, 잘했어!"라고 선생님이 외치면서 왼손 엄지를 선수들을 향해 곧게 세웠다. 그러자 주장이 발음을 길게 늘어뜨리며 구호를 외치고 나머지 선수들은 새된 소리를 지르며 상체를 낮추고 글러브를 몸의 가운데로 모았다. 선수들의 날카로운 기합 소리가 학교를 둘러싸고 있는 아파트 단지에 울려서 낭랑한 여운을 남겼다. 티볼 선수들이 훈련에 매진하고 있는 사이 트랙에서 훈련 장면을 촬영하고 있는 아립과 슬찬, 서우가 보였다. 아립이 마이크를 들고 왼손으로 선생님과 선수들을 가리키며 무언가를 열심히 설명했고 슬찬이 캠코더로 아립과 선생님, 선수들을 번갈아 가며 촬영했다. 서우는 하교하는 학생들이 아무 생각 없이 아립의 뒤를 지나치기 전에 무언가가 적힌 스케치북을 들어 보이며 슬찬의 뒤로 지나가도록 유도하고 있었다. 내가 보기에 서우가 제일 바빠 보였다. 그는 하교하는 학생의 인파라는 물길을 거스르려는 한 마리 연어처럼 보였다. 교실 청소가 다섯 명인데 그중의 세 명이 방송부원이라니. 그래도 그네들 말로는 촬영이 십 분 정도밖에 걸리지 않을 예정이라 세 시 이전까지 교실에 돌아오겠다고 했었다. 아까 교실을 돌아봤을 때 2시 53분이었으니 조만간 촬영을 마치고 교실로 올라올 터였다. 이번에는 빠른 속도 때문에 통통거리며 튀는 공이 운동장을 구르고 선수들은 공을 쫓아 벌린 글러브를 땅에 대고 공을 안정적으로 잡아냈다. 저렇게 아침에 한 번, 방과 후에 한 번 훈련이 이어졌다. 우리 학교 티볼부는 전국 대회 출전으로 훈련 강도가 세졌지만 훈련에 빠지는 사람은 한 명도 없는 것 같다. 전국 대회에 진출할 정도니 티볼부 선수들이 훈련에 자부심을 느끼는 것은 당연했다. 얼굴과 목덜미, 팔뚝 등 옷 밖으로 드러난 피부가 검붉게 탔지만 그것은 오히려 훈장이었다. 세상에 어떤 사람은 내가 가지고 있지 않은 '의욕'이란 것을 가지고 있었다. 하지만 나 역시 예전과는 다르게 요새는 부쩍 '의욕' 있게 학교에 다니고 있다. 글자만 봐도 치를 떠는 내가 오늘 국어 시간에 제법 열심히 시를 '창작'하지 않았던가. 그러다가 갑자기 웃음이 터져 은재가 왜 그러냐는 듯 나를 바라보았다. "선생님께서 국어 시간에 '시를 발표해 볼 사람?'이라고 물어보시니까 승후가 손을 번쩍 들었잖아. 그런데 누군가가 발표하겠다고 손을 들면 보통 선생님께서는 격려라도 해주시는 것처럼 이름을 힘차게 불러 주시는데 승후가 손든 걸 보고 약간 주저하시더라고."

은재는 창가에 올린 팔 위에 턱을 얹고 아파트의 베란다 난간에서 부풀다가 꺼지는 이불속을 가만히 쳐다보며 말했다. "승후가 좀 엉뚱하잖아."

"너도 들었어? 걔가 자기가 쓴 시를 크게 읽는 거?" 은재도 기억하는지 치아가 팔등 위에서 환하게 드러났다. "나는 제목만 듣고 웃느라 시는 정작 기억도 안 나. 시 제목이 '여름엔 여드름, 겨울엔 고드름'이었나? 제목이 그게 뭐냐? 진짜." 나는 요새 이마에 뾰루지처럼 돋기 시작하는 여드름을 원망하는 마음마저 얹어 은재와 함께 승후를 성토하려고 했지만 은재는 웃기만 할 뿐 여전히 가볍게 펄럭이는 이불속을 보고 있었다. "그런데 선생님 반응도 웃기지 않았어? 처음에는 난감해하시더니. 나는 선생님께서 그렇게 웃으시는 거 처음 봤어. 선생님도 사람이구나 싶더라."

"나도 좀 놀라기는 했어. 선생님이 그런 분이셨나? 삼월 내내 한 번 웃지도 않으시더니." 은재는 그새 눈길을 떨어뜨려서 티볼부가 훈련하는 모습을 내려다보고 있었는데 땀을 뻘뻘 흘리며 훈련하는 선수들이 기특했던 모양인지 입가에는 흐뭇해하는 미소가 잔뜩 묻어 있었다.

촬영이 어느 정도 끝났는지 아립과 슬찬, 서우가 모여 무언가를 상의하는 모습이 보였다. 서우가 무언가를 말하고 아립이 고개를 연신 끄덕이자 슬찬이 캠코더에서 모니터를 펼치더니 화면을 들여다봤는데 촬영한 영상이 괜찮았는지 캠코더의 전원을 껐다. 셋이 구령대 옆의 계단에 올라섰고 곧 중앙 현관으로 들어오는 것이 보였다. 이제 교실로 올라올 모양이었다. 나는 은재와 돌아서며 크게 한숨을 내쉬었다. 청소하는 것이 수업 받는 것보다 내게는 더 고된 일이었다. 선생님이 우리 학교에 부임할 때부터 비롯된 '악명'은 아마 청소 검사 때문이 아닐까 싶은 정도였다. 은재는 내 마음을 아는지 모르는지 방송부원들이 아직 올라오지도 않았는데 벌써 청소 도구함을 열고 수수 빗자루와 쓰레받기, 청소 밀대를 꺼내고 있었다. 나는 은재에게 다가가 손가락으로 은재의 어깨를 톡톡 두드린 다음 나를 돌아보는 은재의 얼굴에 얼굴을 잔뜩 구기고 못마땅한 표정을 만들어 들이밀었다. 은재는 놀라지도 않고 손바닥으로 내 얼굴을 쓰다듬더니 어쩌겠냐는 듯 어깨를 한 번 으쓱하고 밀대에 일회용 청소포를 단단하게 부착했다. 은재는 정말 청소마저 이렇게까지 해야 할까. 나는 고개를 푹 숙였다. 청소할 때마다 물속을 휘젓는 것처럼 무거워지는 팔과 다리를 끌고 다녀야 하는 나와는 달리 선생님이 차마 검사하지 않을 만한 곳까지도 세심한 손길로 청소하는 은재의 모습은 마냥 신기할 따름이었다. 은재는 마치 청소 검사를 받을 때 선생님이 만족해하는 표정을 보고야 말겠다는 심정이라도 가지고 있는 것처럼 청소에 열성적으로 매달렸다. 하지만 그렇게 청소하고도 교실의 구석구석을 살피는 선생님의 꽁무니를 졸졸 쫓아다니는 우리와는 달리 정작 은재는 상기된 얼굴을 내려뜨린 채 더러워진 걸레를 움켜쥐고 교실 한구석에 서 있기만 했다. 선생님은 청소하느라 고생이 많았다며 우리에게 고개를 끄덕여 주고 그걸로 충분하다고 생각했는지 은재에게는 별다른 말 한마디 건네지 않고 교탁으로 돌아가 우리는 도통 알 수 없는 문서 작성에 다시금 매달렸다.

복도에서 말발굽이 바닥에 부딪히는 소리가 들리더니 아립과 슬찬, 서우가 돌아왔다. 셋은 교실에 들어오자마자 벽시계를 보았는데 세 시가 조금 넘어 있었다. 아립이 방송실에 들리느라 늦었다고, 미안하다고 숨을 몰아쉬면서 내뱉었다. 나나 은재나 상황을 아는데 미안할 것까지야. 우리는 교실 앞에 모여 청소 역할을 분담했다. 슬찬과 서우도 우리에게 조금 미안했던지 힘들다고 여겨지는 역할을 자청했다. 나와 은재는 교실을 쓸고 슬찬과 서우는 책상과 의자를 뒤로 밀었다가 제자리로 옮기고 책상 줄을 맞추기로 했다. 아립은 이미 일회용 청소포가 부착된 밀대를 들어 올려 영문을 알 수 없다는 표정으로 돌려보더니 은재를 슬쩍 바라보고 바닥을 닦겠다고 했다. 오늘은 선생님이 검사를 하지 않아서 마음 편하게 청소해도 될 법한데 우리는 짐짓 결연하게 의기투합하고 청소를 시작했다. 슬찬과 서우는 책상과 의자 다리가 바닥을 끌어서 귀에 거슬리는 소리를 내지 않도록 책상과 의자를 번쩍 들고 교실 뒤로 옮겨 놓았다. 나와 은재는 빗자루를 쥐고 허리를 숙이며 교실 앞에서부터 뒤로 쓰레기와 먼지가 허공에 날리지 않도록 조심스럽게 쓸었다. 책상과 의자가 교실 뒤에 쌓여서 휑하게 드러난 바닥은 온갖 색의 종이 파편이 구겨지거나 뒤집혀 나뒹굴었는데 오늘 미술 시간에 한지 색종이와 검정 도화지로 스테인드글라스를 만들었기 때문이었다. 매일 그렇게 깨끗하게 청소하건만 하루가 채 지나기도 전에 바닥은 해일에 쓸렸던 것처럼 파도가 끌고 온 쓰레기는 남겨지고 바닷물만 빠져나간 것 같은 난장판이 되었다. 하지만 우리의 든든한 아군인 빗자루와 밀대 앞에는 역경이란 없었다. 우리는 미세한 조각의 쓰레기도 놓치지 않으려고 바닥을 유심하게 살피면서 쓸었다. 서로 노닥거릴 만도 한데 우리도 선생님을 닮아 가는지 책상과 의자가 비워지면 빗자루가 쫓아가 바닥을 쓸고 쓰레기와 먼지가 치워지면 밀대가 따라와 그 자리를 닦았다. 열어젖힌 창문으로 시원하게 밀려드는 바람이 땀으로 들러붙은 아이들의 머리카락을 이마에서 떨어뜨렸다. 슬찬과 서우가 책상과 의자를 제자리에 갖다 놓고 교실에 세로로 그어진 나뭇결을 따라 책상 줄을 정확하게 맞추는 동안 아립은 청소포를 밀대에서 떼어 뒤집은 다음 먼지가 달라붙은 밀대를 닦고 쓰레기통에 버렸다. 나는 쓰레기통의 가장자리를 붙잡고 은재가 쓰레기로 꽉 찬 종량제 봉투를 쑥 잡아당겨 꺼냈다. 종량제 봉투를 버리는 김에 페트병과 폐휴지를 분리수거한 비닐봉지도 버리려고 마저 묶어서 쓰레기통 옆에 세워 놓았는데 옆에서 지켜보고 있던 슬찬이 자기가 버리겠다며 제일 무거워 보이는 종량제 봉투를 들어줘었다. 서우도 어차피 슬찬과 축구 골대 앞에서 만나야 한다며 폐휴지를 담고 있는 비닐봉지의 매듭을 구부린 검지에 걸었다. 쓰레기봉투를 일 층의 창고에 가져가는 일은 원래 교실을 쓰는 사람이 담당했다며 내가 애들에게 상기시켰지만 아립마저 나머지 하나를 끌어안으며 학원 가는 길에 버리겠단다. 아립은 전혀 무겁지 않다는 듯 비닐봉지를 위로 던지고 다시 받아들었는데 페트병들이 서로 부딪쳐 달그락거리는 소리가 났다. 서우가 다들 고생했다며 가방을 메고 먼저 교실을 나갔고 사물함 신발장에서 축구화를 꺼내어 오른손에는 비닐봉지를, 왼손에는 축구화를 주렁주렁 매달고 계단으로 향했다. 슬찬도 종량제 봉투를 집어 들고 축구화를 겨드랑이에 끼우며 서우를 서둘러 쫓아갔다. 아립은 "선생님께서 안 계셔서 그런가? 오늘따라 화기애애하네."라고 말하며 자신도 가방을 한쪽 어깨에 메더니 비닐봉지를 품에 안고 계단을 내려갔다. 나와 은재는 친구들의 호의가 고맙기도 하면서도 미안하기도 했다. 우리는 책상에 걸터앉아 잠시 숨을 돌리며 깨끗하게 정돈된 교실을 감상했는데 그 순간 일 층의 시청각실을 청소했던 은범과 한서, 태인이 교실에 들어왔다. 하나같이 책상에 부딪히며 책상 옆의 고리에 걸려 있던 책가방을 둘러메고 교실을 나가자 반듯하게 맞춰져 있던 책상 줄이 어그러졌다. 태인이 교실 문을 바쁘게 나서는 은범과 한서를 따라가다 말고 "집에 안 가?"라며 오늘따라 가벼운 어조로 물어봤지만 정작 우리의 대답을 기다리지도 않고 교실 밖으로 종적을 감췄다. 나와 은재는 마주 보며 허탈한 웃음을 교환했다. 그새 흐트러진 책상 줄을 다시 맞춰야 할지 판단이 서지 않았다. 은재가 마지못해 책상 사이를 돌아다니며 책상 줄을 다시 맞추고 돌아오더니 우리의 책가방 두 개를 제외하면 교실 안에 책가방이 하나도 없다고 말했다. 시계를 보니 시침과 분침이 3과 46을 가리키고 있었다. 내가 "우리 네 시까지 교실에 있다가 편의점에 갈까?"라고 묻자 은재는 그제야 좁은 책상 위에 어깨를 내려놓고 옆으로 누우며 고개를 끄덕였다. 나는 은재가 누워 있는 책상의 의자에 앉아 은재의 어깨를 간지럽히듯 끈덕지게 주물렀고 은재는 몸을 일으키지도 못하고 "내가 김밥이야 뭐야, 왜 이래?"라고 비명을 지르며 온몸을 버둥거렸다.

우리는 보통 수업이 끝나고 네 시 정도에 학교 인근의 편의점으로 달려가 컵라면과 도시락, 과자, 음료 등을 함께 먹었다. 음식을 입안에 가득 넣고 우물우물 씹으며 수다를 떨기도 하고 각자 스마트폰을 만지작거리며 서로에게 보냈던 문자 메시지를 다시 들여다보기도 했다. 낯간지러운 메시지를 발견하기라도 치면 서로의 얼굴에 들이밀며 이거 네가 보낸 거라고 말하면서 서로의 손가락과 발가락을 오그라들게 했다. 빨대로 음료를 쭉쭉 들이켜며 유리창 앞을 걸어가는 사람의 옷 스타일을 품평하기도 했는데 나나 은재나 옷에 대해 아는 것이 별로 없어서 결국에는 내 스타일인지 아닌지의 기준으로 일면식도 없는 사람의 패션을 판가름 냈다. 숟가락을 든 팔로 서로를 가볍게 밀치면서 티격태격하는 와중에 간간이 웃음이 터질 때는 입을 꽉 다물어야 했는데 입안에 있던 음식물이 밖으로 튀어나와 간이 테이블에 떨어진 적이 한두 번이 아니기 때문이었다. 우리는 김이나 고추장이 묻은 밥알이 떨어진 테이블을 매대에 서 있느라 알아차릴 리가 없는 점원을 굳이 의식하며 휴지를 뽑아내 주섬주섬 닦았다. 해가 차츰 뉘엿하게 가라앉으면 편의점 앞 가로수의 그림자가 도로에서 보도로 올라서며 도로와 보도의 경계에서 쪼개졌다. 그때는 우리가 음식을 다 먹고 편의점에서 나와야 할 시간이었다. 은재는 여섯 시까지 학원에 가야 해서 학원으로, 나는 은재를 학원까지 바래다주고 집으로 돌아갔다.

갑자기 주체할 수 없는 자유가 느껴져 나는 화이트보드 앞에 서서 마커를 집어 들었다. 나는 의미심장한 표정으로 이제는 맨 앞줄의 책상에 걸터앉아 다리를 쭉 뻗고 있는 은재를 돌아보았다. 은재는 "선생님께서 칠판은 놀이 기구가 아니라고 하셨는데."라고 굳이 밉살스럽게 말했지만 내가 뭘 그릴지는 궁금하다는 듯 말릴 기색은 없었다. 나는 소매를 걷어 올리고 『격자무늬 옷을 입고 서 있는 소녀』의 얼굴을 그리기 시작했다. 이미 여러 번 따라 그렸던 그림이라 술술 그려졌다. 다만 연필과 물감이 아닌, 마커로 그리는 느낌이 이상했는데 아니나 다를까 마커가 매끈한 칠판에서 미끄러져 나는 매번 힘을 주느라 선이 우둘투둘해졌다. 재미 삼아 그렸지만 막상 그리고 보니 우스꽝스러워서 나는 칠판지우개를 들어 그림을 지우고 돌아섰다. 은재가 선생님 책상 위의 책을 한 권 펼치고 가늘게 뜬 눈으로 책장을 들여다보고 있었다.

선생님 책상 오른편에 대충 봐도 예닐곱 권 정도의 책들이 쌓여 있었다. 책등의 제목만으로도 정신이 어질어질한 책들이 크기와 두께도 제각각이어서 마치 서투른 벽돌공이 지어 올린 벽돌 기둥처럼 각진 모서리를 내보이며 서로를 지탱하고 있었다. 생각해 보니 일주일에 한두 권씩 사라지다가 제일 마지막 책까지 사라지고 나면 다시 한 무더기의 책들이 책상 위에 놓였다.

"교실에서 책을 읽으시는 것을 본 적이 없는데." 은재는 호기심에 잠겨 들러붙은 입술을 조용하게 달싹거리며 들고 있는 책에서 눈을 떼지 않았다. 책의 여백에 붙은 빨간색과 주황색, 초록색, 파란색 등의 포스트잇들이 책머리 위로 빼곡하게 튀어나와 있었다.

"선생님 물건인데 만지면 안 되는 거 아냐?" 나는 은재 옆으로 다가갔다. 은재는 책장을 몇 장 걷다가 갑자기 여러 장을 한꺼번에 넘겼는데 그때 무언가가 책에서 책상 위로 떨어져 금속성의 소리를 냈다. 책상 위에는 누런빛을 띤 막대 모양의 금속이 떨어져 있었다.

"이게 뭐야?" 나는 떨어진 물건을 집어 올렸다. 금속의 가장자리가 섬세하게 다듬어져 둥글게 깎여 있었고 끝부분의 구멍에 붉은 가죽 끈이 묶여 있었다. "이거 책갈피인가 봐." 나는 책갈피를 앞뒤로 돌려보며 은재의 얼굴 앞에 내밀었다. 은재는 책갈피를 받아 들었지만 어쩔 줄 모르겠다는 표정이었다. 책갈피가 꽂혀 있던 자리가 몇 쪽이었는지 나나 은재나 몰랐다. 은재가 침을 삼켰다. 은재는 심호흡을 들이마시더니 책갈피를 그냥 책 가운데에 끼우고 책을 세게 덮었다. 그러고는 책더미 위에 책을 올려놓았다. 『나의 미카엘』 선생님이 물어보면 솔직하게 자백할 수밖에 없다고 자포자기의 심정으로 은재를 바라봤는데 은재는 뜻밖에 심통이 난 사람처럼 책을 뚫어지게 내려다보았다.

"선생님께서 누가 했냐고 물어보시면 어떻게 할 거야?" 내가 기가 죽어 물어보자 은재는 자신이 책을 보다가 책갈피를 떨어뜨렸다고 말씀드릴 테니 나는 걱정할 일이 없다고 말했는데 웬일인지 차라리 잘 됐다는 어조로 들렸다. 그러고는 편의점에 가자며 은재는 책가방을 가지러 자기 자리로 갔다. 나는 은재의 옆얼굴을 슬쩍 바라봤는데 은재의 얼굴에 걱정하는 낯빛 따위는 없었다. 오히려 선생님이 물어봐 주기를 내심 기대하는 듯 묘한 미소를 지었다.

우리는 헤어지기 전에 다음 주 금요일 네 시에 편의점에서 저녁을 먹고 노래방에 가기로 약속했다. "왜 다음 주에 가는데?" 내가 칭얼거리자 은재는 내 볼을 살짝 꼬집으며 "으이구, 학원에서도 시험을 본다고요!"라고 집에서 자녀를 직접 가르치느라 공부하는 엄마처럼 딱한 표정을 지으며 대답했다. "남의 노래 도와주기 없기다.

알지?" 은재가 찌릿한 눈초리로 나를 흘겼다. 나는 누가 할 소리냐는 듯 어처구니없다는 표정을 과장되게 지으며 우리는 아무런 쓸모 없는 기세 싸움을 벌였다.

고개를 들고 반색하는

삼 주 전에 운동회가 끝났지만 아이들은 여전히 열에 들뜬 듯 수업과 쉬는 시간을 가리지 않고 끊임없이 말하고 움직여서 교실 분위기는 어수선했다. 아침부터 오후까지 온갖 종류의 장애물을 뛰어넘고, 자기 몸집보다 큰 공을 굴리고, 손바닥이 벌게지도록 줄다리기하고, 징이 울려도 박을 향해 모래주머니를 힘껏 던지던 아이들은 그래도 성에 차지 않았는지 운동회가 끝난 뒤에도 양 골대를 쉬지 않고 오가며 남은 힘을 마저 쏟아 부었다. 공을 찰 때마다 부옇게 피어오른 흙먼지가 운동장에 내리꽂히는 하얀 빛살을 연무처럼 뒤덮자 갑작스럽게 운동장을 찍은 사진 위에 내가 언젠가 관통했던 수많은 기억을 덧칠한 듯 눈앞에서는 생생했지만 의식 속에서는 아련해지는 감각을 느꼈다. 그 간극을 알아차릴 때마다 손가락 끝이 저릿해져 나는 잠시 주먹을 쥐었다가 손바닥을 펼쳤다. 도대체 왜 이러는 것일까? 심지어 내가 매일 보던 운동장에서 매일 보던 아이들이 매일 보던 축구를 하고 있지 않은가. 공이 눈부신 하늘을 배경으로 검은 점을 만들었다가 잔디 위에 풀썩 떨어져 굴렀고 그 때문에 억센 줄기가 꺾였는지 수액이 묻은 풀 내음이 진동하며 코를 매큼하게 찔렀다. 후덥지근한 바람이 운동장 언저리를 어슬렁거리다 변덕스럽게 잔디 운동장을 파고들어 여기저기에 결을 내자 대개는 마른 체구를 가진 아이들의 팔다리가 출항과 입항을 서두르는 배의 돛대처럼 보였고 배와 등을 덮어씌운 상의는 세찬 바람이 들어차 팽팽하게 부푼 돛 같았다. 목청껏 내지른 고함과 천진난만한 웃음소리가 뜨겁게 데워진 방충망을 통해 복도에 뛰어들었고 이내 내 귓바퀴를 타고 올라 창문 밖을 계속 내다보게 했다. 내가 운동회에서 사용했던 뜀틀과 매트를 다목적강당으로 옮기고 나서 퇴근하기 위해 정문을 나설 때도 아이들은 공을 차고 있었다. 창빈이 나를 보자 손나발을 만들어 "선생님, 안녕히 가세요!"라고 목덜미의 솜털이 곤두설 만큼 쩌렁쩌렁한 목소리로 인사했다. 창빈의 난데없는 인사에 나를 돌아본 우리 반의 몇몇 아이가 골대 앞의 축구공을 내버려 둔 채 나를 향해 꾸벅 고개를 숙였고 나는 양팔을 크게 흔들며 적당하게 놀다 가라고 소리를 질렀었다.

　비를 잔뜩 머금은 구름이 내려앉아 교실 창문이 잿빛으로 얼룩지고 아직 세 시도 되지 않았는데 교실 안은 벌써 어둑했다. 수업이 끝났지만 아리와 수예는 방과 후 수업을 기다린다는 구실로 교실에 남아 학습 준비물이 들어 있는 노란 바구니를 뒤적이다 가지고 놀만한 물건이라도 발견했는지 나직한 감탄사를 동시에 내뱉으며 서로 장난기 어린 눈빛을 교환했다. 육 교시 수업이 끝나고 진이 빠져 버린 나는 잠시 쉬고 싶다고 생각했지만 아리와 수예는 어림도 없다는 듯 교탁 주위를 끊임없이 맴돌며 저희들끼리 키득거리다가 나한테 의미 없는 질문들을 던졌다. 나는 몇 번 대답해 주다 아리와 수예의 의도를 알아차리고 마치 의자가 무선 충전기라도 되는 것처럼 몸을 최대한 파묻으며 고개를 옆으로 뉘었다. 무심결에 눈길을 오른쪽으로 돌리니 카메라가 등을 내보이며 프린터와 교실 벽이 만드는 그늘 안에 몸을 숨기고 있었다. 나는 운동회를 촬영한 카메라의 사진들을 컴퓨터로 옮겨서 졸업 앨범 폴더 안에 정리해야 한다는 생각에 카메라를 슬며시 쥐었지만 금세 손가락을 풀고 교탁을 톡톡 두드리며 아리와 수예가 방과 후 수업에 들어간 뒤에 하기로 마음먹었다. 지금 사진을 옮기면 호기심을 가장한 아리와 수예가 내 옆에 붙어 서서 모니터에 얼굴을 함께 들이밀 것이고 사진을 고르는 과정에서 영락없이 서로 아웅다웅하게 될 텐데 나는 그럴 기력이 없었다. 나는 벽시계를 올려다보았다. 십 분 후에 방과 후 수업이 시작될 테니 그때 아무도 없는 교실에서 천천히 사진을 골라낼 수 있을 것이다. 갑자기 아리가 부채 세트를 교탁으로 들고 오더니 하나 꺼내도 되냐고 물었다. 아리의 어깨에서 얼굴을 내밀고 있는 수예는 갖가지 모양의 작은 스펀지가 담긴 학습 준비물 바구니를 봄에 나물을 채취하는 아낙네가 허리춤에 낀 것처럼 들고 있었다. 유월에 날씨가 더워지면 원 모양의 하얀 선면에 물감을 묻힌 스펀지를 찍어서 부채를 만들려고 구입한 미술 준비물이었다.

아리는 지금 부채를 만들겠다는 것이 아니라 부채를 한 개 꺼내어 어떤 스펀지가 어울릴지 부채 위에 대보고 싶다고 말했다. 내가 무음 모드로 설정한 스마트폰의 잠금 화면 같은 표정을 짓자 아리는 방과 후 수업에 가기 전에 잘 정리하고 가겠다고 내가 아닌 수예를 보며 넉살을 부렸다. 나는 반신반의하는 속을 감추고 그렇게 하라고 고개를 끄덕였다. 내가 안 된다고 했으면 아리와 수예는 나와 '즐겁게' 옥신각신할 기회를 얻었을 것이다. 나는 쉽사리 백기를 들었고 아리의 얼굴을 힐끔 쳐다보았다. 아리는 "오, 언박싱!"이라고 감탄하며 부채 열 개가 들어 있는 비닐봉지를 조심스럽게 뜯어내고 부채 한 개를 꺼내어 굳이 교탁 위에 올려놓았다. 그러자 수예가 교탁 위에 바구니를 내려놓고 스펀지를 하나씩 집어 들며 모양을 살펴보기 시작했다. 나는 부질없을 것을 알면서도 정말이지 정중하게 부탁했다. "여기 말고 너희들 책상 위에서 하면 안 되겠니?" 수예가 내 입을 틀어막으려는 듯 "앗, 선생님이다!"라고 세 명밖에 없는 교실에서 소리를 버럭 지르며 스펀지를 내 눈앞에 들이밀었는데 눈살을 찌푸리며 스펀지를 손등으로 밀어내려다가 나는 조금 놀라며 스펀지를 집었다. 나는 스펀지가 대략적인 모양이라고 생각했는데 수예가 건네준 스펀지는 손을 이마에 대어 주위를 두리번거리는 남자의 모습을 알아볼 수 있을 정도로 세세하게 만들어져 있었다. 아리와 수예는 곧 부채가 자전하는 지구라도 되는 양 동그란 선면의 가장자리를 따라 스펀지들을 배치하기 시작했다. 곧 지붕 위로 굴뚝을 내밀고 있는 집과 날개를 펼친 잠자리처럼 보이는 전신주, 뭉게구름을 얹은 듯한 굵은 줄기의 나무, 잔물결이 이는 연못

위의 다리, 위를 가리키는 화살표 모양의 개집이 놓였다. "강아지도 있어?" 아리가 치든 머리와 꼬리 때문에 집게발을 들고 서 있는 게처럼 보이기도 하는 강아지를 남자 뒤에 놓았다. "선생님이 남자인데 귀여운 개가 꼬리를 살랑거리며 선생님의 양말을 물어뜯으려고 뒤에서 쫓아가고 있어요." 나는 어이가 없어서 왼손을 허벅지 위에 내려뜨리며 의자 안에 드러눕는 시늉을 했다. "그런데 마음씨 착한 제가 선생님을 도와드릴 거예요." 정면을 응시하는 긴 머리카락의 소녀가 치마를 살짝 날리며 걷는 모양새의 스펀지가 강아지를 다급하게 쫓아갔다. 수예가 나무 의자를 놓으려다 말고 "이러면 선생님이 너무 안쓰럽잖아!"라고 말하며 강아지를 남자 뒤에 더 가까이 붙여 놓았다. 나는 마음이 점차 비워져 바람이 되고, 물이 되고, 돌이 되었다. "얘들아, 시간 되었다. 방과 후 수업 가야지." 수예가 시계를 보더니 책가방을 가지러 자기 자리로 돌아갔다. 아리는 그래도 일말의 양심은 있어서 천연덕스럽게 교실을 떠나는 수예와는 달리 "선생님, 정리 좀요."라며 내게 부탁하고 교실 뒷문을 닫았다.

아리와 수예가 늘어놓은 스펀지들을 바구니에 정리하려고 하나씩 집어 들었는데 스펀지가 그새 눅눅한 공기라도 흡수했는지 약간 축축한 것 같았고 그 때문에 여전히 강아지에게 쫓기는 내가 더욱 애잔하게 보여 웃음이 났다. 나는 강아지를 들어 살펴보았는데 강아지의 머리에서 귀의 윤곽이 보여 나는 다시 한번 감탄을 터트렸다. 스펀지를 바구니에 모두 담은 뒤 부채와 함께 보관함에 정리하고 교탁으로 돌아서려는데 갑자기 사방에서 비가 후드득 떨어지는 소리가 들리기 시작하더니 창문에서 내다보이는 배움터 지킴이실의 스테인리스 천장에서 텅텅하는 소리가 크게 울렸다. 나는 보관함 상판에 손을 얹고 교실 밖을 내다보았는데 여러 마리의 새가 날카로운 소리를 내며 전신주 사이의 전깃줄을 가로질러 인근의 오름으로 날아갔다. 나는 그제야 비가 올 때마다 새는 어디에서 비를 피하는지 생각해 본 적이 없었다는 사실을 깨달았다. 그 수많은 새가 무성한 이파리를 머리에 이고 가지에 앉아 비를 피하는 것일까. 새란 새들은 모두 학교를 벗어났는지 갑자기 사위가 적막해져서 나는 고개를 기울이고 하늘을 올려보았다. 빗줄기는 더욱 굵어지고 구름이 저녁에 물든 것처럼 하늘이 온통 어두웠다. 나는 교탁으로 돌아와 카메라를 만지작거리다가 교탁 아래에 있는 수납함에 조심스럽게 집어넣고 국어 교과서를 펼쳤다. 비유적인 표현이 어떻게 활용되었는지 이해를 돕기 위한 시가 교과서의 양 책장에 걸쳐 실려 있었는데 새가 글감이었던 모양인지 조류도감에 나올 만한 삽화가 시 주변을 온통 둘러싸고 있었다. 새의 울음소리를 여러 종류의 악기 소리에 비유했는데 교과서의 새 그림들을 한참을 들여다보고도 그 새들의 울음소리를 떠올리지 못해서 적절하게 비유한 것인지 나로서는 알기가 어려웠다. 나조차 모르는 새들의 울음소리를 아이들이 알까 싶어 동영상으로 보여줄 생각에 동영상 공유 사이트에 접속했는데 오늘 오전에 과학 수업 시간에 재생했던 영상들이 그대로 남아 있었다. 영상의 섬네일을 훑어보는 순간 헛웃음이 나왔는데 새의 습성을 소개하는 영상들이 모니터에 나열되어 있어서 우연치고 공교롭다는 생각이 들었기 때문이었다.

　과학 수업 시간에 생태계와 먹이사슬에 관한 영상을 보며 한참 설명을 이어가고 있었는데 교실 밖에서 새가 앙칼지게 지저귀는 소리에 아이들의 시선이 일제히 창문 밖을 향했다. 아침부터 시끄럽더니 도대체 무슨 일인지 살짝 짜증이 올라온 나는 아이들을 따라 밖을 내다보았지만 울음소리만 여기저기서 들리고 정작 새는 보이지 않았다. 유주가 고개를 갸웃거리며 옆에 앉은 혜승에게 새가 왜 노래를 크게 부르는지 속삭이듯 물었다. 유주가 맨 앞줄의 책상에 앉아 있었기에 나는 유주의 질문을 들을 수 있었는데 여차하면 내가 대답할 생각에 유주의 이름을 부르려 하자 혜승이 내게 눈썹을 구부리며 고민하는 눈길을 힐끔 던지더니 유주에게 달래듯이 대답했다. "새가 저렇게 지저귀는 것은 노래를 부르는 것이 아니라 이 장소가 자기 영역임을 다른 새에게 알리거나 근처에 있는 둥지의 새끼를 지키려고 주의를 다른 곳으로 돌리려고 저러는 거야. 물론 짝을 찾으려는 경우에도 새가 지저귀는데 그럴 때는 소리가 고와서 노래를 부르는 것처럼 들릴 수도 있어. 하지만 새가 지저귀는 이유를 이해하려고 하지 않고 우리 마음대로 새가 노래한다고 생각하면 안 돼." 혜승의 설명이 자신이 원했던 대답이 아니었던 모양인지 유주는 고개를 돌려 나를 빤히 쳐다보았다. 나는 유주가 물어본 의도가 객관적인 사실이 아닌 주관적인 감정에 관한 질문이라는 것을 알면서도 혜승의 대답을 굳이 부연하거나 논박하지 않았다. 혜승은 대답을 마치고 잠시 나를 올려다보았고 나는 혜승의 설명에 수긍한다는 의미로 고개를 살짝 끄덕여 주었다. 혜승은 그제야 수줍게 웃으며 교과서로 시선을 옮겼다. 이 질문에 관한 대답은 얼마나 어려운가. 나는 방 안에서 하루 종일 무엇을 하는지 알 수 없는 큰딸을 느닷없이 떠올렸고 딸에 대한 내 감정이 부당하다는 생각이 들었다. 내가 혜승에게서 눈을 돌려 유주를 흘금 보자 나를 계속 쳐다보고 있던 유주가 또다시 물었다. "그러면 둥지는 어디 있어요?"

나는 몸을 떨었다. 그러고는 숨을 푹 내쉬며 대답했다. "나도 둥지가 보이지 않는데 아마 소나무가 아니고 학교 벽 어딘가에 붙어 있을 것 같구나. 그래서 교실에서는 보이지 않지만 새소리는 들리는 것이겠지." 남학생들이 웅성거리더니 쉬는 시간에 밖에 나가 둥지를 찾아보자는 재이의 말소리가 들렸다.

"만약 둥지를 찾은 사람이 있으면 다른 친구들에게도 알려 주거라. 소리를 지르거나 둥지에 돌을 던지지 말고 관찰만 해야 한다." 내 말이 노파심으로 들렸는지 재이가 볼멘소리로 금세 항변했다. "우리 반에 그럴 아이는 없어요."

"그럼, 당연히 우리 반에는 그럴 아이가 없지. 선생님은 혹시나 부탁하는 거란다. 그렇게 하려는 저학년 학생이라도 보이면 너희들이 잘 타이르렴." 나는 아이들의 상한 마음을 달래 주려 이 상황에서 아무런 상관도 없는 저학년 학생을 굳이 끌어들이고는 자책감이 일었다.

나는 교과서를 물끄러미 바라보며 종이 위를 손가락으로 문질렀다. 국어 수업 시간에 새가 노래하는 것을 어떻게 설명하면 좋을까. 그래서 비유적인 표현이 필요하다고 말하고 싶었지만 그렇게만 설명하기에는 혜승의 대답이 마음에 걸렸다. 그때 교실 문이 슬며시 열리는 소리가 들렸다. 나는 교과서에서 눈을 떼지 않고 방과 후 수업이 벌써 끝났냐고 물어보았지만 대답은 없었다. 교실 문이 달히고 책상다리가 삐거덕거리는 소리가 들렸다.

"방과 후 수업이 끝났으면 집에 가야지, 비도 오는데." 교과서에 여전히 고개를 박은 채 나는 곁눈으로 옆을 보았는데 누군가가 책상 위에 앉았는지 공중에서 캔버스 운동화가 앞뒤로 흔들리며 물방울이 떨어지고 흠뻑 젖은 신발 끈이 축 늘어져 있었다.

"바쁘세요?" 나직하게 콧노래를 흥얼거리다가 고개를 들고 반색하는 것처럼 누군가가 말했다.

귀에 익은 목소리에 얼굴을 올려다봤지만 머리카락이 얼굴에 온통 달라붙어 누군지 알아보는 데 시간이 조금 걸렸다. 교복 소매를 끌며 왼손이 올라가 머리카락을 귀 뒤로 넘기자 얼굴이 드러났다. 은재였다.

가로등에 달려드는 날벌레

우리는 격전을 치른 병사처럼 노래방 입구 밖으로 기어 나왔다. 고성이 난무하는 노래와 미러볼이 만드는 조명의 포화 속에서 각막과 고막이 잠시 정신을 잃고 아직도 회복하지 못했는지 시야가 흐릿하고 귓속에서 이명이 울리자 나는 눈을 감고 귓불을 잡아당겼다. 그러자 하루 종일 자외선에 노출되어 일광 화상을 입은 빌딩이 온몸에 습윤 밴드라도 붙인 것처럼 덕지덕지 매단 간판들이 조금씩 눈에 들어왔고 밀고 밀리는 차들의 행렬에서 비어져 나온 경적이 점차 선명하게 들렸다. "우리 뭐라도 마셔야겠다." 내가 내쉬는 공기 속에 희박하게 섞여서 입 밖으로 새어 나온 목소리가 비장하게 들렸다. 나는 다리를 얻었지만 목소리를 잃어버린 인어공주가 된 기분이었는데 소원을 성취하고도 억울한 심정이었다. 목소리 대신에 얼은 다리가 바다를 나와 뭍을 처음 걷는 것처럼 휘청거리고 있었기 때문이었다. 나는 새삼스럽게 지하 노래방으로 통하는 계단 통로를 내려다보았다. 계단 통로의 천장을 장식하고 있는 주황색과 초록색, 보라색의 전구들이 노래방에서 울리는 소리에 맞춰 깜빡거렸는데 마치 손가락으로 수조의 벽면을 두드릴 때마다 방향을 전환하는 물고기처럼 보였다. 나는 성대에서 따끔거리는 통증을 느끼고 침을 꿀꺽 삼켰는데 그 때문에 오히려 햇빛에 종일 그은 살갗을 바닷물로 적신 양 목구멍이 화끈거렸다. 양 손바닥을 목에 대보니 손바닥을 금세 데웠는데 목 전체가 인덕션 레인지라도 된 것 같았다. 지금 체온계를 입에 문다면 아마 병원에 가야 할 것이다. 노래를 단지 '활기차게' 불렀다는 이유로 이렇게까지 목이 뜨거울 수 있을까? 나는 목에 손바닥을 대어 본 김에 뺨과 이마에도 손바닥을 올려보았다. 목이 인덕션 레인지라면 머리는 인덕션 레인지에 올려놓은 냄비처럼 달궈져 있었다. 뭔가 차가운 음료라도 마셔야 해. 그때 인어공주가 사모해 마지않는 은재 왕자님이 기품 있게 팔을 들어 보송한 빛을 내는 간판 하나를 가리켰다. 내 시선이 은재의 팔을 기어올라 손가락 끝을 따라갔고 기운이 없어 구부러진 무릎에 다시금 힘이 들어갔다. 목소리를 잃어도 내 마음을 헤아려 주는 은재 왕자님이 너무나 기특해서 인어공주가 실제로 존재한다면 그녀의 기분을 알 것 같았다. 은재가 내 앞으로 팔을 쑥 내밀었는데 나는 은재의 의도를 알아차리고 팔꿈치를 내주었다.

"노래방 입구에서 장렬하게 전사할 수는 없잖아." 은재는 입가에 웃음을 머금으며 앞장섰고 그 때문에 팔짱을 낀 내 팔이 쑥 당겨졌다. 나는 가출했다가 밤거리에서 엄마에게 붙들린 중학생처럼 은재에게 반걸음 뒤처져 끌려가는 모양새로 터덜터덜 따라갔다.

카페 문을 열고 흑설탕 시럽이 들어간 버블티를 두 잔 주문한 뒤 우리는 탄력 있는 의자에 주저앉았다. 은재도 어지간히 무리했는지 의자에 앉자마자 테이블 위에 상체를 쓰러트렸는데 은재가 이렇게까지 힘들어하는 모습은 처음이었다. 나는 문득 안쓰러워 은재의 헝클어진 머리카락 속으로 손가락을 집어넣고 머리를 부드럽게 쓰다듬었다. 그러자 은재는 맥이 풀렸는지 구부렸던 팔마저 테이블 위에 뻗었는데 그 때문에 긴 머리카락이 테이블 위에 흐트러졌다. 나는 은재가 테이블에 널브러진 모습을 보고도 내가 쉬는 시간 때 책상 위에 엎드린 모습을 은재가 흉내 내고 있다는 사실을 알아차리지 못했다. 은재가 입술을 머리카락에 파묻은 채 다음은 무슨 과목이냐고 잠꼬대처럼 웅얼거리고 나서야 나는 얼굴에 몰려드는 홍조를 느꼈고 은재의 장난에 속수무책으로 당한 내가 민망하여 "내가 언제?"라고 성마르게 소리 지르고는 은재의 등을 손으로 철썩 때렸다. 은재는 꽤 아팠는지 화들짝 놀란 얼굴을 불쑥 들어 올렸는데 얼굴의 모든 근육을 찡그려 만든 울상에서 숨을 컥컥 내뱉는 신음 소리가 새어 나와 내 속이 다 시원했다.

"와, 너 진짜 손 맵다. 어떻게 등을 맞았는데 배가 아프냐?" 내 눈에 은재에게 농락당한 노여움이 아직도 이글거렸는지 은재는 차마 내 얼굴을 보지도 못하고 의자에 곧추앉아 배를 문질렀다. 그때 진동벨이 요란한 소리와 함께 테이블 위에서 부르르 떨었고 은재는 운동장을 구르는 티볼 공을 낚아채 듯 진동벨을 집어 들며 의자에서 벌떡 일어섰다.

나는 팔을 내밀어 차가운 물방울이 송골송골 맺혀 있는 유리잔을 쥐고 굵은 빨대를 물었다. 열창하느라 야윈 볼이 들어가도록 빨대를 쭉쭉 빨아들이자 빨대에서 쏟아져 나온 버블티가 이를 시리게 하더니 곧 식도를 타고 단숨에 위장까지 내려갔다. 순식간에 찌릿한 냉기가 온몸에 퍼졌고 나는 전기에 감전된 사람처럼 빨대와 컵을 든 손가락 끝부터 발가락 끝까지 덜덜 떨었다. 나는 기세를 늦추지 않고 이번에는 빨대로 알갱이를 조준하여 빨아들였는데 입안에 들어온 물컹물컹한 알갱이를 씹으려고 할 때마다 알갱이가 치아 사이로 온통 튀어 다녀 나는 그냥 꿀꺽 삼키는 방법을 선택했다. 도대체 이 알갱이는 뭔가 싶어 테이블 위에 세워져 있는 메뉴판을 들어 내가 마시고 있는 음료의 사진을 찾아보았다. 사진 밑에는 타피오카 펄이 들어간 대만식 홍차라는 글자들이 달콤한 음료에 현혹되어 기어오르는 개미 떼처럼 매달려 있었다. 타피오카 펄은커녕 홍차가 뭔지도 모르는 나는 귀찮다는 듯 메뉴판을 내려놓고 물방울이 떨어지는 잔을 들어 위아래로 살펴보았다. 음료를 삼키고도 혀에 들러붙어 있는 연유를 떨어내느라 입을 쩝쩝거리며 쳐다보자 하얀색 원유와 뒤섞인 흑설탕 시럽이 갈색의 줄기를 만들며 잔 밑에 쌓인 검은색 펄 사이로 가라앉고 있었다. 검은색 펄들을 유심하게 보고 있자니 쌓인 모양과 색이 마치 돌담처럼 보여서 음료가 만들어 내는 무늬가 돌담으로 둘러싸인 밭에 한바탕 바람이 불어 모래와 뒤섞인 흙이 날리는 모습 같았다. 나는 어처구니없게도 이런 모습을 어디선가 본 적이 있는 것 같다는 생각이 들었다. 유리잔이 차의 창문처럼 멀뚱하게 바라보는 내 얼굴을 둥그렇게 일그러뜨리며 비췄다. 나는 헛웃음을 치며 나의 과도한 상상에 고개를 절레절레 저었다. 잔을 내려놓고 맞은편에 앉아 있는 은재를 쳐다보았는데 은재는 왼손으로는 빨대를 쥐고 오른손으로는 문자 메시지를 읽고 있었다. 메시지를 다 확인했는지 빨대 끝에 입술을 대고 음료를 마시다가 갑자기 내가 쳐다보는 낌새를 눈치채고 "왜?"라고 눈으로 물었다.

"엄마한테서 문자 메시지라도 왔을까 봐. 엄마가 퇴근하실 때 동네 마트가 문을 닫은 시각이라 다음 날 아침 식사 거리라도 없으면 엄마도 그렇고 나도 곤란하거든. 그래서 필요한 물건이 있으면 내가 집에 들어갈 때 사고 들어가라고 엄마가 가끔 메시지를 보내실 때가 있는데 우리 아까 노래방에 있었잖아. 그래서 지금 확인해 봤지." 은재는 스마트폰의 화면을 끄며 말했다.

"마트에 들를 때는 보통 뭘 사 가는데?" 몇 모금 마시지도 않은 것 같은데 벌써 얼마 남지 않은 차가 펄들의 틈바구니를 간신히 메우며 마지막 한 모금을 기다리고 있었다.

"뭐, 반찬이나 식재료 같은 거. 가끔은 휴지나 세제를 살 때도 있고" 나는 보기에도 무겁게 부푼 비닐봉지를 들고 골목을 걸어가는 은재의 모습을 상상했다. 은재에게 어디에 사냐고 물어보면 대답은 늘 두루뭉술한 어조의 나중에였다. 나의 거듭된 질문에 은재는 곤란한 표정을 감추지 못했고 결국 나는 은재에게 더 이상 말해 달라고 보채지 않았다. 은재를 버스 정류장에 바래다주며 은재가 올라타는 버스 번호를 보고 나중에 스마트폰으로 노선을 검색했지만 은재가 내리는 버스 정류장이 어디인지 알 수 없었기에 은재가 사는 곳을 찾을 수 없었다. 만약 은재가 종착지에 내린다면 여기에서 사십 분 정도가 소요되는 먼 거리에서 통학하고 있는 거였다. 초등학교에 입학하기 전부터 그곳에 살았다면 나와 같은 학교가 아닌 인근의 학교에 다녔을 것이다. 심지어 은재가 타는 버스는 여기에서 종착지까지 세 곳의 초등학교를 경유했다. 그렇다면 초등학교에 입학하기 전에는 나와 같은 동네에 살다가 육 학년이 되기 전에 이사했을 수도 있는데 이사했다면 왜 했는지도 궁금했다. 어쩌면 은재는 그것까지 이어지는 질문을 예상하고 자신이 살고 있는 곳을 얼버무리고 있을지도 모를 일이었다. 나는 은재의 얼굴을 살폈다. 은재의 얼굴에 고단한 낯빛이 역력하고 차가운 음료가 몸에 맞지 않는 모양인지 빨대에 입만 댈 뿐 음료의 양은 좀처럼 줄지 않았다. 나는 눈길을 돌려 카페 밖을 바라보았다. 눅지근한 밤이 내려앉은 도로에 늘어선 차들이 색깔이 바뀌는 신호등에 따라 움직이다 멈추기를 반복하며 조금씩 기어갔다. 도로 옆 가로수의 잎사귀들이 노곤한 바람에 나부끼는 새의 깃털처럼 결을 내며 부드럽게 들춰졌다. 내가 다시 눈길을 돌려 은재의 유리잔을 바라보자 은재는 자신의 얼굴을 보라는 듯 잔을 들어 눈을 마주치게 했다.

"이제는 집에 가야 해. 아홉 시가 넘었어." 은재의 말투에 기운이 없었다. 나는 고개를 끄덕이고 자리에서 일어나 카페의 문을 열고 나갔고 뒤에서 음료의 포장을 부탁하는 은재의 목소리가 희미하게 들렸다.

나와 은재는 학교 맞은편으로 이어지는 보도를 걸어 녹음이 울창

한 근린공원의 산책로를 통과하여 버스 정류장에 가기로 했다. 우리는 곧 보행 신호의 푸른빛이 밤하늘에 번지는 스크램블 횡단보도를 건넜는데 가로등의 빛에 육중한 옆면의 일부를 사면으로 드러내고 있는 학교가 보였다. 학교의 윤곽은 밤에 잠겨 허물어지고 중앙 현관 위에 설치된 커다란 시계의 시침이 바늘 위에 내려앉은 어둠을 밀어 올리느라 안간힘을 쓰고 있었다.

"그거 알아? 우리 학교가 전국에서 세 번째로 학생 수가 많은 학교래." 은재는 아직도 손에 들고 있는 버블티를 절반도 채 마시지 않았다.

"그럴 만도 하지. 점심시간마다 저 넓은 운동장이 아이들로 금세 채워지잖아." 은재는 펄 한 개를 입안에 넣었는지 입을 오물거리며 어이없다는 듯 웃었다.

점심시간의 운동장은 마치 미니어처 골대가 달린 게임판 같았다. 비록 운동장은 넓지만 두 개뿐인 축구 골대는 최대한 빨리 운동장을 선점하기 위해 입안으로 욱여넣은 음식을 씹지도 않고 삼키면서 급식실을 뛰쳐나오는 그 어떤 아이도 좌절시켰다. 운동장은 순식간에 저마다 팀을 이루어 축구에 매달리는 아이들이 뒤섞이다가 서서히 양쪽 골대를 오가는 인파의 흐름을 만들었다. 이쯤이면 이 상황을 사 층에서 내려보는 나와 은재는 무슨 일이 벌어질지 '예측'하곤 했는데 그것은 우리가 여태껏 봐왔던 장면이 수없이 반복되었기 때문이었다. 아니나 다를까 점심시간이 십여 분 정도 남을 즈음이면 골대 앞이나 트랙에 몇 명이 모여들어 말다툼을 벌이기 시작했다. 당연한 수순이었다. 축구공에 아무리 학년 반을 매직펜으로 크게 적어도 수십 명이 뒤섞여 축구를 하다 보면 의도하지 않아도 남의 축구공을 차게 마련이었다. 난데없이 축구공의 종적이 사라지고 다들 어리둥절해서는 공이 어디 있는지 서로에게 물어보다 경기는 중단되었다. 한두 명이 못내 내키지 않는다는 몸짓을 내보이며 주위에 굴러다니는 공을 붙잡고 자기네 공이 맞는지 확인했는데 그러면 다른 아이들의 경기를 방해하는 꼴이 되기 때문에 서로 시비가 붙기 일쑤였다. 심지어 하나의 골대 앞에 서너 명의 골키퍼가 서 있는데 공을 찬 사람을 골키퍼가 확인하지 못한 경우 남의 공을 얼결에 막게 되었다. 결국 식사 시간을 제외하면 그다지 길지도 않은 점심시간의 남은 시간마저 승강이를 벌이느라 시간을 허비한 아이들은 여지없이 반복되는 상황에 진저리를 치며 교실로 돌아오곤 했다. 하지만 세 곳의 현관은 곧 틀어막힌 것처럼 호리병 모양의 줄이 길게 이어지며 병목 현상이 벌어졌는데 현관 안에서 신발을 갈아 신는 아이들이 멈춰 서면서 뒤에 줄을 선 아이들이 좀처럼 교실에 들어갈 수 없었기 때문이었다. 나와 은재는 운동장을 바라보았다. 이 늦은 시각에도 운동장은 주민들로 혼잡했다. 트랙 위를 뛰거나 걷는 사람 사이로 운동장에서 타서는 안 되는 자전거가 크랭크축에 체인이 감기는 경쾌한 소리를 내며 지나갔다. 놀이터 기구마다 아이들이 매달려 있었고 간혹 한둘이 모래밭에 떨어졌지만 태연하게 일어나 옷에 묻은 모래를 털어냈다. 우리와 같은 교복을 입은 중학생 한 무리가 운동장 한가운데 동그랗게 모여 책가방을 베고 드러누웠다. 그리고 운동장과 도로 사이의 보도에는 한 손에는 커피를, 다른 한 손에는 샌드위치를 들고 어딘가로 걸어가는 사람도 있었다. 차림새가 우리 선생님과…… 닮은. 나와 같은 곳을 보고 있었는지 은재의 입에서 빨대가 떨어졌다.

"저 사람, 우리 선생님 아냐?" 나도 모르게 은재에게 소리친 말이 도로 건너 우리와 반대 방향으로 걸어가는 사람에게 들리기라도 할 것처럼 나는 손바닥으로 입을 황급하게 틀어막았다. 은재는 내가 가리키는 사람을 눈썹을 모으고 바라봤지만 자신도 그 사람이 선생님이라는 확신은 들지 않았는지 미동 없이 서 있었다.

"선생님 같은데. 이 시간에 왜 여기에 계신 거지?" 나는 선생님이 맞는지 확인해 보자며 은재의 팔을 끌고 코앞의 횡단보도까지 종종걸음을 쳤다. 그 때문에 은재가 들고 있던 일회용 컵의 물방울이 튀어서 내 손등에 떨어졌는데 나는 그것을 벌레로 오인하고 비명을 지르며 손을 털었다. 차가운 물방울은 표연하게 내 손등에서 떨어져 보도블록 위에 검은 물자국을 만들었고 나는 도로 건너 보도를 다시 살폈다. 선생님으로 보이는 사람은 느닷없는 나의 오두방정에도 일절 관심이 없는지 얼굴 한번 돌리지 않고 등을 내보이며 천천히 멀어졌다.

나는 발을 구르며 신호등을 쳐다봤는데 개학일에도 여기에서 조바심을 냈던 기억이 갑자기 떠올랐고 이러한 우연 때문에 은재를 바라보며 의미심장한 웃음을 흘렸다. 그날 복도에서 선생님의 뒷모습을 처음 보지 않았던가.

"선생님이 아니면 어쩌려고 그래? 이 시간에 여기에 계실 리가 없잖아." 은재는 설령 저 사람이 선생님이어도 굳이 알은체할 필요가 있겠냐는 의구심을 내게 넌지시 비쳤다.

"그러니까 확인해 보려는 거지." 신호등에 보행 신호가 들어왔고 우리는 이인삼각 경기라도 하는 양 횡단보도를 건넜는데 그때 선생님이라고 생각되는 사람이 오른쪽으로 방향을 틀어 펜스 너머로 모습을 감췄다. 내가 조급한 마음에 책가방에서 한쪽 어깨를 빼내어 가방을 앞으로 걸머메고 뛰려는데 은재가 내 손목을 부드럽게 감싸 쥐었다.

"설령 선생님이라 해도 이 시간에 우리가 거리를 배회하는 걸 좋아하지 않으실 거야." 은재는 그만두자고 나를 타이르는 정도가 아니라 아예 사정하고 있었다. 나는 얼빠진 사람처럼 은재를 멍하니 바라보았다. 이게 뭐가 그리 어려운 일일까. 얼굴을 확인하고 선생님이 아니라면 사람을 잘못 봤다고 사과하면 되고 선생님이라면 집에 가는 길에 우연히 보았다고 인사하면 될 일인데. 이렇게까지 주저하는 은재가 이해되지 않았다. 은재는 나를 처연한 눈빛으로 바라보고 있었다. 나는 가방을 안고 있던 손을 풀었다. "그러면 전화한 번만 해볼게. 그 정도는 괜찮지?" 은재는 어쩔 수 없다는 듯 마지못해 고개를 끄덕였다. 나는 가방 속을 뒤적여 스마트폰을 꺼내고 연락처 목록에서 선생님의 전화번호를 찾았는데 막상 통화 버튼을 누르려니 조금 망설여졌다. 왜냐하면 선생님이 부득이하거나 급한 사정이 있는 경우에 전화하라고 번호를 알려준 것이기 때문이었다. 나는 스마트폰의 화면을 하염없이 내려다보다 마침내 결심을 굳히고 통화 버튼을 눌렀다. "지금 고객님께서 전화를 받을 수 없어……." 나나 은재나 예상치 못한 결말에 입이 벌어졌다.

"가자. 많이 늦었잖아." 은재는 그제야 홀가분했는지 쾌활한 어조로 말했다.

"그래, 잊어버리자." 나는 한숨을 쉬었다. 은재도 은재지만 귀가가 늦어지면서 나도 슬슬 걱정되었다. 엄마가 아무리 무관심을 가장해도 내가 집에 들어갈 때마다 시각을 확인하는 것을 알고 있었다. 우리는 밤하늘에 떠 있는 가로등에 날벌레가 달려들어 부딪치는 소리를 들으며 버스 정류장까지 말없이 걸었다. 은재는 보도블록의 경계를 밟고 싶지 않은 것처럼 발끝을 내딛다가 나를 보지도 않고 조심스럽게 입을 열었다. "그분, 우리 선생님이 맞을 거야." 나는 그걸 어떻게 알 수 있냐고 반문하듯 은재를 놀란 얼굴로 바라봤는데 가볍게 살랑거리는 머리카락이 은재의 옆얼굴을 가렸다.

"우리가 교실 청소할 때 페트병을 분리수거하는 쓰레기통도 비웠잖아. 그때 비닐봉지 안에 아까 선생님이 손에 들고 있던 일회용 컵이 잔뜩 들어 있었어. 심지어 도대체 이 많은 커피를 누가 다 마셨는지 궁금해하면서 내가 컵 한 개를 들어 초록색 상표까지 확인했었어."

알 수 없는 이유

은재는 내 얼굴을 한참 들여다보더니 이 상황이 자신도 납득되지 않는 것처럼 허탈한 웃음을 조그맣게 터트렸다. 나는 너무 놀라서 눈만 휘둥그레 뜬 채 아무 말도 못했는데 책상 위의 희미한 그림자가 책상 밑으로 떨어져 바닥까지 드리워진 것을 보고서야 내가 의자에서 일어나 있는 것을 알아차렸다.

"제가 선생님을 찾아온 일이 그렇게까지 놀랄 일이에요?" 은재는 지금 손거울을 가지고 있다면 내 얼굴 앞에 들이밀어 하얗게 질린 내 안색을 보여주고 싶다는 투로 서운함을 무마하려고 했지만 그래도 조금은 기대한 나의 '환대'가 실망스러웠는지 입술을 일그러뜨렸다. 은재는 여기에 오기까지의 고충을 말로는 다하기 힘들다는 듯 숨을 길게 내쉬더니 팔에서 어깨끈을 조심스럽게 빼내어 책가방을 등에서 들어내었다. 그러고는 물이 흥건하게 밴 책가방을 엄지와 검지로 집어 툭툭 털었고 공중에 떠오른 물방울은 창문 틈에서 들이치는 바람에 떠밀린 것처럼 후드득 소리를 내며 사방으로 튀었다. 은재는 젖은 책가방을 어디에 두어야 할지 몰라 자기 발등을 꼿꼿이 세우고 그 위에 책가방을 올려놓았는데 그 때문에 책가방의 경사면을 따라 흘러내리는 가는 물줄기가 그대로 은재의 발등을 적셨다.

"책상이나 의자가 젖어도 괜찮으니 책상 고리나 의자 등받이에 걸어 두거라." 은재는 책가방을 들고 허리를 꺾어 책상 고리에 책가방을 걸었다. 책가방에서 떨어지는 물방울이 바닥에 동그란 궤적을 그리며 책가방을 따라가다 책상 옆에서 작은 물웅덩이를 만들기 시작했다. 은재는 이제 뭘 해야 할지 알 수 없다는 듯 난감한 표정을 지으며 어색하게 교실 안을 두리번거리더니 무수한 빗방울이 원을 그리다 뭉개지는 창문에 잠시 눈길을 던졌다. 근방에 물을 방류하는 댐이라도 있는 것처럼 젖은 공기를 사정없이 내모는 바람 소리가 교실 안에 고여 있는 정적 안으로 파고들었다. 이런 날씨에 여기까지 왔단 말인가. 나는 차마 은재를 탓할 수 없기에 지상의 모든 것을 들쑤시고 있는 폭우와 돌풍을 원망했다. 그새 학교 주변의 밭을 감싸고 있는 비닐하우스 한 동이 뜯겨서 난파선의 찢어진 돛처럼 하늘을 향해 세차게 퍼덕였다. 나는 칠판 옆의 수납장들을 모두 열어보며 지난 운동회 때 총동창회에서 나누어주었던 수건을 찾기 시작했다. 내가 수건을 쓸 생각이 없었는지 수건을 포장한 상자의 모서리가 손이 닿기 어려운 맨 위의 수납 칸에서 뾰족하게 모습을 드러냈다. 나는 까치발을 들어 검지와 중지로 상자의 모서리를 집었는데 상자가 무엇에 걸렸는지 수납 칸에서 잘 빠져나오지 않다. 수납 칸에서 간신히 상자를 끄집어내 손에 쥐어 보니 상자를 받아 들 때의 내 기억과는 다르게 작은 종이 가방 크기에 꽤 묵직했다. 상자의 입구를 젖혀 수건을 꺼내자 제73회 운동회라고 수놓인 무지갯빛 자수가 눈에 불쑥 들어왔고 곧 올이 굵은 수건의 폭신한 감촉이 손에 닿았다. 나는 은재에게 수건을 건넸다. 은재는 수건을 멀거니 바라보며 섣부르게 손을 내미는 것을 주저하면서도 결국 수건을 받아들었다. 그러고는 책상에서 몸을 일으켜 고개를 숙이더니 머리카락을 한데로 모아 쥐어짜듯 한참을 문질러 대다가 얼굴을 수건에 파묻었다. 나는 은재에게 "마실 거라도 좀 가져오마."라고 말하고 교실을 나섰다.

오 학년 교실의 복도 창문으로 안을 넌지시 들여다보니 클래식이 잔잔하게 들리고 빨간 펜을 든 정해준 선생님이 글자가 빼곡한 재생지 위에 연신 동그라미를 그리고 있었다. 나는 음악 소리 때문에 잘 들리지 않을까 봐 교실 문을 두드리는 대신 문을 열고 인기척을 냈다.

정해준 선생님이 고개를 돌리더니 펜을 내려놓고 의자를 돌렸다. "얼른 들어오세요." 그의 한쪽으로 말린 입꼬리가 가늘어지며 볼근육이 밀려 올라가고 그 때문에 눈가에 부드러운 곡선의 주름이 만들어졌다.

"바쁘신데 제가 방해하는 것은 아닐까요?" 그의 반가운 기색을 보고도 교실 문 앞에서 쭈뼛거리며 안으로 들어가는 것을 내가 주저하자 그가 스피커의 버튼을 눌러 음악을 멈췄다.

"교실에 들어오는데 왜 이렇게 격식을 차리세요, 서운하게. 차 드시러 오셨어요?" 그는 내가 대답도 하지 않았는데 전기 포트의 버튼을 눌러 물을 끓이기 시작했다. 그 모습을 보고 나는 결단을 내린 사람처럼 교탁 옆으로 휘적이며 걸어갔다. "정말 죄송한데 종이컵에 차 두 잔만 주실 수 있을까요?"

"종이컵에, 두 잔이요?" 그가 굵은 눈썹을 미간으로 한껏 내려앉히며 내 얼굴을 의아하게 쳐다보았다.

나는 목덜미를 덮고 있는 머리카락을 긁적이며 상황을 최대한 짧게 설명했다. "교실에 작년 졸업생이 찾아와서요. 학교에 오는 길에 비를 맞아서 따뜻한 음료라도 줘야 할 것 같은데 선생님도 아시다시피 제가 교실에 변변하게 갖춰 둔 것이 없어서 선생님께 부탁드리려고 왔어요."

그는 내 말에 수긍한다는 듯 고개를 끄덕이더니 창문 밖을 바라보았다. 하늘의 허리선까지 내려앉은 구름이 강한 바람에 바다 쪽으로 쓸려가고 있었다. "이런 날씨에 학교를 찾아왔다고요?" 마치 내가 오늘 은재를 학교로 불러내기라도 한 것처럼 약간의 죄책감마저 느껴져 나는 입술을 살짝 깨물었다. "저도 너무 놀랐어요."

"마침 제가 얼마 전에 금귤로 담근 귤청이 있거든요. 교실 안이 꽤 꿉꿉한데 따뜻한 귤차를 만들어 드릴까요?" 나는 뭐라도 좋으니 그저 감사할 뿐이라며 고개를 끄덕였고 그는 캐비닛의 문을 열고 수제청 병을 하나 꺼내어 교탁 위에 올려놓았다. 얇게 썰어진 대추만 한 귤들이 마차의 바큇살 같은 단면을 드러내며 유리병 안에 가득 들어 있었는데 노랗고 매끈한 껍질들이 보기에도 달콤한 광택에 끈끈하게 감싸여 있었다. 그는 그냥 종이컵에 줘도 아무런 상관이 없다는 내 만류에도 불구하고 머그 홀더에서 큼지막한 머그잔을 두 개 집어 교탁 위에 내려놓고 귤청을 찻숟가락으로 한 뭉텅이씩 덜 어내었다. "아무리 중학생이지만 손님한테 어떻게 그래요. 날씨는 궂어도 인심은 후해야죠." 그는 손바닥으로 은색 뚜껑을 움켜쥐고 는 몇 번 움찔거리며 뚜껑이 잘 닫혔는지 확인하고 다시 캐비닛 안에 밀어 넣었다. 머그잔에 뜨거운 물을 붓고 찻숟가락으로 휘젓자 머그잔 위로 피어오르는 김이 향긋한 냄새를 교탁 주위에 퍼뜨렸 다.

"머그잔이 뜨거울 테니 손잡이를 잡으셔야 할 것 같네요. 찾아온 제자가 선생님과 어지간히 잘 지냈던 모양이죠?"

나는 웃는지 우는지 모를 애매한 표정을 지으며 고개를 끄덕였다. "작년에 서로에게 기억에 남을 만한 일이 있기는 했었죠."

그는 머그잔을 양손에 들고 있는 내가 교실 문을 여닫지 못할 거 라며 문까지 따라와서 문을 열어 주었다. "설거지하지 마시고 차를 다 마시면 그냥 잔을 주세요. 서로에게 편하게 해요. 그게 좋아요." 그의 정감 어린 배려에 은재의 느닷없는 출현으로 당황했던 마음이 조금 누그러졌다. 다감한 눈매와 너그러운 손길이라니. 무슨 사연이 라도 있었을까. 그는 결국 살던 곳을 떠나 여기에 정착하지 않았던 가. 그는 천천히 문을 닫았고 곧 새어 나오는 음악이 복도의 눅눅 한 공기에 잔잔한 파동을 일으켰다.

은재는 어깨에 두른 수건을 오른손으로 여며 쥐고 왼손 검지를 자세하게 들여다보며 교실 뒤에 서 있었다. 내가 머그잔을 교탁 위에 내려놓는 소리에 나를 돌아보았다.

"손에 뭐가 묻었니?" 돌아서고도 골똘하게 자신의 검지를 살펴보는 은재에게 물었다.

"커터 칼로 잘라 낸 도화지의 안을 손가락으로 문질렀는데 종이가 날카로웠는지 살갗이 살짝 긁혔어요." 은재는 괜한 짓을 해서 민망했는지 멋쩍은 웃음을 삼키며 수건으로 손가락을 문질렀다. 그러더니 검정 도화지의 오려 낸 부분에 한지 색종이를 덧대어 스테인드글라스 기법으로 만든 작품을 가리키며 내게 물었다. "우리도 했던 거 맞죠?" 나는 고개를 끄덕였다. "이거 만든 날 교실 청소를 맡은 친구들이 고생 좀 했을 거예요." 은재가 유쾌한 회상에 젖은 듯 반짝이는 눈빛으로 나를 바라보았지만 안타깝게도 나는 스테인드글라스를 만든 날에 청소 검사를 했던 기억이 없었다. 그래도 은재가 무안하지 않도록 은재의 말에 모호하게 고개를 끄덕였다.

"지금도 그렇게 청소 검사를 하세요?" 은재가 청소 검사로 어지간히 고생했던 듯 새침하게 물었다. 나는 순간 멍해졌는데 이 학교에 부임한 뒤로 청소 검사를 한 적이 없었기 때문이었다. 나는 빨래 바구니에 모아 놓은 옷가지를 한꺼번에 세탁기에 넣어 돌리는 것처럼 일주일에 한 번씩 텅 빈 교실과 복도를 청소했다. 나는 은재에게 일주일에 한 번 청소 검사를 한다고 대답했다. 은재는 별안간 눈이 커졌지만 입을 꾹 다물며 나이답지 않게 호기심을 자제했다. 나는 워드 프로세서로 서류를 작성하는 와중에 모니터 너머로 교실 청소에 몰두하는 은재를 간간이 쳐다봤던 기억을 떠올렸다.

은재는 내가 매번 검사하기에는 지나치다는 생각에 굳이 내버려 두
었던 창틀마저 깨끗한 걸레를 가져와 손가락을 밀어 넣고 세심하게
닦곤 했었다. 내가 검사를 마치면 사용했던 걸레를 싱크대 안에서
손빨래하고 있는 힘껏 걸레를 쥐어짜 깨끗한 물이 주르륵 떨어졌
다. 날씨가 화창한 날이면 교실 밖 베란다에 나가 빨래를 펼쳐 탈
탈 털고 빨래 건조대의 녹슨 부분을 피해 빨래를 널었다. 나는 잠
깐 키보드를 두드리던 손길을 멈추고 창문을 통해 베란다 밖으로
팔을 넘기며 허공에 눈길을 던지는 은재를 내다보았다. 은재를 칭
찬하는 것은 은재를 그저 당혹스럽게 만들 뿐이었다. 나는 검사를
마치고도 은재에게 따로 격려한 적이 없었다. 은재는 교실 안을 산
책하는 것처럼 책상 사이를 여유롭게 걸어 다니더니 자신이 책가방
을 걸어 둔 책상에서 의자를 끌어내어 앉았다. 나는 책상 위에 머
그잔을 올렸다. 은재는 머그잔을 덥석 쥐지 않고 양손 끝으로 살짝
살짝 대보더니 내게 큰일 날 뻔했다는 놀라움의 웃음을 지어 보였
다. 그러더니 머그잔 위에 머리를 올려 머그잔 안을 들여다보았다.
머그잔에서 올라오는 김이 은재의 얼굴에 닿더니 이마와 귓등을 타
고 실오라기처럼 가늘어지며 사라졌다.

　"이렇게 작은 귤도 있어요?" 은재는 자못 신기하다는 것처럼 나
를 올려다보더니 코로 김을 한껏 들이마셔 냄새를 맡았다.

　"옆 교실의 오 학년 선생님께서 만들어 주신 차란다. 종이컵에
주셔도 괜찮다고 했는데 굳이 머그잔에 만들어 주시더구나. 내가
매번 신세를 지는 분이지." 나는 머그잔을 들어 귤차를 한 모금 마
셨다.

"잔을 돌려드릴 때 제가 맛있게 마셨다고 전해 주세요." 아직 마시지도 않은 차를 칭찬하는 은재. 무엇에나 '지나치게' 노력했던 아이. 하지만 자신은 정작 칭찬받을 자격이 없다는 듯 늘 자신의 그림자 안에 숨었다. 은재는 한 손으로 손잡이를 살며시 쥐고 나머지한 손은 바닥을 받쳐 머그잔을 들었다. 그러고는 가장자리에 입술을 얹어 호로록 소리를 내며 홀짝였고 이번에는 머그잔 전체를 양손바닥으로 감싸며 천천히 내려놓았다. 눈을 감고 있는 은재의 바들바들 떨리던 어깨가 진정되기 시작하더니 눈꺼풀에 가는 주름을 만들며 눈을 서서히 떴다. 내가 은재의 안부를 물어보려는 순간 은재가 마음에 여유가 생겼는지 나긋하게 물었다.

"별일 없으셨어요?" 귤차 덕분인지 은재의 목소리가 따뜻한 감흥을 자아냈다.

하지만 은재의 의도와는 다르게 나는 잠시 우물거렸다. 그냥 안부를 물어보는 말인데 왜 이렇게 대답하기 어려울까. "너야말로 별일 없었니?"

"저도 선생님과 비슷해요. 학교 다니고, 집에 가고. 그리고⋯⋯ 학원도 가고." 은재가 학원에 다니는 일은 내키지 않는지 마지못해 덧붙였다.

"거의 일 년 만이구나." 내가 작년 여름 방학을 돌이키며 말했다.

"네, 그렇죠. 아직 일 년까지는 아니지만 벌써 일 년이 다 되어 가네요." 은재도 고개를 주억거리며 작년의 어느 순간을 떠올리는 것 같았는데 표정이 왠지 씁쓸해 보였다.

"그나저나 이런 날씨에 어떻게 여기까지 오겠다고 생각했니? 당연히 너를 나무라는 것은 아니다." 나는 잠시 뜸을 들이며 우리가 어쩌지 못하는 낭패감을 감췄다.

이제는 평온한 표정의 은재가 입술을 달싹여 무언가를 말했지만 갑자기 휭 하는 바람 소리와 함께 빗방울이 창문에 달려들어 탁탁 터졌고 내가 은재의 얼굴을 주시하며 주의를 집중했음에도 은재의 목소리는 물속을 통과하는 것처럼 먹먹하게 내 귀에 도달했다. 자신이 버스를 탔던 중학교 앞 버스 정류장만 하더라도 하늘에 구름이 잔뜩 끼기만 했지 비가 오지는 않았더랬다. 그래서 여기에 비가 올 거로 생각지는 못했는데 한참을 내달리는 버스 안에서 하늘을 올려다보니 누가 검은 잉크라도 쏟아부은 것처럼 구름이 시커멓게 물들다가 기어이 비가 쏟아졌다고. 심지어 버스 창문에 부딪혀 잘게 부서진 빗방울이 창틀에서 튀어 손등에 떨어지자 살짝 겁이 났다고도 했다. 마침내 학교 옆 버스 정류장에 버스가 멈춰 서고 버스 문이 열렸는데 마치 버스 정류장이 구명정이라도 되는 것처럼 심호흡을 들이마시고 버스에서 버스 정류장으로 훌쩍 뛰어내렸다고 말했다. 그나마 다행스럽게 횡단보도 하나를 두고 학교가 그리 멀지는 않아서 신호등에 초록불이 들어오는 순간을 눈여겨보다가 보행 신호가 켜지는 순간 학교를 향해 달렸다고. 학교 운동장에 안개가 고여서 출입구가 잘 보이지 않았는데 본관 오른편에 현관이 있는 모양인지 여학생 두 명이 노란색 우산을 펼치는 모습이 눈에 들어왔다고 했다. 천신만고 끝에 현관에 들어섰는데 내빈용 실내화가 보이지 않아서 신발을 갈아 신지 못하고 복도를 두리번거렸는데 육학년이라고 적힌 표찰을 발견했단다. 그제야 구조된 사람처럼 팔다

125

리에 힘이 풀린 채 복도를 걸었는데 막상 교실에 다가가니 교실 안이 캄캄해서 선생님께서 안 계실 수도 있다는 생각에 가슴이 철렁했다고. 그래서 조마조마한 마음으로 교실 앞문을 열었는데 선생님께서 마침 교탁에 앉아 계셔서 그 자리에 그만 주저앉고 싶었다고 했다. 은재는 말을 마치면서 설움이 북받쳤는지 머그잔을 두 손으로 꼭 쥐고 귤차를 쭉 들이켰다. 나는 은재의 마음을 충분히 알 것 같았다. 은재가 다니고 있는 중학교가 어디인지는 모르겠지만 만약 시내 중학교라면 여기까지 버스로 오기에도 꽤 먼 거리였다. 게다가 낯선 곳이 아닌가. 은재의 뺨에 창문에서 줄기차게 흘러내리는 빗물의 그림자가 희미하게 드리워졌다.

우리는 한동안 말없이 차를 마셨다.

"선생님, 작년부터 물어보고 싶은 게 있었는데 물어봐도 돼요?"
나를 바라보는 은재의 눈빛은 어차피 물어볼 것이니 나보고 미리 마음의 준비를 하라는 듯 단단한 결의가 어려 있었다.

"그래, 물어보거라." 나는 내심 긴장하며 은재의 입이 떨어지기를 기다렸다.

"제가 오 학년 때 선생님을 뵌 적이 있었는데 그때 기억나세요?"
기대와 실망의 경계선에서 발바닥을 최대한 붙이고 양팔을 들어 균형을 잡고 있지만 여전히 경직된 다리의 흔들림 같은 미세한 떨림이 은재의 목소리에서 느껴졌다.

은재가 오 학년이라면 재작년이 아닌가. 나는 머그잔의 손잡이를 엄지로 문지르며 그런 일이 있었는지 곰곰이 생각했지만 이제 곧 나올 내 대답이 은재를 실망의 영역으로 떠밀 것을 알고 있었다.

"정말 미안하게도 너를 만났던 일을 떠올릴 수가 없구나. 나는 심지어 학기 초에 네 얼굴을 익히는데도 다른 아이들보다 시간이 오래 걸렸단다. 수업 시간에도 늘 고개를 숙이고 시선을 내리깔아서 내가 너를 바라보면 너를 불편하게 할 거라고 생각했었다. 그래서 청소 시간에 네 얼굴을 익혀야 했다." 나는 실망할 은재를 다독이기 위해 은재를 넌지시 쳐다보았는데 뜻밖에 은재의 얼굴에 안도감이 피어났다. 나는 은재의 반응이 의문스러우면서도 어쨌든 다행이라고 생각했다. 지금에 와서도 물어볼 정도면 작년 내내 은재를 괴롭혔던 문제임이 틀림없었다.

"제가 오 학년 때 미술 수업 시간에 판화를 미처 끝내지 못해서 방과 후에 고무판을 조각칼로 팠거든요. 그런데 고무판이 자꾸 움직여서 왼 손바닥으로 고무판을 누르고 오른손으로 조각칼에 힘을 줬는데 조각칼이 앞으로 튀어 나가면서 제 손가락을 찌른 거예요. 제가 화들짝 놀라서 왼손을 들었는데 조각칼에 파인 검지에서 피가 줄줄 흘러나와 핏방울이 고무판 위에 떨어졌어요. 그래서 저도 모르게 오른손으로 왼손을 받치고 오 학년 연구실로 달려갔는데 선생님이 한 분도 안 계셔서 얼른 이 층의 보건실로 내려갔더니 문에 보건 선생님이 출장 가셨다고 안내문이 붙어 있는 거예요. 그래서 머리가 하얘진 상태로 다시 교실로 올라가는데 사 층의 중앙 복도로 이어지는 계단참에서 선생님께서 갑자기 나타나시더니 급박하게 제 어깨를 지나쳐 계단으로 내려가시더라고요. 그런데 계단 중간쯤에서 갑자기 멈춰 서시더니 저를 돌아보시면서 '무슨 일이니?'라고 물어보셨어요. 아마 선생님은 평소대로 말씀하신 것 같았는데 손가락이 다친 것 때문에 제가 심장이 덜컹덜컹 뛰고 계단 통로가 소리를 울려서 저한테 소리를 지르신 것처럼 들렸어요. 그래서 덜덜 떨면서 계단참에 서 있었는데 선생님께서 계단을 올라오셔서 제 손을 살피시더니 '따라오거라.' 이렇게 말씀하시고 혼자 교실로 겅중겅중 걸어가셨어요. 제가 뒤늦게 따라가서 교실에 들어가니 선생님께서 구급함을 교탁 위에 올려놓고 소독솜과 핀셋을 꺼내고 계시더라고요. 제가 얼결에 손을 내밀자 제 손가락에 묻은 피를 소독솜으로 닦아내시더니 다행스럽게 살갗이 살짝 파인 정도라고 중얼거리시면서 상처에 연고를 바르고 밴드를 붙여 주셨어요. 저는 꼼짝하지도 않고 서 있었는데 교탁 위에 선생님께서 구급함을 꺼내시느라 던져 놓았는지 '중학생 입학 시행 요강'이라는 커다란 글씨와 그 밑에 '학부모 설명회'라는 작은 글씨가 적혀 있는 종이가 보이더라고요. 응급 처치가 끝나고 선생님께서 검지에 고무 골무를 끼워 주시면서 물이 들어가지 않도록 주의하라고 제 눈을 보며 말씀하셨어요. 그러시고는 다급한 용무 때문인지 저보다 먼저 교실 밖으로 나가셔서 저만 선생님의 교실에 덩그러니 남겨졌었어요." 은재는 말을 마치고 아직도 흉터가 남아 있기라도 한 것처럼 오른손 엄지로 왼손의 검지를 부드럽게 문질렀다. 은재의 정확한 기억력이 묘사하는 장면이 너무나 세세했지만 나는 흐릿한 기억을 더듬어야 했다.

그제야 얼핏 기억났다. 그날 오후 세 시에 열렸던 학부모 설명회에서 중학교 입학 시행 요강을 안내해야 했던 나는 시청각실로 뛰어 들어갔지만 결국 십오 분이 늦었다. 시청각실 입구에 테이블을 늘어놓고 학부모의 참석 명부 작성을 도와주느라 서 있던 오 학년 선생님들의 재촉하는 눈길과 시청각실 안에서 나를 기다리고 있던 육 학년 선생님들의 초조한 눈빛이 내 머릿속에서 한데 겹쳤었다. "네 말을 들으니 어렴풋이 기억나는데 애석하게도 내가 지금 떠올릴 수 있는 것은 네 검지뿐이구나."

은재는 천천히 고개를 끄덕였지만 눈가에 그늘이 졌다. "그런데 육 학년 첫날에 선생님께서 교실에 들어오시는 거예요. 그래서 저는 아이들의 쑥덕거림에도 선생님이 너무 반가웠고 심지어는 제가 운이 좋다고도 생각했어요. 그런데 한 달이 지나도록 선생님께서 마치 그 일을 모르시는 것처럼 덤덤하게만 저를 대하셔서 제가 선생님을 어떻게 대해야 할지 헷갈리는 거예요. '불과 몇 개월 전의 일을 선생님께서 잊어버리실 수가 있을까?'라고 생각하다가 결국에는 제가 알 수 없는 이유로 선생님께서 저를 별로, 좋아하시지 않을 수도 있다고 생각했어요." 은재는 그 일이 어지간히 신경 쓰였었는지 긴 한숨을 내쉬었다.

"내가 변변찮게도 네가 그런 생각을 하는 줄은 생각지도 못했단다. 네가 가졌던 서운함이 덜어지기에는 늦었겠지만 지금이라도 미안하다고 말하고 싶구나." 나는 고개를 가로저었다.

"아니에요. 뭐, 그러실 수도 있죠. 흠." 은재는 턱을 손으로 받치고 고개를 돌려 폭우와 돌풍이 형상과 색을 일그러뜨리며 창문에 풍경화를 그리는 것을 잠시 지켜보았다.

"혹시, 그 일 때문에 나를 찾아온 거니?" 나는 은재를 유심하게 바라보며 금귤 몇 조각을 입안에 넣고 과육을 살짝 깨물었는데 혀도 함께 씹었는지 혀에 엷은 통증을 느꼈다. 혀를 이리저리 움직여

정말 다친 것인지 확인하고 있는데 은재가 머그잔을 기울여 책상에서 천천히 돌렸다. 그러고는 내게 말했다. "설하를 만나 주실 수 있으세요?"

학년별 우산통에 노란 우산이 여러 개 꽂혀 있었다. 우산을 하나 집어 우산대의 버튼을 누르자 노란색과 투명한 우산천으로 기워진 우산 지붕이 펼쳐졌고 노란색 면에 '너도나도 우산 함께 쓰기 사회적 기업 활성화 네트워크'라는 글씨가 보였다. 한동안 쓰지 않았던 모양인지 철제 우산대에 녹이 잔뜩 슬어 있었고 유치원생이 쓰는 것처럼 우산 지붕이 좁았다.

"비를 맞는 것보다야 낫죠." 은재가 우산 손잡이를 쥐고 우산을 위아래로 훑어보며 우산 지붕에 비해 큰 체구를 가진 나를 위로했다. 여전히 몰아치는 바람에 현관 안까지 빗방울이 들이쳐 우리의 얼굴을 때렸다. 은재는 현관에서 멀리 내다보이는 텅 빈 주차장을 보며 원망스럽게 물었다. "선생님, 차 있지 않았어요? 뒷모양이 뭉툭한 파란색 소형차요!" 은재는 마치 재난 영화에 출연한 배우가 실감나는 연기를 하는 것처럼 소리를 질렀다.

나는 말을 더듬으면서도 바람 소리에 지지 않으려고 역시 고함을 쳤다. "차가 있었지! 지금은 없고!"

"이 먼 학교를 출퇴근하시는데 중고차로 파셨어요?" 은재는 내게 소리를 지르면서 다시는 겪고 싶지 않은 폭우에 뛰어들 마음의 채비를 하는 것 같았다.

나는 큼큼 목청을 가다듬었다. "작은 사고가 있었는데 차를 고치기는 어렵단다!"

"차를 다시는 타고 다니시지 못할 만큼의 작은 사고요?" 나는 은재의 반문에 머리가 어질했다. 은재가 영민한 아이라는 것을 잠시 잊고 있었다.

"버스 정류장까지 빨리 걷는 게 좋겠다!" 나는 먼저 우산을 펼쳐 빗방울이 총알처럼 날아드는 운동장에 우산을 방호물 삼아 뛰어들었다. 운동장에 고여 있는 물웅덩이에 내 뜀박질이 물결을 일으키며 빗방울이 끊임없이 그리는 원을 뭉그러뜨렸다. 은재가 바로 뒤를 쫓아오는지 첨벙거리는 소리와 함께 내 바짓단과 양말에 물이 튀었다. 신호등은 물이 철철 흐르는 횡단보도라는 마지막 참호 옆에서 비를 온통 얻어맞으면서도 부동의 자세로 서 있었다. 명색이 선생님이라 은재 앞에서 차마 무단 횡단을 할 엄두를 내지는 못했다. 옆에서 함께 신호를 기다리고 있는 은재를 힐끔 내려다봤는데 은재는 머리와 어깨에 우산대를 기대고 몸을 덜덜 떨고 있었다.

우리는 두 개의 횡단보도를 건너 마침내 고지를 점령했다. 버스 정류장은 사방에서 피어오르는 자욱한 안개에 휩싸여 있었다.

"몇 번 버스를 타야 하니?" 나도 추위에 몸을 오들오들 떨면서 은재에게 물었다. 은재는 비에 젖은 얼굴로 나를 올려다보았다. "291번이요!" 나는 버스 운행표를 확인했다. 다행스럽게 오 분 정도면 은재의 집으로 향하는 버스가 먼저 도착할 것이다. 내가 탈 버스는 십삼 분 후에 올 예정이었다. 이 재난 속에서 버스가 도착 시각을 맞춘다면 말이다.

"내가 여기에 있는 줄 어떻게 알았니?" 제일 먼저 물어볼 만한 질문을 이제야 떠올려 당황스럽기까지 했다. 우산 지붕의 투명한 면으로 은재의 속눈썹에 맺힌 빗방울이 보였다.

"선생님을 찾으러 교실에 갔었는데 작년에 승마 체험 신청서를 받았던 체육 선생님이 계셨어요! 그분께 여쭤봤어요!"

은재가 타야 할 버스가 도로의 배수로로 흐르는 물살을 가르며 달려오는 모습이 보였다. 우리는 버스 바퀴가 튀기는 물에 맞지 않기 위해 우산을 밑으로 내렸다.

"집에 도착하면 문자 메시지 한 통만 보내주겠니?"

은재가 "네, 그럴게요! 나중에 봬요!"라고 대답하며 버스 문 앞에서 우산을 접고 그 짧은 시간에 비를 또 맞는 것이 진절머리가 난다는 듯 서둘러 버스 안으로 뛰어 들어갔다. 은재가 탄 버스가 몸을 웅크리다 다리를 일으켜 걷기 시작한 둔중한 짐승처럼 요란한 배기음만 떨어뜨리고 더디게 나아갔다. 나는 더 이상 비를 피하는 것이 의미가 없을 만큼 온몸이 비에 젖어 있었다. 나는 손바닥을 오므리고 입김을 불어 넣으며 은재가 부탁한 말을 다시금 떠올려 보았다. 내가 뭐라고 설하에게 도움이 될 수 있단 말인가? 작년에 담임 선생님이었던 사람? 아니면 불면증으로 정신건강의학과에 다니고 있는 사람? 게다가 지금도 물리 치료를 받고 있지 않은가. 나는 정해준 선생님과의 저녁 식사 이후로 보기 시작한 영화의 인물들을 떠올렸다. 나는 그들보다도 삶을 더 서툴게 사는 것 같았다. 은재가 버스를 탄 뒤에도 내가 타야 할 버스는 한참 동안 오지 않았다. 짙은 안개에 잠긴 가로등이 하나둘 켜지기 시작하며 희멀건 빛을 떨어뜨렸지만 그마저도 빗방울에 곧바로 부서져 도로 위를 정처 없이 떠다녔다.

깨진 귀퉁이

나와 은재는 학생 승마 체험 신청서를 내러 본관 일 층에 있는 체육 전담실로 향했다. 올해 팔월부터 내년 이월까지 승마 체험 기간이었는데 나는 이번 여름 방학에 말을 탈 생각이었다. 교실에서 체육 전담실까지 계단을 타고 내려와 복도를 걸으며 은재에게 말을 함께 타자고 졸랐지만 은재는 복도의 창가를 통해 운동장만 내다볼 뿐 별다른 말을 하지 않았다. 운동장에서 한 무리의 아이들이 운동장 잔디와 트랙 위를 뛰어다니며 물놀이를 하고 있었다.

묵묵부답으로 일관하고 있는 은재를 자극하기 위해 일부러 "말이 무서워?"라고 물었더니 은재는 고개를 돌려 내 얼굴을 빤히 쳐다보다 두 손 두 발 다 들었다는 듯 걸음을 멈추었다. 그리고는 내 어깨를 힘껏 끌어안고 어깨에 얼굴을 파묻으며 속삭였다.

"말이 무서워. 생각해 봐. 말처럼 크고 육중한 동물이 자기 몸집에 비해 왜소하기 짝이 없는 내가 고삐를 부여잡고 이리저리 뒤흔든다고 해서 내 말을 왜 듣겠어? 게다가 말 위에 올라타서 땅을 내려다보면 너무 높아서 아찔할 것 같아. 말에 탄 것만으로도 무서운데 말이 걷거나 뛸 거 아냐. 생각만 해도 심장이 덜컹거려." 은재가 어깨에 파묻었던 얼굴을 살며시 들어 올려 착잡한 눈빛으로 내 뺨을 바라보다 엄지와 검지로 볼을 살짝 꼬집었다. 더 이상 말을 꺼내지 말라는 신호였다. 나는 은재가 나와 함께 말을 타지 않아서 실망한 기색을 감추기 위해 복도를 내려다보며 생각했다. 나야말로 왜 말을 타려는 걸까? 학생 승마 체험 신청을 안내하는 가정통신문을 받아 들기 전에는 말을 타보고 싶다고 생각해 본 적이 없었다. 갑작스럽게 승마에 흥미를 느꼈다기보다는 지금까지 내 방학 생활을 돌이켜보건대 방 안에서만 지내는 긴 시간이 무료했기 때문이었다. 물론 그림을 그리다 보면 낮과 저녁의 시간이 내 방에 밀물처럼 들이쳤다가 썰물처럼 빠져나가는 것을 알아차리지 못할 정도로 하루가 금세 흐르기는 했지만 그렇다고 은재와 함께 그림을 그리는 것은 아니지 않은가. 나는 은재와 함께 보내는 여름 방학의 하루를 상상했다. 은재가 말 위에서 얼굴이 하얗게 질려 사색이 된 표정으로 굳어 있으면 나는 은재에게 들릴 만큼 요란하게 웃으며 무안을 줄 것이다. 그러면 은재는 짐짓 삐친 척을 하겠지만 승마장에서 집으로 돌아오는 길에 편의점에 들러 탄산음료를 함께 마시고 서로가 말을 탔던 모습을 놀리며 박장대소를 터트릴 것이다. 나는 컵라면의 면발을 두세 번의 젓가락질로 입안에 밀어 넣을 것이고 은재는 어이없다는 표정을 지으면서 내가 체하기라도 한 것처럼 등을 가볍게 두드려 줄 것이다. 우리는 내일 또다시 묻을 운동화의 흙을 휴지로 떼어내고 피부를 붉그스름하게 물들이는 저녁을 가로질러 집으로 돌아갈 것이다. 학생 승마 체험 신청서는 내가 들고 있는데 정작 체육 전담실의 문을 두드리는 사람은 은재였다. 들어오라는 말이 문틈에서 새어 나오느라 희미하게 들렸고 은재가 문을 열어 체육 전담실에 먼저 들어갔다. 다섯 명의 체육 선생님이 책상을 맞대고 앉아 있었는데 은재가 "학생 승마 체험 신청서를 어느 선생님께 제출하면 될까요?"라고 공손하게 묻자 오른쪽 끄트머리의 책상에 앉아 있던 선생님이 칸막이 위로 손을 흔들어 우리를 불렀다. 은재가 얼른 나를 돌아보며 선생님에게 가보라는 눈짓을 했다. 나는 괜히 쭈뼛거리면서 은재를 지나쳐 선생님에게 신청서를 제출했다. 선생님은 한 장밖에 없는 신청서를 앞뒤로 돌려보며 은재에게 "너는 제출 안 하니?"라고 물었고 은재는 입을 꾹 닫은 채 고개만 도리도리 저었다. 선생님은 신청서의 모든 칸이 정확하게 기재되어 있는지 확인하더니 신청서를 낸다고 승마 체험이 확정되는 것은 아니며 나중에 대상자를 추첨할 거라고 말했다. 추첨은 본인이 직접 해야 하고 보호자 전화번호로 추첨 장소와 일시를 알릴 예정이니 잘 되길 바란다고 말하며 이미 수합함에 수북하게 쌓여 있는 신청서의 제일 위에 내 신청서를 올려놓았다. 나는 허리를 숙여서 체육 선생님에게 인사하고 은재와 함께 체육 전담실을 나왔다. 내가 심란한 말투로 "승마 체험 대상자를 추첨해서 정한대."라고 말하자 은재가 웃으며 대꾸했다. "걱정하지 마. 원래 내가 탔어야 할 말이라도 네가 타게 될 거야." 나는 은재의 말을 언뜻 알아듣지 못하고 은재가 했던 말이 무슨 뜻인지 잠시 곱씹었다.

우리는 교실로 바로 돌아가지 않고 중앙 현관을 통해 구령대로 나갔다. 여름이 한창이라 구령대의 스테인리스 난간이 뜨거운 줄 알았는데 처마처럼 튀어나온 구령대의 지붕 덕분에 그늘져서 난간이 차가웠다. 구름 한 점 없이 쾌청한 하늘에서 떨어지는 뜨거운 빛살로 하얗게 달아오른 양지가 교정과 운동장 곳곳에 스멀거리는 그림자의 가장자리를 말라붙게 했고 그림자는 마치 증발이라도 하는 듯 조금씩 짧아졌다. 은재가 팔꿈치를 난간에 올리고 손등으로 얼굴을 받쳐 나를 바라보는가 싶었는데 눈의 초점이 아련하여 나도 모르게 뒤돌아보았다. 사방으로 가지를 늘어뜨리는 느티나무가 이파리를 가볍게 흔들어 구령대부터 스탠드까지 짙은 그늘을 드리우고 있었다. 느티나무의 줄기에서 달콤한 수액이라도 발견했는지 화단부터 이어지는 한 줄기 개미 떼가 나무껍질을 타고 올라 주먹만 한 옹이구멍 안을 바쁘게 오갔다. 은재가 눈꺼풀을 붙이며 뺨을 팔등 위에 내려놓자 나는 눈을 돌려 운동장을 가만히 바라보았다. 귀청을 때리는 요란한 매미 소리와 물을 쏘고 맞는 아이들의 천진한 외마디 소리가 불규칙적으로 뒤섞이며 공중에 울려 퍼졌다. 사 학년인가? 아이들의 손에 이 리터들이의 페트병이 저마다 들려 있었다. 페트병 마개에 젓가락 굵기만 한 구멍이 뚫려 있었는데 아이들은 페트병을 우그러뜨려 물줄기를 쏴 댔다. 그런데 어찌나 쉬지 않고 물을 짜내는지 페트병 안의 물은 순식간에 동났고 마개를 밑으로 내려 마지막 한 방울까지 모으려는 수고가 안타깝게도 물은 쉭 쉭 소리와 함께 안개처럼 분사되었다. 페트병을 흔들며 물이 없다는 것을 확인한 아이들은 망설일 틈도 없이 운동장 스탠드를 성큼성큼 뛰어올라 구령대 옆에 있는 수돗가에서 물을 가득 채웠다. 마음이 급해서인지 수도꼭지를 너무 세게 틀어 페트병 입구에 들어가지 않고 다른 방향으로 튄 물줄기에 옷이 모두 젖을 정도였지만 옷이 젖는 것을 꺼리는 아이는 없었다. 눈 깜짝할 사이에 페트병의 입구 밖으로 물이 벌컥벌컥 솟아올랐고 아이들은 수도꼭지 손잡이에 물기 어린 지문을 남기더니 다시 운동장으로 뛰어 들어갔다. 인기가 많은 것인지, 평상시에 얄미웠던 것인지 남학생 한 명이 줄행랑을 치고 여학생 여럿이 따라가며 물을 쏘았다. 남학생은 빙글빙글 원을 그리며 도망가다 지쳐 트랙 위에 벌러덩 드러누웠다. 여학생들은 기다렸다는 듯 남학생 위로 한꺼번에 물줄기를 쏟았고 남학생은 자기 페트병을 잔디 위에 내팽개치며 양손으로 얼굴을 막았다. 페트병을 텅 비운 여학생들이 기분이 좋았는지 손바닥을 맞부딪치고 페트병에 물을 다시 채우기 위해 젖은 머리카락을 이마 뒤로 넘기며 수돗가로 몰려갔다. 남학생은 눈을 감고 트랙 위에 만들어진 물웅덩이 안에서 팔과 다리를 휘저으며 오징어처럼 움직였다. 남학생이 하는 짓이 귀여워 혼자 킥킥대며 웃고 있는데 옆에서 웃음을 틀어막는 소리가 들려서 은재를 바라보니 그새 고개를 든 은재가 팔등에 얼굴을 반쯤 묻고는 눈꼬리를 편안하게 내려뜨리고 있었다.

"진짜 잘 노네." 은재의 눈웃음이 살가웠다.

"다음 주가 방학인데 우리도 그전에 물놀이하자고 학급 회의 시간에 제안해 볼까?" 나는 주머니에서 스마트폰을 꺼냈다. 은재가 스마트폰을 쳐다보며 "스마트폰은 왜?"라고 물었다.

"쟤네 물놀이하는 모습을 찍으려고. 사진 한 장 보여주면 우리가 애들에게 구구절절 설명할 필요가 없잖아." 나는 운동장으로 스마트폰의 렌즈를 향하며 초점을 맞췄다.

"스마트폰 액정은 왜 그래?" 은재가 스마트폰 오른쪽 상단의 깨진 귀퉁이를 손가락으로 문질렀다. "어저께까지 멀쩡하지 않았어?"

나는 촬영 버튼을 누르고 은재가 만졌던 부분을 손톱으로 살짝 긁었는데 모래 알갱이 같은 유리 파편이 손가락 끝에서 구르더니 밑으로 떨어졌다. "오늘 아침에 학교에 가려고 현관문을 열었는데 뭔가 무거운 게 앞에 있는지 잘 안 열리는 거야. 그래서 현관문을 힘껏 밀었는데 배송된 물티슈 상자가 복도 중앙으로 밀려나 있더라고. 택배원이 물티슈 상자를 내려놓을 때 현관문에 걸치게 놔뒀나 봐. 복도로 나와서 집 안으로 옮기려고 물티슈 상자를 안고 현관문 손잡이를 돌렸는데 그때 손에 들고 있던 스마트폰이 손에서 미끄러지면서 복도 바닥에 떨어졌어. 너무 당황해서 물티슈 상자를 현관에 던져 놓고 스마트폰을 얼른 집어 들었는데 액정이 이렇게 깨져 있더라고."

"그러니까 내가 스마트폰에 케이스를 끼우고 다니라고 몇 번이나 말했잖아." 은재가 내가 안쓰러운 건지, 스마트폰이 안쓰러운 건지 헷갈리게 말했다.

"이번 주말에라도 고쳐야지, 뭐." 나는 마치 남의 스마트폰이 고장 난 것처럼 심드렁하게 말하고 스마트폰을 다시 주머니 안에 넣었다.

은재가 갑자기 손가락으로 운동장을 가리켰다. "쟤네 탱탱볼도 가져왔네."

물줄기와 물줄기가 난무하는 와중에 라임색의 탱탱볼이 이리저리 튀었다. 아이들이 손으로 탱탱볼을 쳐낼 때마다 작은 물방울이 공의 반대 방향으로 떨어졌다.

"운동장이 완전 모래사장이네. 진짜 피서객이 따로 없다." 은재가 피식 웃었다.

"흠, 나는 바다에 가본 적도 없는데." 나는 모두의 관심을 한 몸에 받는 탱탱볼이 부럽다는 듯 내뱉었다.

혼잣말인데도 은재는 내 말에 대뜸 놀랐다. "여기에 살면서도 바다에 가본 적이 없다고?"

나는 고개를 끄덕였다. "그것도 한 번으로 칠 수 있으면 바다에 가본 적은 있지, 내가 이 학년 때. 그런데 남동생이 그렇게 날벌레를 무서워할 줄 몰랐지. 모래사장 뒤의 잔디밭에 돗자리를 깔고 앉은지 얼마 안 되었는데 엄마 품에 안겨 있던 동생이 갑자기 크게 울면서 자지러지더라고. 엄마와 아빠가 아무리 달래도 동생이 진정되지 않고 숨을 컥컥거려서 허겁지겁 돗자리랑 짐을 싸 들고 차로 돌아갔지." 돌담 옆에 세워 둔 차의 문을 열자 바닷바람에 인 모래와 흙먼지가 차 안으로 들이쳤고 엄마는 황급하게 차 문을 닫으며 동생을 끌어안았다. 나는 차가 출발하고 나서야 엄마와 아빠를 쫓아가느라 잔디밭에 신발을 두고 왔다는 것을 뒤늦게 알아차렸지만 동생의 얼굴에서 모래 알갱이를 떼어내는 엄마가 그것까지 신경 쓸

겨를은 없었다. 탱탱볼은 여전히 운동장 위를 떠다니고 있었다. 은재의 안쓰러워하는 눈빛을 느꼈지만 위로받고 싶지는 않았다. 다들 저마다의 사정이 있으니 말이다.

"우리 집에서 바다까지 버스 한 정거장 정도 거리밖에 안 되는데, 가 볼래? 오늘 방과 후에." 은재는 어려운 일도 아니라는 듯 짓궂은 음모를 함께 꾸미는 동조자의 웃음을 지었다. 나는 믿을 수가 없었다. 은재는 지금까지 자신이 살고 있는 동네조차 어디인지 말해 준 적이 없었기 때문이었다.

버스 문이 열리고 나와 은재는 버스에서 뛰어내렸다. 버스 정류장에서 왼쪽으로 조금 걸으니 해수욕장 진입로가 보였다. 해변이라는 것을 증명이라도 하듯 진입로에 들어서자마자 모래에 뒤덮인 보도와 차들이 가득 들어차 있는 주차장이 보였다. 주차장 너머 녹음이 무성한 언덕에 갖은 모양과 색깔의 텐트가 올라서 있었고 굵은 해송이 청량한 그늘을 만들고 있었다. 나와 은재가 걷던 보도는 곧 모래 속에 파묻혔고 우리는 바다가 내보이는 모래사장으로 계속해서 걸어갔다. 운동화를 신었지만 걸을 때마다 부옇게 날리는 모래 알갱이가 신발 안으로 들어와 발가락과 발바닥에 닿는 감촉이 까칠했다. 신발 안에 들어간 모래 알갱이가 신경 쓰여 신발 안에서 발을 이리저리 움직거리다가 이내 포기하고 고개를 드니 바다가 바로 눈앞에 있었다.

"마음껏 봐." 은재의 얼굴이 하얗게 빛났다. 은재는 나를 남겨두고 뒤돌아서서 조금 멀어지더니 어디에서 꺾여서 여기까지 왔는지 알 수 없는 나무 둥치에 앉았다. 내가 바다를 보는 것을 느긋하게 기다릴 태세였다. 은재는 얼굴에 손그늘을 만들고 천천히 주위를 살폈다. 나도 은재를 따라 해변을 둘러보았다. 열 명 정도의 서핑 슈트를 입은 무리가 모래 위에 놓인 서프보드에 엎드리더니 강사의 외침에 맞춰 무릎을 짚으며 앉았다. 서핑이 유행인가? 바다를 보니 헤엄치는 사람들보다 서핑하는 사람들이 더 많은 정도였다. 여름 방학 전임에도 해변에는 벌써 피서객들이 넘쳐났다. 나는 파도가 밀려오는 모습을 바라보았다. 까마득하게 먼바다에서 밀려온 파도는 바로 내 앞에서 잔잔하게 터지는 물거품을 일으키고 모래 위에 젖은 자국을 남겼다. 나는 몸을 돌려 은재를 바라보았다. 은재는 여전히 한 손으로는 손그늘을 만들고 다른 한 손으로는 스마트폰을 보고 있었다. 나는 잠시 망설이다가 운동화와 양말을 휙 벗고 양말을 둘둘 말아 운동화 속에 끼워 넣었다. 그러고는 걸음을 내디뎌 축축한 모래사장 위에 올라섰다. 곧 차가운 파도가 꼬무락거리는 발가락 사이를 파고들어 발등을 적시고 발바닥 주위의 모래를 쓸어 내리며 바다로 물러섰다. 얼마 전 버블티를 마셨을 때 온몸을 오싹하도록 떨게 했던 냉기가 이번에는 발끝에서 머리끝으로 올라와 머리카락이 곤두섰다. 이미 발목까지 젖어 바지가 축축하게 피부에 들러붙었다. 나는 폐에 가득 차도록 숨을 들이쉬고 내쉬며 수평선을 바라보았다. 바다에서 구름이 피어오르는 것처럼 수평선과 구름이 가늘게 이어졌는데 누군가가 구름을 붓에 묻혀서 하늘에 엷게 칠한 것 같았다. 나는 몇 걸음 더 내디뎌 무릎까지 바다에 담그고 바닷속을 들여다보았다. 바닥의 모래까지 내보이는 바닷물이 찰랑거리며 내 무릎을 비벼 댔다. 나는 바다에 손을 집어넣어 손바닥에 물을 모았다. 손 안의 물에 빛이 어리면서 부드럽게 일렁였다. 나는 물에 얼굴을 담그려 손바닥을 들어 올렸는데 떨리는 손가락 사이로 물이 새어 손등과 팔등을 타고 수면에 주르륵 떨어졌다. 물속에 잠긴 다리가 내 것인지 확인하려는 것처럼 허벅지를 한 번 문지른 뒤 나는 숨을 크게 들이마시면서 팔을 쭉 펼치고 벌러덩 누웠다. 온몸에 바닷물이 몰려들어 나를 위로 밀어 올렸다. 작년에 그렇게 투덜거리며 배웠던 생존 수영이 이럴 때 도움이 되다니. 호흡에 따라 내 몸이 바다에 살짝 잠기거나 떠올랐고 하늘에 새가 한가롭게 날 갯짓하며 내 눈 위를 선회했다. 무슨 새일까. 해를 위로 두고 날고 있는 새의 배와 날개 밑에 그림자가 져 새가 검게 보였다. 눈을 감자 눈꺼풀에 내려앉은 따사로움이 망막에 번졌다. 하늘과 바다가 맞닿느라 출렁이는 수면에서 나는 시간을, 기억을 잃어버렸다.

어느 순간 눈을 떠 몸을 일으켜 보니 은재가 입가에 손을 모으고 나를 향해 고래고래 소리 지르고 있었다. 귀에 들어간 물 때문에 무슨 말인지 잘 들리지 않았다. 나는 귀 안의 물을 떨어내며 은재에게 걸어갔다. 은재는 잔뜩 화나 있었다. 내가 모래사장에 올라서자마자 운동화를 내 얼굴에 들이밀며 "어쩌자고 물에 들어간 거야?"라고 소리를 쳤다. 나는 웃어 보려고 했지만 처음으로 은재가 화내는 모습에 움찔했다. 은재는 화를 삭이지 못했다. "갈아입을 옷도 없는데. 같은 육 학년이지만, 너 진짜 철없는 거 아냐?" 은재가 어디에 간다는 말도 없이 책가방을 챙기고 걸어갔다. 나는 발이 젖은 채로 운동화를 신고 한 손에는 책가방을, 다른 손에는 양말을 들고 그야말로 물에 젖은 생쥐 꼴로 성큼성큼 걸어가는 은재를 처량하게 뒤따라갔다. 은재는 집에 도착할 때까지 뒤를 돌아보지 않았다.

우리는 어느덧 철제 현관문 앞에 서 있었다. 문을 열고 들어가니 하얀색 이 층 구옥이 보였고 일 층의 외벽을 따라 이 층까지 시멘트 계단이 이어져 있었다. 은재가 계단을 올라가자 나도 주춤주춤 은재 뒤에 붙었다. 계단을 올라가는 도중에 보이는 일 층 벽은 페인트가 벗겨져 있었고 군데군데 실금이 보였다. 은재는 현관문 옆의 수화기가 달린 인터폰에서 네 자리의 비밀번호를 눌렀는데 은재의 마지막 전화번호였다. 인터폰이 누렇게 변색되어 있었고 오랫동안 쓰지 않은 것 같아서 수화기를 들어도 집 안에 벨이 울리지 않을 것 같았다. 은재는 먼저 거실에 신발을 벗고 올라서더니 나보고 잠시 서 있으라고 말했다. 책가방을 거실 바닥에 내려놓고 부엌 싱크대 옆문으로 들어가 잠시 모습을 감춘 은재는 곧 수건을 한 장 들고 나와 내게 건네주며 일단 발바닥만 닦으라고 했다. 내가 운동화를 벗고 엉거주춤하게 발바닥을 다 닦자 거실로 올라오라고 손짓했다. 은재는 내 가방을 받아 들어 자기 가방 옆에 던져 놓고 나를 욕실로 밀어 넣으며 샤워해야 한다고 말했다.

"옷은 밖으로 내놔. 수건은 거울이 달린 수납함 안에 있어." 문이 쾅 닫혔다. 욕실 안을 둘러보니 작은 욕조가 있었고 그 위에 샤워기가 달려있었다. 샤워 커튼은 거울 쪽으로 젖혀져 있었고 거울에 부착된 칫솔통에 칫솔 두 개와 치약이 꽂혀 있었다. 나는 옷에 모래가 별로 묻지 않은 것에 안도하면서 조심스럽게 욕실 문을 열었는데 문 앞에는 그새 빨래통이 놓여 있었다. 나는 옷을 빨래통에 넣고 얼른 문을 닫았다. 그러고는 욕조 안에 들어가 샴푸를 찾았는데 샴푸는 클렌징 폼과 보디 워시 사이에서 하얀 펌프를 내보이고 있었다. 나는 펌프를 눌러 손바닥에 샴푸를 덜고 샤워 커튼을 쳤다.

다시 욕실 문을 열었을 때 빨래통은 치워지고 개킨 옷가지가 문 앞에 놓여 있었다. 나는 옷을 들고 욕실 안에서 입었다. 옷에서 낯익은 냄새가 났다. 옷을 입고 세면장의 거울을 보니 아마 은재의 잠옷 같았다. 나는 문을 열고 주위를 살피며 천천히 나갔는데 어디선가 세탁기가 돌아가는 소리가 들렸고 옷을 운동복으로 갈아입은 은재가 가스레인지 위에 올려놓은 프라이팬에 계란을 솜씨 좋게 깨뜨려서 떨어뜨렸다. 달궈진 팬 위에서 노른자와 흰자가 익으며 작은 거실은 고소한 기름 냄새로 가득 찼다. 식탁 위에는 벌써 밥과 찬이 차려져 있었다. 아직도 김이 올라오는 흰밥 위에 열무김치와 고추장이 얹혀 있었고 내가 눈치를 보며 식탁 의자에 앉자 은재는 계란이 익는 와중에 참기름 통을 꺼내어 열무김치 위에 참기름을 휙 둘렀다. 그러고는 프라이팬을 식탁 '위로 들고 와 밥 위에 계란 프라이를 하나씩 얹었다. 커다란 꽃잎 무늬가 둘러싸고 있는 하얀 접시 안에는 멸치볶음과 콩자반이 정갈하게 담겨 있었고 유리컵 두 잔에 물도 채워져 있었다. 요리라고는 라면밖에 끓여 본 적이 없었던 나는 은재의 이런 모습이 놀랍기만 했다. 은재는 앞치마를 풀어 식탁 의자 등받이에 걸치고 자신도 의자에 앉았다.

"얼른 먹자." 은재가 숟가락을 쥐며 말했다. 은재는 숟가락으로 계란프라이를 강단 있게 으깨고 흰밥을 푹푹 찔러서 이리저리 뒤집었다. 내가 쳐다만 보고 있자 "뭐해?"라고 말하며 숟가락을 내 손에 쥐여 주었다. 나는 열무 비빔밥을 비비고 한 입 먹었다. 고추장이 많이 들어갔는지 입안이 화끈해서 눈물이 찔끔 났지만 은재에게 불평할 계제가 안 되었다. 나는 유리컵을 쥐고 물 한 모금을 급하게 들이켰다.

밥그릇과 찬그릇이 점차 비워졌다. 은재는 밥을 먹자마자 식기들을 싱크대로 가져가 앞치마를 두르고 설거지했다. 식기들은 설거지 스펀지로 박박 문질러지고 물로 헹궈져 식기 건조대 안에 차곡차곡 쌓였다. 나는 식탁 의자에 그대로 앉아 은재의 등을 쳐다보았다. 설거지를 끝낸 은재는 앞치마를 벗고 커튼을 친 거실 창에 세워져 있던 빨래 건조대를 가져와 펼쳤다. 빨래 건조대는 절도 있게 양팔을 들었다. 은재는 식탁에서도 빼꼼하게 내보이는 세탁기에서 빨래가 끝난 내 옷을 꺼내어 빨래 바구니에 담았다. 빨래 건조대에 걸기 전에 젖은 옷들을 허공에서 탁탁 치는 은재에게 내가 빨래를 널겠다고 말할 새가 없었다. 옷들은 순식간에 빨래 건조대에 걸려서 축 늘어졌다. 은재는 빨래 건조대를 다시 거실 창 쪽으로 밀어 넣고 그제야 나를 바라보며 말했다. "우리 집이야."

부엌 겸 거실 하나, 방 둘, 화장실 하나, 다용도실 하나. 단출하지만 집 안은 정돈되어 있었고 깨끗했다. 부엌의 불투명한 창문으로 뿌연 햇빛이 들이쳤고 그 때문에 장판이 깔린 바닥이 만질만질하게 보였다. 은재가 한숨을 쉬더니 이불이 깔린 자기 방으로 들어가자고 말했다. 나는 어정쩡하게 은재를 따라 작은방으로 들어갔다. 책상 하나, 책장 하나가 좌우 벽에 붙어 있었고 가운데 벽에는 역시 불투명한 유리가 끼워진 창문이 있었다. 책장에는 교과서와 문제집이 빼곡하게 꽂혀 있었는데 어디선가 봤던 소설도 보였다. 방바닥에는 이불과 요가 깔려 있어서 발가락을 슬쩍 밀어 넣어 보았는데 보드랍고 포근했다. 바닥이 차가워서 여름에도 그다지 덥지는 않단다. 나와 은재는 요가 밀려 주름지지 않게 조심하며 이불 속을 파고들었다. 나는 이불 안에 들어가자마자 습관적으로 베개를 끌어당겨 누웠고 은재는 나를 보며 벽에 등을 기댔다. 형광등을 켜지 않아서 그런가. 방에 들어찬 잔광에 기운이 없었다.

"오늘 집에 늦을 것 같으면 지금이라도 엄마한테 전화해야 하는 거 아냐?" 은재가 걱정스럽게 물었다.

나는 엄마에게 전화하는 것이 내키지 않아 눈만 내려뜨렸다. 은재는 한동안 내 대답을 기다리다 내가 말이 없자 갑자기 뭔가를 잊어버린 것처럼 이불을 걷어내며 일어나더니 거실로 나갔다. 세탁기에 내 옷을 집어넣을 때 꺼내 놨었는지 내 스마트폰을 들고 방으로 돌아와 이불 속에 다리를 집어넣었다. 나는 정신이 번쩍 들었다. 나는 성급하게 스마트폰의 전원을 켜려다가 내 스마트폰을 놓아주지 않는 은재의 손길에 은재의 얼굴을 불안하게 쳐다보았다. 깨진 액정으로 물이 들어가서 지금 전원을 켜면 안 된다고.

"내 스마트폰으로라도 엄마한테 전화할래?" 은재는 내 얼굴에 자기 스마트폰을 들이밀며 인상을 썼지만 입술은 꽉 물고 있었다.

"괜찮아. 조금 있다 전화하지, 뭐." 나는 우물쭈물하며 은재를 똑바로 보지 못했다. 왠지 전화하면 지금 집으로 들어오라고 할지도 모르는데 옷은 아직 마르지도 않았을 뿐더러 은재와 같은 방에서 이불 속에 있는 이 순간이 좋았다. 은재는 고집 센 아이에게 항복

한 모습으로 굳이 내게 전화하라고 다그치지 않았다. 그러고는 책상 위에 있던 헤어 드라이기를 이불까지 들고 와서 내 스마트폰에 뜨거운 바람을 쐬며 말리기 시작했다. 내가 스마트폰을 말리겠다고 말해야겠다는 생각은 했지만 은재가 스마트폰을 말려 주는 모습을 가만히 보고 있자니 입이 떨어지지 않았다. 교실에서는 늘 펜을 쥐고 쉬는 시간조차 공부하던 은재가 저렇게 집안일을 능숙하게 하다니. 게다가 열무 비빔밥도 맛있었다. 은재는 별다른 말도 없이 헤어 드라이기로 스마트폰의 내부를 말리는 데 집중했는데 스마트폰에 부딪힌 바람이 은재의 머리카락을 흔들어 몇 올이 부드럽게 흩날렸다. 나는 베개에 얼굴을 파묻고 은재를 잠자코 바라보았다. 헤어 드라이기의 소리는 단조로웠고 베개는 폭신했다. 나는 이불을 목까지 끌어올리고 양껏 먹은 비빔밥 때문에 더부룩해진 위장을 손바닥으로 달랬다. 무릎을 살살 펴서 발가락을 은재의 발등에 올려놓았는데 은재는 어이없다는 표정을 지으며 "네가 지금 어리광을 부릴 때냐? 사고만 치고."라고 힐난했지만 가만히 있었다. 형광등의 빛이 가물가물했다. 스마트폰이 잘 마르지 않는지 한참 동안 들리던 헤어 드라이기의 소리가 차츰 작아지고 나는 잠이 들었다.

희고 까만 머리칼

"선생님께서 만들어 주신 차 덕분에 어제 대화를 잘 마무리했어요. 감사합니다." 나는 출근하자마자 설거지하고 핸드 타월 위에 올려놓아 산뜻하게 말린 머그잔을 그에게 내밀었다.

그는 백발을 긁적이며 "아, 그냥 주셔도 되는데."라고 혼잣말하고 머그잔을 양 손바닥으로 받쳐 들었다. 멀끔한 윤기가 높은음자리표 모양의 머그잔 손잡이를 따라 바닥으로 미끄러졌다.

"아이가 차가 너무 맛있었다면서 선생님께 꼭 전해 달라고 부탁하더라고요. 저도 귤차는 처음 마셔 봤는데 금귤이 뜨뜻한 욕조의 물에 몸을 담근 것처럼 차를 마실 때마다 코끝에 싱그러운 향취가 맴돌더군요. 저도 잘 마셨습니다." 나는 다시 한번 고개를 숙였다.

내 표현이 약간은 뜻 모를 과한 칭찬이라고 생각했는지 그는 정수리를 머쓱하게 긁으며 입술을 굵게 오므렸지만 흐뭇한 미소가 입꼬리에서 귓불을 타고 올라 귓바퀴가 조금 벌게졌다. 자신도 얼굴이 달아오르는 것을 느꼈는지 괜스레 남의 머그잔을 감정하는 것처럼 머그잔을 이리저리 돌려보다 교탁 위에 살포시 내려놓았다. "좋은 차를 혼자 마시는 것보다 누군가와 함께 맛보고 상대가 만족하는 모습을 보는 것이 훨씬 기쁜 일이죠. 이유가 뭐든 교실에 자주 찾아오세요. 아무리 직장이어도 일만 하면 너무 각박하잖아요."

"그럼요, 종종 찾아뵐게요." 나는 머그 홀더를 바라보며 대답했다. 머그 홀더에는 나무 막대 여섯 개가 박혀 있었는데 막대마다 다른 원산지가 표기된 잔이 뒤집혀 걸려 있었다. 잔들은 하나같이 방향과 각도를 절묘하게 뒤트는 유려하면서도 각진 선을 내보이거나 색조와 농도가 다른 물감이 서로 배어들면서도 윤곽선에서 날을 세워 눈길을 끌었다. 일견 모순되어 보이는 그림이나 문양도 나란히 새겨져 있었는데 그럼에도 선과 색의 돌연함과 그림과 문양의 상반됨은 서로의 안에서 무심하게 누그러져 자연스러운 윤광을 발산했다. 나는 그중에서도 유난하게 붉고 높이가 야트막한 잔을 살펴보았다. 옅은 코발트색의 부엉이가 눈 때문에 휘어진 가지 위에 앉아 있었는데 부엉이의 눈은 구멍이 뚫린 톱니바퀴 모양의 휘광에 둘러싸여 무언가를 주시하고 있었다. 거센 눈발이 잔을 온통 채웠지만 보드라운 솜털 같은 눈송이는 공중에 정지해 있었고 나무는 우듬지가 깨진 얼음 조각상처럼 보였지만 둥근 가지마다 열매처럼 보이는 단단한 잎사귀를 냈다. 아름다웠다. 하지만 왜 아름다운지는 알 수 없었다. 한참을 바라보다 한낱 잔에도 온갖 의미를 부여하려는 자신을 나무라며 나는 잔에서 눈길을 거두었다.

수증기를 과음하여 비라는 비는 모두 게워 내고 바람에 등을 떠밀려서 비척대던 구름이 발을 헛디뎠는지 왼편의 산등성이가 미끄덩하게 파인 오름에 초목이 돋아 뒷덜미를 내보이는 더벅머리처럼 보였다. 풍비박산하던 폭우와 돌풍은 언제 그랬냐는 듯 홀연하게 모습을 감춘 하늘은 더없이 화창해서 나는 황당하기까지 했다.

"어제 그 학생, 오늘 왔으면 참 좋았을 텐데요." 그도 오름의 정상에 희미한 빛살을 쏟고 있는 하늘을 보며 어처구니없다는 웃음을 지었다.

나는 고개를 끄덕이면서 해열제를 먹고도 오한에 떨었던 오늘 새벽을 떠올렸다. 이렇게 더운 날인데도 나는 홑이불을 부여잡고 밤새도록 오들오들 떨었다. 목소리라도 잠기지 않은 것이 다행이었다. "날씨라는 것이 사람의 마음처럼 종잡지 못하는 것이네요."

그는 뜻밖의 대답을 들었다는 듯 내 얼굴을 새삼스럽게 올려다보았다. "사연 많은 대화를 나누셨나 봐요."

나는 활기차게 재잘거리며 사방으로 날아다니는 새들의 모습을 말없이 보았다. 새들은 이미 지나간 폭우와 돌풍이 이제는 무슨 상관이냐는 듯 축축하게 젖은 밭에 앉아 무언가를 연신 쪼아대고 고개를 까닥이며 주위를 살폈다. 은재는 잘 들어갔을까. 나는 작년 여름 방학에 은재 어머니와 통화하며 나누었던 대화를 떠올렸다. 은재 어머니는 개학일을 불과 이틀을 앞두고 은재가 전학을 가야 한다고 말했었다. 사실은 이미 은재를 전학시켰어야 했는데 은재가 한 학기만이라도 학교를 더 다니게 해 달라고 부탁해서 죄송하게도 이제야 말씀을 드리게 되었다고. 은재가 많이 밝아졌고 은재에게 친절하게 대해 주셔서 감사하다고 했다. 나는 복도에서 낭랑하게 들리던 은재와 설하의 웃음소리를 떠올리고 개학하면 졸업도 머지 않은데 꼭 전학을 보내야 하는지 은재 어머니에게 물었다. 은재 어머니는 갑작스럽게 일을 하게 되어 이미 직장 근처로 이사도 했다고 대답했다. 나는 은재가 전학 가고 나면 은재를 다시 볼 수 없으리라 생각했었다.

"학교 뒤편의 가락봉에는 올라가 보셨어요?" 나는 그의 말을 듣고서야 학교를 품어 안듯이 산자락을 내려뜨리고 있는 오름의 이름을 알았다. 여기에 출퇴근한 지가 벌써 몇 개월인데 학교 인근의 지명을 아직도 모르다니. 그냥 아니라고 대답하면 될 것을 우물쭈물하는 나를 보고 그는 오히려 잘 되었다는 듯 내 어깨를 부드럽게 주물렀다.

"가락봉 정상에 전망대가 있는데 거기에 올라가면 이 주변 일대가 훤히 내려다보여요. 뭐, 장관이랄 것까지는 아니지만 올망졸망 모여 있는 슬레이트 지붕과 불규칙하게 밭을 가르는 돌담에서 나름 한적한 시골의 정취를 느낄 수 있어요. 게다가 학교 운동장에서 아이들이 축구라도 하고 있으면 분주하게 움직이는 개미처럼 보이기도 해요. 경사가 완만하고 산책로가 잘 정비되어 있어서 오르는데 힘들지도 않고요. 제가 저번에 정상에 올랐을 때 시간을 재보니 넉넉하게 잡아도 이십 분 정도 걸리던데, 어때요? 한 번 같이 가실래요?"

나는 오른 다리를 내려다보았다. 최근에 통증을 느낀 적은 없었고 아파트 단지의 조그만 헬스장에서 트레드밀도 매일 타고 있지 않은가. 다리에 무리일 것 같으면 도중에 멈추고 내려가도 될 것이다. 이제는 더 이상 환자처럼 지내고 싶지 않았다. 오름에 오르면 그가 비양도에서 느꼈던 것처럼 마음이 홀가분해질지도 몰랐다.

"올라가 볼 거라면 장마가 시작되기 전에 가보는 것이 좋을 것 같아요. 장마가 끝나면 더운 것도 문제지만 벌레도 제법 극성을 떨거든요. 다음 주 수요일에 한 시간 정도 일찍 출근해서 가보면 어떨까요?" 그는 나를 이미 설복했다는 생각이 들었는지 득의만면한 웃음을 띠었다.

"그래요, 그럼. 올라가 봐요." 나는 등산화가 없어서 밑창이 두툼한 운동화라도 교실에 미리 가져다 두어야겠다고 생각했다. "혹시 준비해야 하는 것이 있을까요?"

"별거 없어요. 오름을 오르기에 편한 복장만 하고 오세요. 나머지는 제가 준비할게요." 그는 내 어깨를 톡톡 치며 만족스러움을 드러냈다.

학교 후문에서 가락봉의 산책로 입구까지 걸어도 십 분이 채 걸리지 않아 이렇게까지 가까웠나 싶어 당황스러웠다. 정해준 선생님은 입구에서 잠시 멈추고 내게 부레옥잠과 수련, 물양귀비 따위가 수면을 무성하게 덮고 있는 연못의 이름과 함께 수원도 알려줬는데 가락봉에 내린 빗물이 땅속을 흘러 이곳에 모이는 것이라고 말했다. 이전에는 오름 방면의 좁은 연못을 식수용으로, 우리가 걸어온 길을 바라보는 넓은 연못을 말에게 먹이거나 빨래터로 사용했었다고. 나는 그가 따로 설명하지 않았다면 연못에는 일말의 관심조차 주지 않고 그대로 산책로에 올랐을 것이다. 그가 말을 마치고 나서 이 정도면 연못에 대한 설명이 충분한지 내게 눈짓으로 물었다. 나는 그의 빈틈없는 노고에 응답하기 위해 짐짓 물가로 걸어가 연못의 생태를 눈여겨보았다. 그도 내 옆에 서서 잠시 연못을 내려다보다 물이 예전보다 조금 탁해졌지만 이제 곧 시작될 장마로 용천수가 연못에 유입될 테니 수질이 한결 좋아질 거라고 덧붙였다. 나는 그의 말에 고개를 끄덕이며 "흠, 그렇겠네요."라고 대답했다.

그는 손바닥을 비비며 "이제 슬슬 올라 볼까요?"라고 쾌활하게 말하더니 산책로의 입구로 향했다. 나는 그의 힘찬 걸음을 뒤따라가며 비록 그가 키는 크지 않으나 나이에 비해 몸이 건실하다는 것을 알아차렸다. 걱정스러운 마음으로 그가 오름을 너무 빨리 오르지 않기를 바랐는데 입구로 걸어가며 올려다본 정상이 눈대중으로도 꽤 높아 보여 이십 분 안에 오르기에는 내게 무리일 것 같았기 때문이었다. 그가 착용한 옷과 신발을 보니 그는 평소에도 오름을 자주 등반하는 것이 거의 확실했다. 그가 걸쳐 입은 점퍼는 덤불이라도 헤쳤었는지 무언가에 긁혀 등에서부터 옆구리까지 올이 일어나 있었다. 그가 낀 장갑의 손가락 끝은 헤져서 살짝 구멍이 나 있었는데 손바닥을 보강하는 두툼한 패드마저 너덜너덜했다. 나는 심란한 마음으로 그의 신발을 내려다봤는데 신발 끈에 진흙이 엉겨 있어 비가 오는 날에도 오름에 올랐거나 질척거리는 진흙 길을 걷는 것은 그에게 아무런 문제가 되지 않았던 것이 틀림없었다. 아니나 다를까 산책로를 딛는 그의 발걸음이 무척 단단했다. 발 디딜 곳을 고르는데 거침이 없고 고르지 않은 경사면이나 꺾어진 나뭇가

153

지와 같은 장애물에도 걷는 속도가 줄어들기는커녕 자세가 흐트러지지도 않아 내게는 벌써 버거운 등반이 그에게는 가벼운 산보처럼 여겨졌다. 그는 큼직한 보폭을 내딛는 와중에도 틈틈이 뒤를 돌아봤는데 내가 생각보다는 잘 따라붙었는지 괜찮냐고 물어보지는 않아서 내가 그에 비해 젊은 나이 때문에 가질 수밖에 없는 자격지심이 들지 않아 내심 다행스러웠다. 하지만 오른 다리가 생각보다 괜찮다는 안도감이 들 무렵 폐가 가슴벽을 치기 시작하자 나는 적지 않게 당황했다. 아직 오름의 절반도 오르지 않은 것 같은데 나는 그에게 짐이 되고 싶지 않아 슬슬 낮게 올라오는 무릎에 손을 짚으면서도 그에게 쉬자는 말을 꺼내지 않으려고 입술을 깨물었다. 점차 숨마저 고르기 어려워지고 땀방울이 흘러들었는지 눈자위가 따끔해지자 주위 풍경이 흐릿해졌다. 땅에서 떨어지는 그의 발뒤꿈치만 바라보며 마른 목에 침을 삼키는데 그의 다리가 우뚝 섰다.

"다리는 괜찮으세요?" 얼굴에 땀 한 방울 나지 않은 그가 나를 돌아보며 평온하게 물었다. 나는 그가 묻는 말이 산소라도 되는 양 그의 질문을 들이마시느라 입으로 대답하지 못했다. 대신 손가락으로 동그라미를 만들며 오른 다리를 살짝 휘저어 보였다.

그는 알아들었다는 듯 고개를 끄덕이고 얼굴을 휘휘 돌리더니 산책로의 오른쪽을 손가락으로 가리키며 "메주 냄새가 풍기는 것 같지 않으세요?"라고 물었다.

나는 그의 손가락 끝을 따라 고개를 돌렸는데 집이 보이지 않았으면 산짐승이 다져놓은 것처럼 보였을 나무 사이의 좁은 산길이 나지막한 등성이의 평지로 이어져 있었다. 평지를 내려다보니 햇볕과 비바람에 노출되어 표면이 거친 십수 개의 항아리가 작은 마당이 뭉뚱그린 듯 모여 있었다. 마당을 둘러싸고 있는 낮은 돌담 너머 중앙에 널따란 통창을 낸 오두막 같은 집이 보였는데 거주하는 사람이 집을 직접 짓기라도 했는지 황토벽이 천장으로 갈수록 안쪽으로 기울었다. 하지만 그 때문에 네 개의 벽이 헐거워 보이는 지붕을 더 단단하게 붙들고 있는 것처럼 보여서 전체적으로 집은 작지만 옹골지게 보였다.

"뜻밖이죠?" 그가 내게 생수가 들어 있는 작은 페트병을 내밀며 말했다. 나는 페트병을 냉큼 받아 들고 뚜껑을 따서 벌컥벌컥 들이켰다. 차가운 물을 너무 급하게 마셔서 머리가 아프고 페트병을 쥔 손이 떨렸다.

"제가 폭설이 내렸던 날에 오름의 분화구에서 하룻밤을 보낸 적이 있었거든요. 사람의 손길이 닿지 않은 눈꽃이 아름답더라고요. 그래서 충동적으로 폭신한 눈 위에 텐트를 박고 커피를 한 잔 마셨는데 분화구를 둘러싼 암벽 때문에 서슬 퍼런 밤이 분화구 안에 순식간에 들어차더군요. 밤새 어디에서 가지가 계속 부러지는지 탁탁 하는 소리가 끊임없이 들려와서 약간 소름이 돋았죠. 제가 뭐라도 품어야 마음이 편했던 모양인지 아침에 눈을 뜨니 랜턴이 침낭 안에 함께 있었는데……." 그가 갑자기 겸연쩍게 웃느라 말을 멈췄다. "제가, 두 팔로 랜턴을 얼마나 세게 안았던지 랜턴의 철사 고리가 휘어져 있더라고요." 그는 부끄러워서 목이 탔는지 물을 한 모금 천천히 입안에 부었다.

"순수한 눈꽃 옆에서 잠을 설치셨군요." 나는 그 상황을 상상해 보려고 노력하며 집의 전경을 바라보고 있었는데 집 주위의 채소를 심은 텃밭에 검은색 지지대들이 촘촘하게 박혀 있었다.

"아침에 텐트를 걷고 분화구를 나오는 길에 눈꽃을 보니 하나같이 가냘픈 빛에 휩싸여 있었어요. 그 여린 눈꽃을 옆에 두고 정작 저는 두려움에 잠을 뒤척였죠." 그는 솔향에 코가 매운 듯 엄지와 검지로 코끝을 매만지더니 물을 한 모금 더 마시고 뚜껑을 닫아 점퍼 주머니에 넣었다. 그 외에 더 챙겨 온 물건이 있는지 다른 한쪽의 주머니가 불룩 솟아 있었다.

"학교에 버스로 다니시죠?" 그는 이미 알면서도 물어보았는데 아무래도 화제를 돌리고 싶었던 모양이었다.

"네. 그런데 호우 경보가 내렸던 날에 버스를 타느라 된통 고생해서 아무래도 중고차라도 알아봐야 하나 생각하고 있어요." 나는 아침부터 별말을 다 한다고 방정맞은 내 입을 속으로 나무랐다. 그는 중고차 구입에 관해서는 자신의 견해를 경솔하게 밝히고 싶지 않았던 듯 별다른 대꾸를 하지 않았다.

"그러면 마저 올라 볼까요?" 그는 이번에는 손바닥을 가볍게 마주쳤다.

지금까지는 멍석이 평평하게 깔린 완만한 경사로였는데 나무 계단이 시작되면서 경사가 조금 급해졌다. 하늘을 가리는 소나무의 빽빽한 이파리가 비록 아침이지만 목덜미를 찌르는 햇빛을 막아 주기에는 역부족이었다. 소나무 사이로 수종이 다른 나무들이 보였는데 벚나무 정도만 알아볼 수 있을 뿐 다른 나무들은 이름조차 떠올릴 수 없었다. 이제는 나무 계단을 오르느라 내 걸음 속도에 맞춰 동행하는 그가 내 얼굴과 나무들을 번갈아 보더니 나무들이 보일 때마다 손가락으로 가리키며 이름을 하나씩 알려주기 시작했다. 가시나무, 측백나무, 태산목, 후박나무, 배롱나무, 느티나무, 청단풍. 그의 입에서 끝도 없이 나무들의 이름이 튀어나왔다. 나는 문득 그의 옆얼굴을 바라봤는데 내가 그에게 호감을 느낀 이유를 깨달았기 때문이었다.

"저건 백철쭉이에요. 꽃송이가 탐스럽죠?" 그는 걸음을 멈추지 않고 꽃잎의 끝을 손가락으로 가볍게 쓸었다. "다 왔어요, 이제."

이 소소한 등반이 점차 막바지에 접어들고 있는지 그는 걸음을 서둘렀다. 나는 굳이 그를 쫓아가지는 않았는데 그가 금세 멈추고 잔디밭에 박혀 있는 나무 기둥 위에 손을 올린 뒤 돌아서서 나를 내려봤기 때문이었다. 나무 기둥에는 오름 정상까지 팔십 미터라고 적혀 있는 푯말이 가로 방향으로 박혀 있었다.

"글자 그대로 정상이 코앞이네요." 나는 멈춰 선 그를 따라잡았다.

"뛰어가면 우리 나이에도 이십 초가 걸리지 않을 거예요." 물론 그는 뛰어가지 않을 것이다.

나는 정상을 올려다봤는데 일전에 들었던 전망대는 아직 보이지 않았고 빗자루로 쓸어서 한데 모아 둔 보풀 같은 구름만 하늘에 걸려 있었다. 우리는 정상까지 마저 올랐다. 정상에는 생각보다 큰 규모의 전망대가 있었고 그 주위에 네 개의 벤치가 있었는데 해의 위치를 보니 방위를 맞춘 것도 같았다. 전망대 입구 앞에 박혀 있는 벤치 뒤로 등고선이 그려진 지도가 보였는데 정상까지 여러 경로의 산책로를 보여주는 위치 안내도였다. 나는 우리가 내려다보았던 연못에서 시작하여 현 위치라고 표시된 곳까지의 붉은 줄을 죽 바라보았다. 우리가 올라온 산책로를 표시하는 등고선의 간격이 가장 넓었다.

나는 헛웃음을 터트렸다. "우리가 올라온 산책로가 가장 완만한 경사로였네요."

그는 내 다리를 슬쩍 훑어봤지만 재빠르게 시선을 전망대로 옮겼다. "여기까지 왔으니 전망대에 올라가. 보죠." 그가 앞장서서 나무 계단을 올라갔는데 발을 디딜 때마다 계단에서 끼익하는 소리가 났다. 나는 바로 그의 뒤를 따랐는데 나도 모르게 난간을 꽉 움켜쥐었다. 전망대는 팔각형의 난간으로 둘러싸여 있었고 광활한 바다가 내다보이는 방향으로 난간과 바닥이 돌출되어 있었다. 나는 심호흡을 내쉬며 그쪽으로 걸어가 난간에 팔꿈치를 걸쳤다. 신선한 볕이 수평선과 지평선을 데우고 있었다.

"괜찮죠?" 그의 얼굴이 해맑았다.

"좋네요. 학교 부근에 이런 곳이 있는 줄은 생각지도 못했네요." 나는 학교를 찾아보았다. 운동장에서 움직이는 뭔가가 보였고 학교 주차장에 다섯 대의 차가 서 있었다.

"대개가 그렇죠. 저도 이곳에 오기 전에 살던 곳은 정작 돌아다니지 않아서 잘 몰라요. 우리는 왜 낯설어야 관심을 가지게 될까요? 사실은 익숙한 곳도 잘 모르는데 말이에요." 그는 왼쪽 주머니에서 뭔가를 꺼냈는데 놀랍게도 반찬통이었다. 반찬통의 뚜껑을 열자 그 안에 여태까지 갇혀 있느라 답답해하던 오이 특유의 냄새가 공기 중으로 달아났다. 그는 어슷하게 썰어진 오이 조각 하나를 집어 내게 내밀었다. 내가 오이 조각을 한 입 깨어 물자 오돌토돌한 돌기가 부서지며 아삭한 식감이 혀에 얹혔고 베어 문 자리에 녹색 빛이 흥건했다.

"학교 뒷마당에 있는 텃밭에서 따온 거예요." 그도 한 입 크게 깨물고 우물거렸다. 우리는 서로 경쟁이라도 하는 것처럼 오이 씹는 소리를 부러 크게 냈다. 내가 급한 마음에 잘게 씹지도 않고 오이를 목구멍으로 넘겨서 컥컥거렸고 그는 반쯤 남은 생수를 다시 내게 건넸다. 나는 한 모금 양의 물을 입에 쏟아 내고 물을 삼켰는데 이번엔 사레가 들려서 거친 기침과 함께 코와 입으로 물을 뿜어냈다. 나는 어처구니가 없어서, 그는 안타까워서 우리는 동시에 웃음을 터트렸다. 오름의 등성이를 타고 봉우리를 넘어가는 싱그러운 바람에 희고 까만 머리카락이 흩날렸고 전망대의 그림자를 걷어내는 햇빛이 나와 그의 얼굴을 점차 홍조로 물들였다.

손가락의 감각

은재는 어깨를 부드럽게 흔들며 나를 깨웠다. 나는 손바닥으로 눈두덩을 문질렀지만 잠은 좀처럼 내 눈에서 떨어져 나가지 않고 눈꺼풀을 끝까지 붙들고 늘어졌다. 눈을 게슴츠레하게 뜨니 형광등빛이 떨어져 눈을 찔렀는데 뭔가 낯설었다. 꺼림칙한 기분에 베개에서 얼굴을 들고 몸을 일으켜 주위를 살폈다. 여기가 어디지? 고개를 꺾어서 무심코 뒤를 바라보니 나무 창틀에 여린 빛이 고여 있었다. 자수가 놓아진 이불 위에 손을 내려놓자 음영이 고르지 않은 그림자가 내 다리의 불거진 형상을 따라 불규칙한 무늬를 그렸다. 은재는 내 다리를 덮고 있는 이불 위에 개어진 옷가지를 내려놓았다.

"입어." 은재는 내 얼굴을 보지도 않고 말했다.

"어?" 목이 잠긴 나는 은재가 생뚱맞게 내미는 옷가지를 보며 멀뚱하게 반문했다.

"입으라고." 은재는 서로를 동그랗게 말고 있는 양말 위에 손을 얹으며 힘없이 역정을 냈다.

"몇 시야?" 나는 스마트폰을 찾으려고 이불의 가장자리를 들추며 은재에게 물었다. 은재는 내가 깨어나자마자 스마트폰을 찾을 거라고 예상이라도 했는지 손에 쥐고 있던 내 스마트폰을 옷가지 위에 올렸다. 나는 스마트폰을 집었지만 여전히 꺼져 있는 스마트폰을 켜 봐도 되는지 알 수 없었다. 나는 날카롭게 함몰된 스마트폰의 귀퉁이에 손가락을 밀어 넣어보았는데 기판의 뾰족한 부품에 닿았는지 작은 벌레가 물어뜯는 것처럼 따끔해서 황급하게 손가락을 빼다가 손톱 끝이 살짝 깨졌다.

"여섯 시." 은재는 여전히 내 얼굴을 쳐다보지 않았다.

"저녁?" 푹 잤던 것도 같은데 온몸이 찌뿌둥했고 머리에 안개가 낀 것 같아서 나는 양손으로 머리카락을 쓸어 넘기며 머리를 가볍게 주물렀다. 나는 은재의 얼굴을 쳐다보려고 했지만 가늘어지는 눈썹 끝만 설핏하게 보였다.

은재는 눈을 질끈 감으며 마침내 고개를 들었다. 그러고는 나를 어찌해야 할지 모르겠다는 듯 난처한 표정을 짓다가 이내 웃고 말았다. "아침 여섯 시야."

나는 손가락 깍지를 끼고 머리 위로 올려서 기지개를 쭉 켰다. 그제야 노곤했던 몸에 조금씩 기운이 들어오는 것 같았다. 내가 은재 방에서 잤구나.

"어젯밤에 스마트폰을 말리다가 나도 잠이 들었나 봐. 눈을 떠보니 이미 날이 밝았더라고. 부모님께서 걱정하실 거야. 내가 버스 정류장에 데려다 줄게."

나는 주섬주섬 옷을 갈아입었다. 옷이 뻣뻣할 정도로 바짝 말라서 빨래 건조대에 널었던 자국이 옷에 그대로 남아 있었다.

"지금 버스를 타면 일곱 시까지는 네 집에 도착할 수 있을 거야." 나는 옷을 다 입고 땅이 꺼질 만큼 한숨을 내쉬었다. 은재의 오른손에 노란 포스트잇의 귀퉁이가 살그머니 비어져 나온 것이 보였다.

"그거 뭐야?" 여전히 이런 상황이 실감나지 않았지만 마음은 서서히 무거워지고 있었다.

"엄마가 어제 자기 전에 내 방문 안쪽에 붙여 놓은 거." 은재는 포스트잇은 보여주지 않고 자기 스마트폰의 통화 내역을 보여주었다. 23시 06분, 23시 07분. 두 통의 부재중 전화가 찍혀 있었는데 둘 다 선생님의 전화번호였다. 내 스마트폰은 전원이 꺼져 있고 은재는 잠이 들어 전화를 받지 않자 선생님은 은재 엄마에게 전화를 했었더랬다. 퇴근길에 은재 엄마가 선생님의 전화를 받았고 방에서 잠들어 있는 나와 은재를 발견했다고.

"엄마가 선생님께 너랑 내가 곤히 자고 있으니 네 어머니가 괜찮으시면 기왕에 재워서 아침에 일찍 너를 집에 보내겠다고 하셨대. 일어나자마자 너를 버스 정류장에 데려다주라고 적혀 있어." 은재는 그제야 손에 쥐고 있던 손바닥 크기의 포스트잇을 내게 보여주었다. 깨알 같은 글씨들이 살짝 구겨져서 생긴 잔금이 가로지르는 종이 위에 잔뜩 붙어 있었는데 글씨체가 단정했다.

나는 은재를 따라 거실로 나갔는데 옆방 문틈 사이로 누군가가 이불 속에 누워 있는 모습이 보였다.

"엄마야. 평일 아침에는 일찍 일어나시지 못해서 주말에나 서로 얼굴 볼 시간이 있어." 은재의 얼굴에 이제껏 보지 못했던 체념과 서글픔의 표정이 어렸다. 매일 학원에서 돌아와 혼자서 텔레비전을 보거나 학교나 학원 과제를 하면서 늦은 밤까지 엄마의 퇴근을 기다리는 은재를 떠올렸다. 나는 어제 응석을 부렸던 내가 부끄러워 갑자기 은재를 쳐다볼 수가 없었다. 나는 허리를 수그리고 반으로 접힌 책가방을 들어 올려 한쪽 어깨에 걸쳤다. 가방에서 모래 알갱이가 거실 바닥으로 몇 개 떨어졌지만 은재는 신경 쓰지 않았다.

문을 열고 계단참으로 나가자 아직은 아침이어서 그런지 날씨가 제법 서늘했다. 전깃줄을 흔드는 바람 속에서 소금기가 뒤섞인 냄새가 물씬 풍겼다. 우리는 계단을 걸어 내려가 현관문을 열고 버스 정류장으로 걷기 시작했다. 은재는 팔짱을 끼고 구부정한 어깨로 내 옆에서 터덜터덜 걸었다. 검은색 고무줄로 머리카락을 묶어 올렸지만 미처 묶지 못한 머리카락 몇 올이 좁은 골목을 따라 부는 바람에 은재의 어깨 위에서 날렸다가 내려앉기를 반복했다. 볼에 핏기가 없이 푸석하게 부어오른 얼굴에 무거운 눈꺼풀이 반쯤 내려와 있었다. 은재는 말하지 않아도 다 안다는 듯 나를 흘겨봤지만 눈가에는 좀처럼 기운이 없어 보였다. "너도 마찬가지야. 집에 가자마자 씻어."

현관문을 열자 경첩이 젖혀지는 날카로운 소리가 집 안의 무거운 정적에 무뎌지다 사라졌다. 신발을 벗고 거실에 들어가니 엄마와 아빠가 식탁 의자에 앉아 있었다. 평소 같으면 학교에 다녀왔다고 소리만 지르고 내 방으로 곧장 들어갔을 테지만 상황이 상황인지라 식탁으로 걸어가 빈 의자에 앉았다. 엄마는 식탁을 말없이 내려다보고 아빠는 손바닥으로 얼굴을 주무르더니 그대로 손바닥에 얼굴을 묻었다. 둘 다 뜬눈으로 밤을 지새웠는지 가늘게 파인 눈가의 주름에 피곤한 기색이 몰려 있었다. 어색한 침묵이 식탁을 감돌았다. 부모님은 내게 무언가를 물어보기 전에 내가 먼저 말하기를 기다리는 것 같았다. 말문을 터 보려고 했지만 메마른 입술은 쉽사리 떨어지지 않았다. 머릿속은 텅 비고, 심장은 두근거리고, 손바닥은 땀으로 축축해졌다. 나는 무슨 말을 먼저 해야 할지 도무지 떠올릴 수가 없었다.

"별일은 없었어요." 입 밖으로 나오자마자 다시 입안으로 기어들어가는 내 목소리가 적막을 깨뜨렸지만 둘 다 여전히 말이 없었다. 아빠가 얼굴에서 손바닥을 떼고 고개를 들어 나를 쳐다보았다. 늘 봐왔던 아빠의 표정. 아빠 앞에서 나는 언제나 실망스러운 딸이 되었다. 어릴 때부터 유난하게 예민하고 까탈스러운 딸. 동생을 돌보느라 녹초가 된 부모님의 처지를 이해하기는커녕 나이에 걸맞지 않게 끊임없이 애정을 갈구하는 딸. 도움이 절실한 동생에게 누나 노릇 따위는 해본 적도 없는 무심하기 짝이 없는 딸.

"지금 네가 제일 먼저 해야 하는 말이 그 말이니?" 아빠는 화를 억눌렀지만 목청이 컸다.

"여보, 큰 소리 내지 마. 둘째 아직 자고 있어." 엄마의 울먹이는 목소리가 아빠를 잠시 진정시켰다. 아빠는 침을 삼켰고 목울대가 잠시 도드라졌다가 들어갔다. 엄마는 식탁에서 휴지 한 장을 뽑아 내어 눈가에 댔다. 그러고는 휴지를 내려 코끝을 살짝 훔치고 그대로 움켜쥐더니 울음기 섞인 한숨이 들리지 않도록 천천히 내쉬었다. 엄마가 어제 퇴근하면서 집에 들어올 때 현관 신발장 옆에 내 신발이 놓여 있지 않은 것이 신경 쓰였다고 했다. 열 시까지 내가 방에 들어온 기미가 없자 예전에 친구와 노래방에서 놀고 늦게 들어온 적이 있어서 혹시나 하는 마음에 전화했는데 스마트폰의 전원이 꺼져 있었더랬다. 열 시가 조금 넘어 아빠가 집에 돌아왔고 아빠는 안절부절못하며 거실에서 서성이는 엄마의 부탁으로 내 방문을 두드려 열었는데 내가 없었다고 했다.

"방에 네가 없는 것을 확인하자마자 지구대에 가출 신고를 했고 경찰 세 명을 태운 경찰차가 너를 찾기 위해 학교를 중심으로 수목원부터 오거리, 심지어는 도청 인근의 로터리까지 한 시간이 넘도록 순찰했다. 네 엄마는 담임 선생님에게 전화했고 선생님은 그 늦은 밤에 학교로 달려가 일람을 뒤져 가며 너희 반 학생들은 물론이고 부모들에게까지 전화했단 말이다. 그때 네가 뭘 하고 있었는지 아니? 너는 친구 집에서 세상모르고 잠에 곯아떨어져 있었다. 만약 선생님이 네가 친구 집에서 자고 있다는 사실을 엄마에게 알려주지 않았다면 우리가 어떤 심정으로 밤을 지새웠을지 상상이라도 해봤니? 그런 심정을 짐작이라도 해보려고 했다면 네가 어떻게 우리에게 그런 말을 처음부터 할 수 있단 말이냐?" 아빠가 식탁 의자를 밀치며 자리에서 일어섰고 그 때문에 식탁 의자가 싱크대 수납함

문에 부딪히며 옆으로 쓰러졌다. 엄마는 아빠의 팔목을 붙잡았다. 엄마의 얼굴이 온통 눈물로 얼룩졌다.

"집에 들어오지 않고도 나와 엄마에게 그런 말밖에 할 수 없다면 이번 여름 방학에는 집 밖에 나갈 수 없다. 네가 좋아하는 방에 틀어박혀 무엇을 잘못했는지 곰곰이 생각해 보거라." 아빠는 식탁을 손바닥으로 짚었는데 손등에 힘줄이 온통 불거졌다.

나는 갑자기 고개를 들어 소리를 지르며 아빠에게 대들고 싶었다. 아빠가 언제부터 저한테 관심을 가지셨어요? 수없이 저녁을 함께 먹으면서도 아빠가 저에게 그날 무얼 했는지 물어보신 적이나 있으세요? 아빠가 저를 칭찬하시거나 격려하시기는커녕 따뜻하게 웃어 주시는 모습조차 기억이 안 나요. 그런데 사고를 치니까 갑자기 자녀에게 관심이 많은 아빠가 되셨네요. 이런 관심이라도 감사해야 할까요? 이 애틋한 가족애에 감동의 눈물이라도 흘려야 할까요? 저는 이제 아빠와는 그 어떤 이야기도 나누고 싶지 않아요! 나는 윗니로 아랫입술을 깨물며 정면만 응시했다. 아빠는 허리춤에 손을 올려 고개를 젓더니 그대로 거실을 가로질러 집 밖으로 나갔다. 엄마가 휴지로 얼굴을 덮고 고개를 숙이며 울음을 참으려 했지만 흔들리는 어깨까지 감추지는 못했다.

엄마는 눈물을 그치고 아빠가 쓰러트린 의자를 다시 세워 놓더니 내게 자초지종을 물었다. 나는 은재와 있었던 일이 마치 몇 년 전에 일어났던 일이라도 되는 것처럼 기억을 하나하나 되짚고 끊어지는 문장으로 말했다. 엄마는 도통 내가 바다에 들어간 이유를 이해하지 못했다. "학교에서 사 학년 애들이 물놀이하는 것을 보고 갑자기 바다에 들어가고 싶어졌단 말이니?" 나는 우리 가족이 단 한 번이라도 화목하게 바다에 가보지 못했다는 사실을 말하지 않았다. 엄마를, 아빠를 원망하고 싶지 않았다. 갑자기 양 무릎이 물에 잠긴 듯 형체가 일그러지기 시작했다. 내 눈에서 눈물이 줄줄 흐르고 턱에서 맺혀 손등 위로 뚝뚝 떨어졌다. 엄마가 무릎 위에서 주먹을 쥔 내 손등 위에 한 손을 포개면서 다른 팔로 내 어깨를 감쌌다. 나는 점차 숨이 거칠어지며 상체를 헐떡였다. 엄마는 내 어깨를 토닥였지만 내 손등 위에 올려놓은 엄마의 손은 떨렸고 여전히 차가웠다.

엄마는 당분간 수업이 끝나면 집에 곧바로 돌아오라고 말했다. 저녁을 편의점에서 먹지 말고 가족과 함께 먹었으면 좋겠다고. "서로가 노력했으면 좋겠구나." 나는 대답 대신 엄마에게 오늘은 학교에 가고 싶지 않다고 말했다. 엄마는 내 등을 손바닥으로 쓸며 나를 한참 동안 바라보았다. 그러고는 조용히 자리에서 일어나더니 스마트폰을 들고 거실로 나가 선생님에게 전화했다.

"어젯밤에 고생이 너무 많으셨죠? 죄송해서 제가 뵐 면목이 없습니다. 네, 다행스럽게도 다친 곳 없이 집에 잘 들어왔는데 설하가 몸이 안 좋아서 오늘은 학교에 가지 못할 것 같습니다. 네, 잘 알겠습니다. 설하에게 선생님 안부 전하겠습니다. 감사합니다."

전화는 일 분도 채 걸리지 않고 끝났다. 엄마는 방에서 동생을 데리고 나와 집을 함께 나서며 늦은 출근을 했다. 나는 방으로 들어갔다. 책가방을 방 한구석에 내려놓고 스마트폰을 책상 위에 던지며 그대로 이불 속을 파고들었다. 커다란 물고기가 나를 한입에 삼킨 듯 순식간에 사방이 캄캄해지고 아직도 울먹이는 내 호흡에 따라 들썩이는 이불이 내 살갗에 미끄럽게 닿았다. 물고기가 아가미를 벌릴 때마다 물고기의 배 속으로 차가운 물이 들어차는 것처럼 이불을 뒤집어쓰고도 내 손과 어깨를 휘감는 찬기 때문에 나는 있는 힘껏 몸을 웅크렸다. 어둠 속에서 숨이 점차 가라앉고 방금 있었던 일이 떠오르지 않을 만큼 편린이 된 기억이 이불 속을 부유하기 시작했다. 나는 물고기의 배 속에 감싸인 채 물고기가 어디로 향하든 그대로 내버려 두었다. 물고기는 꼬리지느러미를 부드럽게 휘저으며 유영했고 그 안은 평온했다.

그 이후에 일어난 일에 대한 내 기억은 흐릿했다. 다음 날 등교한 나는 온종일 정신이 팔린 사람처럼 멍하니 앉아 있거나 책상 위에 엎드렸다. 은재가 옆에 와서 말을 걸어 보려 했지만 내게서 느껴지는 심상치 않은 낌새에 실망한 기색을 감추지 못하고 자리로 맥없이 돌아갔다. 선생님은 쉬는 시간에 나와 은재를 복도로 불러 오늘 점심 식사를 마치면 상담실에 와 달라고 부탁했다. 선생님의 표정은 착잡했고 말투는 신중했다. "무슨 일이 있었는지 선생님이 알아야 하지 않겠니?"

아이들은 걱정과 호기심이 가득한 얼굴로 문을 열고 교실로 다시 들어오는 우리를 일제히 쳐다보았다. 선생님과의 정규적인 상담은 일상적이었지만 선생님이 이렇게 누군가를 교실 밖으로 불러내고 아이들의 시야 밖에서 이야기를 나눈 것은 이례적인 일이었기 때문이었다. 더군다나 선생님의 높은 기대를 무너뜨린 적이 없는 은재를 선망했던 아이들의 시선은 더욱 복잡미묘했다. 아이들이 선생님의 귀에 들리지 않을 만큼 작게 속닥거리는 소리가 정작 내 귀에 수도꼭지를 튼 것처럼 콸콸 들어찼지만 나는 무관심했다.

점심 식사를 마치고 나와 은재는 사 층의 상담실에 들어갔다. 한 여름인데도 상담실 안은 생각만큼 덥지는 않았는데 좀처럼 볕이 들지 않았던 모양인지 조금 퀴퀴한 냄새가 났다. 은재는 의자에 앉자마자 줄곧 상담실의 책상 위를 손가락으로 문질렀는데 그 때문에 책상에 내려앉은 먼지가 손가락에 쓸려 의미 없는 선이 그려졌다. 상담실 청소를 담당하는 아이들이 상담실 바닥은 말끔하게 쓸어 내면서도 정작 책상 위는 한 번 닦지도 않은 것 같았다. 상담실 문밖에서 서둘러 걸음을 재촉하는 발소리가 들리더니 급식 지도를 마친 선생님이 문을 열고 들어왔다. 선생님은 상담 기록부를 책상에 내려놓고 의자를 천천히 끌어내어 나와 은재의 맞은편에 앉았다. 선생님은 자리에 앉자마자 상담실의 시계를 급하게 쳐다보더니 거두절미하고 우리가 바다에 가게 된 경위부터 물었다. 선생님의 연이은 질문에 대부분 은재가 대답했고 선생님은 내게 "은재가 한 말이 맞니?"라고 물었다. 나는 말없이 고개를 끄덕였고 그러면 선생님은 상담 기록부에 무언가를 기록했다. 은재는 세세한 부분까지 모두 기억하고 있었다. 자신이 잠든 시각만 제외하고. 선생님은 은재가 대답했던 내용을 육하원칙에 따라 하나의 줄거리로 만들고 상담 기록부의 내용을 한 문장씩 읽어 주며 자신이 오해했거나 잘못 기록한 사실은 없는지 우리에게 재차 확인했다. 우리 둘 다 고개를 저으며 선생님을 바라보았고 선생님은 상담 기록부를 덮은 뒤 우리를 마주 보았다. 선생님은 우리를 이해하려고 노력하는 것 같았지만 이해했는지는 알 수 없었다. 선생님은 상담실의 시계를 다시 한번 올려다보더니 더 이상 시간을 끌 수 없다는 듯 안쓰러운 어조로 입을 열었다.

"각자의 부모님과 통화를 했는데 여름 방학 전까지는 너희들이 일찍 귀가할 수 있도록 지도해 달라고 부탁하시더구나. 특히 설하는 예전에 은재와 함께 노래방에서 노느라 집에 늦게 들어와서 어머니가 걱정하신 적이 있었다고 들었다. 너희들도 상심이 크겠지만 지금 상황에서는 부모님의 말씀을 잘 따라 주는 것이 서로에게 최선일 것 같구나."

나는 입술을 깨물고 은재를 바라보았다. 시종 책상 위에 그린 손가락 굵기의 희끄무레한 선을 바라보던 은재의 눈언저리가 경직되어 보였다. 선생님은 이번 일로 우리의 우정이 손상되지 않았으면 좋겠다고 덧붙이고 나더러 교실에 먼저 가보라고 말했다. 나는 은재보다 앞장서 교실로 성큼성큼 걸어가 책상 위에 팔을 포개고 얼굴을 옆으로 파묻었는데 복도에서 선생님이 심각한 표정으로 은재에게 무언가를 물어보는 모습이 보였다. 은재는 자신도 잘 모르겠다는 듯 고개를 도리도리 저었다. 선생님이 은재를 놔 주자 은재가 교실 뒷문으로 향했고 나는 고개를 바닥으로 기울여 은재를 보고 있던 눈을 마저 감췄다. 곧 누군가가 내 등에 손을 올려놓았지만 따스한 손가락 끝의 감각만을 남기며 서서히 떨어졌다. 며칠 뒤 여름 방학이 시작되었다.

여름 방학의 첫날부터 나는 그야말로 방에 틀어박혀 방 밖으로 나가지 않았다. 늦게 잘 수 있을 만큼 늦게 자고 늦게 일어날 수 있을 만큼 늦게 일어났다. 눈을 뜨고 나면 커튼의 틈새를 비집고 들어오는 환한 빛살이 천장을 대각선 방향으로 가로질러 시각을 좀처럼 알 수 없는 해 시계의 시침을 보는 듯했다. 나는 침대에서 일어나서 책상으로 걸어가 책상 위에 엎어져 있는 스마트폰을 무심하게 내려다보았다. 스마트폰은 여전히 전원이 꺼진 채 화면이 캄캄하고 오른쪽 상단 귀퉁이부터 시작되는 호 모양의 금이 날카로운 광택을 내비쳤다. 전원 버튼을 눌러보았지만 먹통이었다. 나는 책상 서랍을 열어 스마트폰을 던져 넣었다. 스마트폰이 서랍의 바닥에 부딪히며 미세하고 모난 유리 파편들이 서랍 안에서 튀었다. 아빠와 화해하면 스마트폰을 고쳐 주마. 엄마는 내심 이번 기회에 음악을 듣느라 새벽에서야 잠이 드는 내 습관도 고치려는 것 같았다. 이것도 관심이라면 관심이라고 할 수 있겠지. 나는 코웃음을 치며 차라리 스마트폰을 고치지 않기로 결심했다. 서랍을 밀어 쾅 닫자 닫힌 서랍 안에서 스마트폰이 어딘가에 부딪히는 소리가 둔탁하게 새어 나왔다. 나는 책장에서 책등이 유난히 튀어나와 있는 커다란 책을 꺼내어 책상 위에 놓았다. 작년에 현장체험학습을 갔을 때 샀던 화집이었다. 목적지를 향하는 버스 안에서 마이크를 쥔 선생님이 뒤를 돌아보며 더 이상 사용하지 않는 벙커의 벽과 바닥에 빛으로 비추는 그림을 감상할 예정이라고 설명할 때 나도 다른 아이들만큼이나 아무런 흥미나 관심도 없이 좌석에 시큰둥하게 앉아 있었다. 버스는 벌써 한 시간째 달리고 있었고 몇 번이나 지나쳤는지 알 수 없는 똑같은 모양의 오름과 거대한 날개가 돌지 않아 고장 난 것처럼 보이는 풍력발전기의 수를 세는 사이에 눈이 몇 번 감겼다. 버스가 메마른 낙엽을 부스러뜨리며 수풀이 우거진 샛길을 올라가 뿌연 먼지가 날리는 주차장에 멈춰 섰을 때 나는 유리창에 머리를 부딪쳤고 그제야 내가 졸고 있었다는 것을 알았다. 우리는 버스에서 내리자마자 우리 말고도 다른 관람객도 있으니 건물 안에서 소리 지르거나 뛰어다니지 않도록 몇 차례 주의를 받고 선생님을 따라 전시관으로 향했다. 전시관의 내부 입구 앞에서 멈춰 선 선생님은 자신이 먼저 나가 출구 밖에서 기다릴 테니 우리더러 한 시간 동안 자유롭게 관람하고 밖으로 나오라고 큰 목소리로 안내했다. 그러고는 입구에 처진 암막을 젖히고 전시관 안으로 들어가 먼저 사라졌다. 아이들도 웅성대며 하나둘 선생님을 따라서 암막 안으로 들어가기 시작했다. 내가 들어갈 차례가 되어 암막을 젖혔는데 암막이 생각보다 무거워 왼팔로 힘껏 밀치고 들어간 나는 예상치 못한 어둠 속에서 눈과 귀로 쏟아지는 휘황찬란한 빛과 느닷없는 굉음에 정신이 혼미해졌다. 실내는 캄캄하여 먼저 들어간 아이들은 어둠 속으로 자취도 없이 사라졌고 실루엣으로만 보이는 관람객들은 천천히 걸으며 쉴 새 없이 움직이고 바뀌는 그림들이 비치는 벽 앞에 서 있거나 바닥에 앉아 있었다. 건물의 끝이 가늠되지 않는 수십 미터 길이의 벽과 바닥에 온통 빛을 발하는 물감들이 뿌려졌다가 순식간에 거두어졌고 그 짧은 시간 사이 빔프로젝터의 잔광에 생겨난 내 그림자만 홀연하게 남겨졌다가 그 위에 새로운 빛의 물감들이 쏟아졌다. 나는 벽을 따라 천천히 걸으며 그림들을 감상했다. 그림 안의 인물과 사물, 배경이 분리되어 요동치는 음악에 따라 벽과 바닥을 타고 움직이는 것이 신기했다. 인물들은 눈을 깜빡거리고 고개를 틀며 관람객을 응시했다. 탐스러운 꽃들이 바람에 흩날리고 꽃잎들이 떨어진 연못에 잔물결이 일었다. 건물의 붉은 문이 열리고 천장에 매달린 샹들리에가 멀건 빛을 떨어뜨렸다. 나는 밤에 차의 조명을 우두커니 바라보다 엄마를 놓친 아이처럼 벽을 보고 바닥을 밟다가 갑작스럽게 멈춰 섰다. 처음에 눈에 들어온 것은 말라비틀어진 가지 같은 손가락이었다. 내 시선은 손가락에 한참을 붙들려 있다가 나도 모르게 서서히 시선을 올렸다. 이내 쓰러질 고목의 둥치처럼 이마를 내밀고 턱을 끌어당겨 기울어진 얼굴이 목덜미 한가운데 곧추세워져 있었고 이마 위로 머리카락이 질긴 생명력을 발산하는 잡초인 양 내뻗고 있었다. 얼굴의 한가운데 희번덕이는 눈이 눈썹을 추켜세우더니 커다란 눈꺼풀을 내렸다가 올렸다. 짧은 수염 밑의 두툼한 윗입술과 아랫입술이 아무것도 말하고 싶지 않다는 듯 단단하게 맞물렸다. 나는 한참이나 차가워 보이는 그의 얼굴을 쳐다보았는데 그는 화났지만, 슬퍼 보였다. 내가 잠시 생각에 잠기는 찰나 물감이 증발하며 그림이 사라지더니 곧 붉은 곱슬머리의 소녀가 나타나 커다란 눈동자를 떨어뜨리며 나를 내려다보았다.

관람을 마치고 출구를 열어 다시 긴 복도로 나왔을 때 복도의 끝에서 어둠이 점차 옅어졌다. 나는 넋을 잃은 사람처럼 복도를 걸어가 진열대에 놓인 수많은 기념품들 중에서 그의 그림이 실려 있는 화집을 집어 들었다. 화집을 사고 나면 열흘 정도는 편의점에 갈 수 없겠지만 상관없었다. 화집을 매대에 올리자 바코드 스캐너를 쥔 직원이 나를 의아하게 내려다보았다. 왜냐하면 분노와 우울로 점철된 그림이 바코드를 찍기 위해 그가 들고 있는 화집을 올려다보는 초등학생에게 감화를 줄 것으로 생각하기는 어려웠기 때문이었다.

화집을 집에 가져오자마자 나는 연필과 스프링 노트를 꺼내 놓고 화집을 처음부터 한 장씩 넘기며 그림들을 찬찬히 살펴보았다. 그림 전체를 훑어보았지만 마지막으로 눈길이 머무는 지점은 언제나 인물의 손이었다. 하필이면 왜 손에 매료되었는지 나는 몰랐다. 처음부터 그림 전체를 따라 그리기에는 엄두가 나지 않았을 수도 있었다. 따라서 그릴 그림을 고르고 나면 나는 열에 들뜬 사람처럼 연필을 그러쥐고 종이 위를 북북 문지르며 그림 속 인물의 손을 따라 그리기 시작했다. 손은 발목 위에서 포개지거나 허벅지 옆에 늘 어뜨려져 있었다. 검은색 머리카락 안에 반쯤 파묻히기도 하고 혼탁한 남색의 옷감을 살포시 쥐고 있기도 했다. 팔목을 꺾어 바닥을 짚거나 손등이 내보이도록 뒤집기도 했다. 옆에 누워 있는 사람의 목덜미 위에 얹거나 볼과 귀를 함께 쓸어내리기도 했다. 한차례 폭설이 내리고 내 방 창문이 뿌연 수증기로 뒤덮였을 때 화집에 있는 손이란 손들은 모두 따라 그렸고 비로소 인물의 얼굴이 눈에 들어오기 시작했다. 마침 두 달간의 길고 긴 방학의 낮과 저녁의 시간을 매만지며 나는 그림들의 얼굴을 따라 그리기 시작했다. 선 하나마저도 똑같이 그리기 위해 내 눈은 연필의 행적을 집요하게 쫓았고 연필을 쥔 손가락의 힘을 세심하게 조정했으며 선의 두께와 질감에 변화를 줄 때는 호흡을 멈추거나 가다듬었다. 그림을 완성하면 스프링 노트를 창가에 기대 놓고 한참을 들여다보았다. 무엇인지 정확하게 집어낼 수 없었지만 눈살을 찌푸리게 하는 무언가가 거슬렸고 그 때문에 석연치 않은 기분이 들었다. 그러면 나는 같은 얼굴을 다시 그리기 시작했고 어느새 문득 정신을 차려 보면 창문 앞에서 웅크리고 있는 밤의 한기에 창문의 수증기가 떨며 검게 물들어 있었다. 나는 내가 무엇을 했는지 기억하지 못했다. 그저 책상 위에 완성하지 못한 얼굴이 덩그러니 놓여 있을 뿐이었다.

방학 중 외출 금지로 편의점에 가지 못하게 되면서 뜻하지 않게 돈을 모으게 된 나는 엄마에게 미술 용구를 사 달라고 부탁했다. 엄마는 내 말을 듣더니 잠시 아빠와 이야기를 나눴고 아빠는 내게 등을 돌린 채 엄마에게 고개를 몇 번 끄덕였다. 나는 엄마가 사 들고 온 미술 용구를 책장 옆에 대충 쌓아 둔 채 책상과 침대 사이에 이젤을 세우고 화판을 올렸다. 책상 의자를 이젤 앞으로 끌어당기고 종이를 한 장 집어 들어 화판 위에 놓았다. 나는 화집을 침대 위에 펼쳐 놓고 화집과 종이를 번갈아 바라보며 그림을 그려도 목이 불편하지는 않은지 점검했다. 그렇게 그림을 그리기 위한 만반의 준비가 끝났다. 이제껏 손과 얼굴만 그렸지만 지금부터는 그림에 등장하는 인물의 전체 모습을 모두 그릴 생각이었다. 나는 연필을 잡았다. 그리고 화집을 흘낏 보며 기울어진 이마의 선을 천천히 따라 그리기 시작했다.

시큰한 통증

우리는 아침 식사를 마치고 밖으로 나갈 채비를 했다.

"온종일 집 안에 갇혀 있는 것보다 밖에 나가서 바람이라도 쐬고 오는 게 낫지 않을까?" 설거지를 끝내고 싱크대의 가장자리에 고무 장갑을 걸치며 아내가 말했다. 나는 식탁 매트를 수납함에 올려놓 으며 싱크대에서 돌아서는 아내를 향해 고개를 끄덕이고 소파를 바 라봤는데 그 위에는 스마트폰의 충전 케이블만 덩그러니 놓여 있었 다. 나는 들고 있던 물티슈를 반으로 접어 식탁을 마저 닦아내고 휴지통에 버리려다가 그대로 멈춰 섰다. 휴지통이 쓰레기로 가득 차서 입구 위로 레토르트 식품의 뜯긴 포장지가 잡초처럼 비죽 솟 아있었다. 나는 휴지통의 뚜껑을 벗겨 내고 종량제 봉투의 손잡이 를 힘껏 잡아당겨 휴지통에서 쑥 빼냈다. 그러고는 비어져 나온 쓰레기를 봉투의 안으로 밀어 넣고 입구를 단단하게 묶어 다용도실 벽에 세웠다. 플라스틱 용기와 유리병 분리수거를 위해 따로 마련한 두 장의 대용량 비닐봉지도 웬만큼 찼는지 불룩해진 배가 다용도실 바닥에 늘어져 있었다. 나는 종량제 봉투와 함께 버릴 요량에 플라스틱 용기들로 가득 찬 비닐봉지를 가볍게 흔들어 비닐봉지 안의 내용물을 모으고 비닐봉지 손잡이를 살짝 묶었다. 유리병 분리수거를 위한 비닐봉지도 들여다봤는데 온갖 라벨을 허리에 둘러맨 맥주병들이 혼잡하게 쓰러져 있었다. 한때 맥주의 청량한 목 넘김으로 긴장을 풀며 하루를 마무리하던 나는 이제는 선잠이 두려워 맥주를 좀처럼 마시지 않았지만 한창 마실 때와 다르지 않게 비닐봉지 안에는 여전히 맥주병들이 수북했다. 나는 비닐봉지 안에서 맥주병들을 하나하나 세우고 비닐봉지 입구가 천장을 향해 오므려지도록 한 번 들어 올려 플라스틱 용기를 담은 비닐봉지 옆에 놓아두었다. 아침에 일어나자마자 거실에 빛이 들이치도록 내가 천장 끝까지 올린 블라인드가 그새 바닥까지 내려져 거실 창밖의 날씨를 가늠할 수가 없었다. 나는 바닥에서 뒹굴며 학습 만화책을 읽고 있는 작은딸을 지나쳐 거실 창으로 걸어가 블라인드 옆을 들췄다. 찌뿌둥한 회색빛이 거실 창을 통과하지 못하고 창틀에 달라붙어 있었다. 나는 창에서 시선을 떼고 아내를 돌아보았다. 오늘따라 유독 낮아 보이는 천장 밑에서 아내는 날씨가 어떻든 밖으로 나갈 태세였다. 우리는 짧은 상의 끝에 내가 쓰레기와 플라스틱 용기, 유리병을 아파트의 분리수거장에 버리고 올 동안 아내는 작은딸의 머리를 묶고 옷을 입히기로 했다.

나는 운동복을 대충 걸치고 모자를 썼다. 그리고 왼손으로는 종량제 봉투와 플라스틱 용기가 든 비닐봉지를, 오른손으로는 유리병이 든 비닐봉지를 움켜쥐고 분리수거장으로 향했다. 아파트 현관문을 열고 계단에 내려섰더니 몸이 무거운 구름이 온통 하늘을 뒤덮고 있었고 질퍽한 바람이 나뭇가지와 이파리를 파르르 흔들었다. 나는 놀이터를 가로질러 분리수거장으로 서둘러 걸어갔다. 날씨 탓인지 거북이 모양의 놀이 기구가 우중충하게 보였는데 거친 파도가 이는 바다에서 모래밭으로 기어 올라오느라 기진맥진해진 몸을 내려놓은 것 같았다. 회색 분리수거함에 종량제 봉투를 집어넣고 유리병을 담았던 비닐봉지에서 유리병들을 하나씩 꺼내어 흰색 분리수거함 안에 넣었다. 그러고는 플라스틱 용기를 담았던 비닐봉지의 매듭을 풀어 초록색 분리수거함에 플라스틱 용기들을 쏟아 냈다. 플라스틱 용기들이 분리수거함에 한꺼번에 떨어지면서 후드득하는 소리를 냈는데 그때 분리수거함의 바닥을 받치고 있는 바퀴 옆에서 고양이 한 마리가 고개를 내밀었다. 나는 텅 빈 비닐봉지를 마구잡이로 뭉쳐서 비닐봉지만 따로 모으는 함에 담으려다 말고 고양이를 내려다보았다. 분리수거함과 바닥 사이에 몸을 밀어 넣을 정도면 태어난 지 얼마 되지 않은 새끼 고양이일 것이다. 나는 자세히 보려고 쪼그리고 앉았는데 새끼 고양이가 움찔거렸다. 세 줄의 검은색 줄무늬가 이마 위를 가로지르는 고양이털이 꼿꼿하게 세워지면서 눈에는 호기심이, 입에는 경계심이 어렸다. 나는 다시 하늘을 올려보았다. 아파트 옥상 모서리에 걸릴 만큼 내려앉은 구름이 머지않아 비를 쏟아낼 조짐을 보이고 있었다. 나는 그럴 리가 없다는 것을 알면서도 혹시 먹을 것이라도 있나 해서 하릴없이 주머니를 뒤적여 보았지만 주머니는 텅 비어있었다. 나는 미안한 마음에 이마를 쓰다듬어 주려 손을 내밀었고 고양이는 순식간에 고개를 들이밀어 모습을 감췄다. 나는 손에 쥔 비닐봉지를 함에 아무렇게나 쑤셔 넣고 집으로 돌아가기 시작했다. 걸어가는 길에 어미 고양이의 울음소리라도 들릴까 싶어 귀를 기울였지만 거친 포석을 쓸 듯이 딛는 내 발걸음 소리만 귀에 거슬렸다.

현관문을 닫고 거실에 들어가자 아내는 이미 옷을 다 챙겨 입고 작은 몸을 작은 옷에 밀어 넣느라 거실 바닥에서 뭉그적거리는 작은딸을 일으켜 세워 옷을 입는 것을 도와주고 있었다. 작은딸은 금세 티셔츠의 소매와 반바지의 밑단으로 팔과 다리를 쑥쑥 내밀더니 보고 있던 책을 식탁 위에 올리며 의자에 앉았다. 큰딸은 보이지 않았고 방문이 닫혀 있는 걸 보니 아마 방 안에서 옷을 갈아입는 모양이었다. 작은딸은 책장을 걷으며 들뜬 목소리로 "엄마, 우리 어디 가요?"라고 아내에게 물었다. 아내는 두 줄로 땋은 작은딸의 머리카락을 고무줄로 묶으며 귤도 딸 수 있고 맛이 좋은 디저트를 파는 곳이라고 말했다. 작은딸은 귤을 딸 수 있다는 말에 흥분된 기색을 감추지 못했다. 한 달이 넘도록 귤 수확 체험을 해보고 싶다고 나와 아내에게 졸라 왔기 때문이었다. 그럴 때마다 아내는 체험을 하는 것은 문제가 아닌데 딴 귤의 맛이 괜찮을지 걱정했다. 양껏 따고 집으로 가져왔는데 맛이 없으면 먹기도 그렇고, 버리기도 그렇고, 귤을 처치하기가 곤란하기 때문이었다. 하지만 작은딸이 보채는 것을 더 이상 못 본 체하기도 어렵고 이제 유월에 접어들었으니 귤의 당도도 웬만큼 높아지지 않았을까 생각한 것 같았다. 아내는 미리 작은딸에게 나무마다 귤을 하나씩 따서 맛보고 맛이 괜찮으면 딸 수 있을 만큼 따고 맛이 없으면 작은 양동이 한 통 정도의 양만 따자고 말했다. 작은딸도 귤을 먹는 것보다 수확하는 것이 더 원하는 일이었던 모양인지 아내의 말에 주저 없이 고개를 끄덕였다. 작은딸이 나갈 준비를 마치자 아내는 큰딸의 방문을 작게 두드렸다. 그러자 방 안에서 "지금 옷 갈아입고 있으니 지하 주차장에 먼저 내려가세요."라는 말이 방문 밖으로 무감하게 새어 나왔다. 나와 아내는 외출할 때마다 큰딸이 미적대며 준비하는 모습에 익숙해져 있기에 방문 앞에서 큰딸이 나오기를 기다리기보다 차를 지하 주차장 입구에 세워 놓고 차 안에서 큰딸을 기다리는 편이 나을 거라고 이야기를 나눴다. 아내는 청바지 주머니에 자동차 열쇠를 넣고 작은딸은 도착한 곳에서 읽겠다며 학습 만화책을 들더니 조금 고심하다 태블릿PC도 챙겼다. 나는 운동화를 신고 복도로 나가 엘리베이터 버튼을 눌렀다. 엘리베이터가 도착할 즈음 아내와 둘째 딸이 현관문 밖으로 나왔고 우리는 지하 주차장으로 내려갔다.

차는 한 시간을 넘게 달리다 경사진 곁길로 빠지더니 후끈한 열기로 착색된 귤이 내려뜨린 가지들이 주위를 온통 둘러싸고 있는 단층 건물 맞은편에 멈췄다. 우리는 차 안에 갇혀 있느라 굳어진 팔다리를 쭉쭉 내뻗으며 차 밖으로 내렸다. 파란 철제 지붕 밑으로 돌벽 틈새를 시멘트로 메우느라 퍼티로 긁어낸 자국이 남아 있는 시멘트벽에 현무암들이 듬성듬성 드러나 있었고 그 앞에 흰색과 연보라색, 자주색의 수국들이 만발해 있었다. 하귤 수확 체험 농장이라고 적힌 입간판 옆의 고풍스러운 목조 문을 열고 들어가니 문 안쪽에 달린 풍경에서 딸랑거리는 소리가 났고 이내 직원이 웃으며 매대로 다가왔다. 귤 수확 체험을 한다고 하여 귤 저장고 정도를 떠올렸던 나는 이전 건물의 골조를 그대로 살리면서 낡고 오래된 분위기를 연출하는 소품과 가구가 적재적소에 배치된 카페 내부의 모습에 조금 놀랐다. 우리의 주문을 기다리고 있는 직원 앞에서 아내는 커피나 다과를 미리 주문해야 체험을 무료로 할 수 있다고 내게 말했다. 아내와 내가 음료를 고르기 위해 매대 위에 놓인 메뉴판을 보고 있는 동안 냉장 진열장 안을 들여다보던 큰딸은 체리 잼이 발라진 치즈케이크를, 작은딸은 귤 모양의 양갱을 골랐다. 아내는 주문을 마치고 나서 내게 귤을 함께 따겠냐고 물었는데 나는 짐이나 자리를 지킬 사람도 필요하니 커피를 마시면서 앉아 있겠다고 대답했다. 아내는 별다른 기대도 하지 않았던 듯 두 명만 체험할 거라고 직원에게 재빠르게 말했고 직원은 바로 손잡이가 생선 머리를 닮은 전지가위와 노란 페인트로 코팅된 목장갑, 작은 은색 양철통을 아내에게 건네주었다.

"귤 따는 법을 알려드릴까요?" 직원은 작은딸의 손가락에서 전지가위를 조심스럽게 빼내어 가윗날이 양철통의 바닥을 향하도록 집어넣었다.

"괜찮아요. 친정에서 귤을 몇 번 따 봐서요." 아내는 작은딸의 손에 목장갑을 끼웠다. 작은딸이 목장갑을 낀 손을 펼쳐 내게 흔들었는데 목장갑이 야구 글러브처럼 보였다.

"자녀가 전지가위를 사용할 때는 반드시 어머니께서 옆에서 지켜

봐 주세요. 가끔 손가락을 다치는 어린이가 있어서요. 카페에 연고가 있지만 다치지 않는 것이 서로에게 최선이니까요." 아내는 고개를 끄덕이고 양철통을 들더니 매대 옆에 있는 문을 열어 곧장 귤밭으로 나갔다. 문이 닫히면서 코를 찌르는 쌉싸름한 귤 향이 축축한 흙냄새와 뒤섞여 카페 안으로 딸려 들어왔다. 나는 뒤늦게라도 아내와 작은딸을 따라나설지 잠시 고민했는데 직원은 내가 추가로 주문할 것으로 생각했는지 내 얼굴을 빤히 바라보며 내 말을 기다렸다. 나는 직원이 오해하는 것이 불편하여 그만 돌아서서 카페 안으로 걸음을 옮겼다. 큰딸은 내부를 둘러보며 앉을 만한 자리를 찾다가 커다란 격자창 옆에 놓인 낡은 피아노를 지나쳐 제일 안쪽 테이블의 의자에 앉았다. 그러고는 스마트폰을 꺼내어 양손으로 쥐고 엄지로 화면을 바쁘게 눌렀다.

"음료 나왔습니다." 직원이 외치는 소리에 조금 놀란 내가 매대로 갔더니 내가 미처 가져가지 않은 진동 벨이 매대 위에 그대로 놓여 있었다. 직원은 웃으며 쟁반을 내 쪽으로 살짝 밀었다. 헤링본 무늬로 조립된 나무 쟁반에 커피와 초코라떼, 케이크와 양갱이 담긴 잔과 접시가 살포시 올라서 있었다. 나는 쟁반을 조심스럽게 들어 큰딸이 앉아 있는 테이블로 걸어갔다. 쟁반을 내려놓고 잔과 접시를 테이블 위로 옮긴 뒤 큰딸 옆에 약간 간격을 두고 앉았다. 큰딸은 웹툰 삼매경에 빠져 있었다. 나와 큰딸이 앉은 의자는 등받이가 없어서 앉으면 벽에 등이 닿았는데 자리마다 놓인 큼직한 쿠션 때문에 불편할 정도는 아니었다. 나는 쿠션을 이리저리 움직여서 허리를 편안하게 받치고 고개를 오른쪽으로 향했는데 구멍을 내느

182

라 부순 흔적이 그대로 남아 있는 외벽에 커다란 유리가 끼워져 있
었다. 창밖으로 귤밭이 보였는데 나무 사이로 흙에 반쯤 파묻힌 판
석들이 점차 작아지며 밭 안쪽으로 굽은 길을 내었다. 작은 딸은
판석 위에 서서 귤 꼭지에 전지가위를 들이댔는데 가위질이 영 어
설펐는지 꼭지에 흠집만 내고 가윗날이 미끄러졌다. 그 모습을 지
켜보던 아내는 가윗날이 꼭지와 수평이 되도록 작은딸의 손을 감싸
쥐었다. 마치 머리카락의 끝을 자르는 미용사처럼 작은딸의 팔이
미칠 수 있는 높이에 매달린 귤을 함께 따다가 아내가 양동이를 들
더니 둘 다 나무 뒤로 사라졌다. 한동안 아내와 작은딸의 모습이
보이지 않는데 갑작스럽게 뭐가 놀라운지 작은딸의 짧은 탄성과
묵직한 귤이 양철통 바닥에 부딪치는 소리가 유리창을 투과하여 희
미하게 들렸다. 나는 그제야 누그러지는 긴장감에 마음을 내려놓으
며 창 밑에 놓인 소품을 바라보았다. 선반 가운데에는 손잡이로 돌
리는 테가 달린 구리 재질의 재봉틀이 비스듬하게 놓여 있었고 오
른편에는 올이 굵은 실타래가 담긴 바구니가 고즈넉하게 자리를 차
지하고 있었다. 언뜻 보기에도 재봉틀이 너무 구식이라 갑작스럽게
재봉틀의 생산 연도가 궁금해진 나는 재봉틀의 표면을 주의 깊게
살피며 커피를 한 모금 마셨다. 뜨겁고 진한 커피가 달콤하고 폭신
한 크림을 밀어젖히며 입안에 들어왔고 크림 위에 뿌려진 계핏가루
향에 코끝이 매웠다. 점자책을 읽는 것처럼 먼지가 쌓인 재봉틀의
표면까지 손가락으로 쓸어가며 어딘가에 각인되어 있을 생산 연도
를 찾았지만 결국 찾지 못하고 나는 잔을 내려놓았다. 그러고는 테
이블 밑으로 발을 쭉 뻗어 쿠션에 등을 파묻었는데 몸이 물속에 잠

기는 것 같은 나른함이 몰려와 뜻밖에 졸음이 쏟아졌다. 여전히 스마트폰의 스크롤을 엄지로 내리고 있는 큰딸의 옆모습이 차츰 뒤에 지며 나는 눈을 감았다.

나는 뻐근한 목덜미를 세우며 눈을 떴다. 어느새 아내와 딸이 돌아와 테이블 반대편에 앉아 있었다. 손등으로 눈꺼풀을 문지르며 창밖을 내다보았더니 굵은 빗줄기가 유리창에 투명한 사선을 긋고 있었다. 케이크와 양갱이 놓여 있던 접시는 부스러기만 남은 채 비어 있었고 아내의 잔도 바닥을 드러내고 있었다. 작은딸은 태블릿PC로 게임을 하느라 여념이 없었는데 게임 소리가 거슬렸는지 아내는 태블릿PC의 볼륨 버튼을 몇 번 눌러 작은딸 대신 소리를 줄여 주었다. 그새 카페 안은 매대와 테이블을 오가거나 사진을 찍는 손님들로 어수선했고 진동 벨이 울릴 때마다 의자 다리가 시멘트 바닥을 거칠게 긁었다. 큰딸은 스마트폰을 손에 쥔 채 창밖을 내다보고 있었다. 미동 없는 큰딸의 옆모습은 색만 남기고 선이 뭉그러지는 창밖의 풍경을 배경으로 무심하게 배치된 재봉틀과 실타래의 구도와 맞물려 풍경화와 인물화, 정물화를 오묘하게 뒤섞은 그림을 보는 듯한 착각을 자아냈다. 나는 잔을 들어 커피를 마셨다. 커피는 그새 식어 혀에 진득하게 들러붙고 마지못해 식도를 타고 내려갔다. 나는 마치 목이 말랐던 사람처럼 커피를 한 모금 더 벌컥 마셨다. 차가운 커피가 위벽을 찔러 아직도 둔한 몸의 근육을 천천히 깨웠다. 아내와 작은딸이 딴 귤이 비닐봉지 안에 가득 담겨서 비닐봉지 밖으로 큼직한 포도송이 모양의 윤곽을 드러냈다.

"귤 먹어봤어?" 나는 비닐봉지 안에 손을 넣어 야구공만 한 귤을 하나 꺼냈다. 껍질을 코에 대고 냄새를 맡았는데 코 안이 간지러워 기침이 날 것 같았다. 나는 손가락으로 코를 문지르고 귤을 다시 비닐봉지 안에 넣었는데 손가락이 미끈거려 손을 뒤집어 보았더니 송진 가루 같은 하얀 먼지가 묻어 있었다.

"기대보다 괜찮아. 다 먹기 힘들 것 같아서 많이 안 땄어. 비도 오기 시작하고." 아내가 얼추 스무 개가량의 귤이 들어 있는 비닐 두 봉지를 내려다보며 대답했는데 비닐봉지가 쓰러지지 않도록 서로에게 기대어져 있었다. "다 먹었으면 일어날까?" 마치 잠이 들었던 사람은 아내였던 것처럼 목이 잠겨 있었다.

"갈 때 내가 운전할게. 귤 따느라 피곤할 테고." 나는 아내에게 손을 내밀며 말했다. 아내는 어지간히 놀란 표정을 지으며 양손을 무릎 가운데 모았다. "저번에 학교 선생님하고 오름도 올랐었는데 다리가 괜찮더라고. 그게 문제는 아니겠지만." 나는 아내와 눈을 마주치지 못하고 공연히 작은딸의 하얀 정수리를 바라보며 말했다. 아내는 잠시 생각에 잠긴 듯 고개를 숙이더니 바지 주머니에서 자동차 열쇠를 꺼내어 테이블 위에 올려놓았다. 나는 차 열쇠를 집어 들었는데 열쇠에 정전기가 일었던 것처럼 손바닥이 약간 저릿했지만 오히려 세게 움켜쥐었다. 그러고는 허리를 숙여 귤이 담긴 비닐 봉지를 양손에 들었는데 생각보다 무거운 무게에 몸이 살짝 기울어졌고 아직도 철심이 박혀 있는 복숭아뼈에 시큰한 통증이 지나갔다.

갖지 못한 모든 것

　나는 엄마, 아빠와의 신경질적인 대치 끝에 내가 등교를 시작하고 두 달이 지나서야 스마트폰을 다시 사용할 수 있었다. 나는 아빠와 끝내 화해하지 않았고 엄마에게 스마트폰에 대해서 아무 말도 하지 않았다. 나는 오히려 스마트폰이 없어도 상관없다고 생각했다. 형광등을 멀거니 올려다보다 머리를 받치던 손깍지를 풀고 그림을 그리려는데 방문을 나직하게 두드리는 소리가 들렸다. 나는 두 달째 얼굴의 윤곽선마저 그리지 못한 그림을 뒤집고 화집을 덮었다. 그리고 문으로 걸어가 볼이 부풀도록 숨을 내쉬고 문을 조금 열었다. 엄마가 문 앞에 망부석처럼 서 있었다. 엄마는 문틈으로 내보이는 내 얼굴을 들여다보더니 방에 잠깐 들어가도 되냐고 들릴 듯 말 듯 한 목소리로 물었다. 나는 별다른 대답도 없이 문을 열고 방 안으로 들어오는 엄마를 피하느라 벽 앞으로 비켜섰다. 엄마는 어지간히 놀란 표정으로 방 안을 둘러보면서 발끝을 조심스럽게 디뎠다. 엄마의 시선이 방 한가운데 놓인 이젤과 화판, 책상과 바닥에 널브러진 수채화 용구들, 침대 가장자리에 내던져진 화집 위에 머물다가 내게 고개를 돌렸다. 엄마는 잠시 머뭇거리더니 내 스마트폰을 고쳐 주고 싶다고 말하고 내 안색을 살폈다. 내가 떨떠름한 표정을 보이며 여전히 엄마의 시선을 피하자 엄마는 약간 당황스러워 하는 것 같았다.

엄마는 목소리를 가다듬고 "혹시, 네 스마트폰을 볼 수 있을까?"라고 물어보며 내게 손을 내밀었다. 나는 책상으로 걸어가 서랍 안쪽에 손을 들이밀어 스마트폰을 찾았다. 스마트폰을 엄마에게 건네주자 엄마는 액정의 귀퉁이가 산산조각 난 스마트폰을 내려다보며 스마트폰을 고치느니 차라리 새로 사는 것이 낫겠다고 말하고 내 얼굴을 가만히 바라보았다. 나는 알고 있었다. 새로운 스마트폰이 엄마가 내미는 화해의 손짓이라는 것을. 엄마는 내가 기대치 못한 선물에 화들짝 놀라며 모처럼 들뜬 모습을 퉁명스럽게나마 보여주는 것을 기대했을 것이다. 방학 중 외출 금지가 끝났음에도 수업을 마치고 나면 어김없이 집에 일찍 돌아와 가족과 함께 저녁을 먹는 것을 엄마는 고맙게 생각한 것 같았다. 그래서 어제 저녁에 식사할 때 아빠에게 설하가 스마트폰이 필요할 것 같다고 내 앞에서 언질을 띄우지 않았던가.

아빠는 입안의 음식을 천천히 씹어 삼키고 입을 열었다. "생각 좀 하지."

엄마는 아빠에게 대답을 재촉하지 않고 조용히 일어나 아빠의 빈 국그릇에 냄비의 뭇국을 덜어서 다시 아빠의 밥그릇 옆에 내려놓았다. 아빠는 김이 올라오는 국물을 한 숟가락 떠서 입에 넣고 맛이 개운해서인지 고개를 살그머니 끄덕였다.

나는 엄마에게 데이터를 새 스마트폰으로 옮기기 위해 망가진 스마트폰을 굳이 고칠 필요는 없다고 말했다.

"그러면 연락처나 문자 메시지, 사진 같은 정보가 모두 사라질 텐데 그래도 괜찮겠니?" 엄마는 내 스마트폰을 들어 깨진 액정의 내부를 형광등에 비춰보며 물었다.

나는 고개를 끄덕였다. "옮길 만한 것도 없어요." 새 스마트폰을 사는 마당에 쓰지 않을 스마트폰을 비싼 수리비를 주며 고칠 이유도 없지 않은가.

엄마는 고개를 끄덕였지만 얼굴은 굳어 있었다. 그러고는 방 안을 다시 한번 둘러보며 침대 위 화집의 표지를 눈여겨보았다. 무언가를 물어보고 싶은 눈치였지만 굳이 입을 떼지 않고 한 손으로는 내 스마트폰을 쥐고 다른 손으로는 손잡이를 잡아당기며 살며시 문을 닫았다. 나는 책상 서랍을 밀어 넣으려다 그 안에 무언가 흩어져 있는 것을 보았다. 형광등 빛에 스마트폰의 액정 파편들이 모래 알갱이처럼 반짝이고 있었다.

은재가 전학 간 뒤로 나는 은재와 함께 보러 갔던 바다에 여전히 둥둥 떠 있는 것 같았다. 지금도 그때 젖은 옷을 입은 것처럼 온몸이 무겁고 팔다리는 축 처졌다. 수업 시간에 손으로 턱을 받쳐 들고 칠판을 간신히 바라보았지만 화면은 흐릿했고 소리는 먹먹했다.

쉬는 시간이나 점심시간에는 한쪽 팔을 늘어뜨리고 책상 위에 엎드려 자기 일쑤였다. 아이들은 내 앞에서 대놓고 얘기하지는 않았지만 나를 힐끔거리는 시선이 내 뒤통수와 목덜미에 바늘처럼 꽂혔다. 점심을 먹는 것은 고역이었다. 모두가 끊이지 않는 잡담을 늘어놓으며 소복한 밥에 숟가락을 밀어 넣고 젓가락으로 반찬을 집었지만 정작 말도 없이 점심을 먹는 나보다 식사를 늦게 마치는 사람은 아무도 없었다. 모두가 선생님에게 급식판을 내보인 뒤 급식실 밖으로 나가고 나 혼자 덩그러니 남아 입을 오물거리고 있으면 선생님은 긴 급식 테이블 끝에서 고개를 숙인 채 말없이 서성였다. 내가 음식이 거의 그대로 남은 급식판을 들고 선생님에게 내밀면 선생님은 급식판은 보지도 않고 내 얼굴만 살피면서 다른 아이들과는 달리 군소리 없이 나를 보내 주었다. 나는 지하의 급식실에서 계단을 올라 구령대로 향했다. 구령대 난간에 겨드랑이를 걸치고 트랙 위에서 단체 줄넘기를 하는 아이들을 내려다보았다. 두 명의 아이들이 노래를 부르며 긴 줄넘기를 돌리면 줄넘기 앞에 한 줄로 서 있는 아이들이 한 명씩 뛰어들어 줄을 넘고 돌아가는 줄을 빠져나와 반대편에 새로운 줄을 만들었다. 줄을 넘을 때마다 한껏 뛰어오른 작은 체구가 한동안 공중에 머물렀다. 설령 누군가가 줄에 걸려도 서로가 키득거리며 웃을 뿐 누구 하나 원망하거나 탓하지 않았다. 저 아이들조차 내가 가지지 못한 모든 것을 가진 것만 같았다. 저렇게 아무런 고민도 없이 누군가와 함께 마음껏 웃는 것은 어떤 기분일까? 나도 한때 그런 적이 있었던 것 같았다. 내게 왜 이런 일이 일어날까? 곁에 있는 사람에게는 마음을 내주기가 어렵고 정작 마음을 내준 사람은 홀연하게 사라졌다. 나는 내 등에 닿았다가 떨어졌던 누군가의 손길을 떠올렸다. 내가 어떻게 은재를 원망할 수 있을까? 내가 바다에 들어가지 않았어도 은재는 나를 집에 데려가 저녁을 차려 줬을 것이다. 정신없이 밥과 찬을 먹느라 숟가락도 함께 씹으며 조잘거리는 내게 자신이 다른 학교로 전학 갈 수도 있을 거라며 넌지시 운을 띄우고 내 얼굴을 사려 깊게 살폈을 것이다. 어쩌면 자신이 전학 가고 나서도 내가 가끔 집을 찾아오는 것을 허락했을지도 몰랐다. 그 모든 것을 망친 사람은 나였다. 나는 새로 산 스마트폰을 주머니에서 꺼냈다. 베어 먹은 사과 무늬가 새겨진 스마트폰의 뒤판에 두툼한 케이스가 끼워져 있었다. 나는 스마트폰 상단의 오른쪽 귀퉁이를 손가락으로 문질러 보았다. 스마트폰은 나의 손짓을 오해했는지 디지털시계를 화면에 곧바로 띄웠다. 이제 곧 수업 시간이었다. 나는 은재가 전학 간 뒤에 수없이 남겼을 부재중 통화 기록과 문자 메시지를 다시는 볼 엄두를 내지 못했다. 나는 구령대 난간 위에 올려놓은 팔에 얼굴을 묻어 눈을 비볐고 팔의 솜털에 엷은 물기가 배었다. 나는 돌아서서 현관으로 들어가 혼자 계단을 올랐다. 곧 수업 종소리가 울리기 시작했다.

스마트폰을 새로 산 뒤로 나는 화집을 펼치지 않았다. 화집은 책장에 꽂히지도 않고 책상 위에 온통 어질러진 미술 용구들이 남겨 놓은 작은 공간에 간신히 몸을 뉘었다. 저녁을 먹고 방으로 들어온 나는 귀에 이어폰을 꽂고 침대 위에 누워 스마트폰에서 동영상 공유 앱을 열었다. 나는 어린 나이에도 뛰어난 랩 실력으로 최근에 각광을 받고 있는 가수를 검색했다. 곧 눈을 가릴 정도로 긴 앞머리를 내려뜨린 얼굴이 앳되어 보이면서도 두꺼운 눈썹 밑으로 눈동자를 치뜬 고등학생의 섬네일이 화면을 도배했다. 얼굴의 절반이 머리카락으로 가려져 그나마 보이는 것은 그의 뭉툭한 턱 위에 박혀 분노를 표출하느라 일그러진 입술뿐이었다. 수많은 동영상을 뒤져봐도 그가 웃는 모습은 찾을 수 없었다. 그는 동영상 공유 앱의 알고리즘 때문에 우연히 보게 된 오디션 프로그램의 참가자들 중 한 명으로 나는 그의 랩을 듣자마자 말 그대로 머리를 망치로 맞은 듯한 충격에 휩싸였다. 마이크를 통해 세상에 쏟아 내는 그의 원색적이고 격렬한 웅얼거림은 놀랍게도 숱하게 상처받았지만 아물지 않은 그의 여린 마음을 역설적으로 드러내고 있었다. 불에 데었던 기억마저 나지 않을 만큼 오랜 시간이 흘렀지만 화상 자국을 만질 때마다 느껴지는 통증처럼 그를 옭아매는 고단한 현실은 그의 무기력함을 끊임없이 일깨웠다. 결국 그가 할 수 있는 일이라곤 자신의 심경을 자조적인 가사로 토해 내는 것뿐이었다. 나는 그의 랩을 수백 번 들으면서 가사를 수백 번 따라 읊조렸다. 그가 나보다 더 고통스러워하고 있다고 생각했기에 그의 노래는 내게 상심한 마음을 견뎌 낼 힘을 부여했지만 그렇다고 그가 내민 손길이 나를 보듬어 주지는 않았다. 그는 다른 사람이 자신을 이해해 주기를 더없이 갈망하고 은연중에 호소하면서도 누군가의 위안에 기대지 않고 자신만의 방식으로 삶의 괴로움을 견디고 있었다. 나는 떨리는 손가락으로 가사의 한 소절을 포털사이트에서 검색했다. 스크롤을 내려도 끊임없이 떠오르는 사진들은 커터 칼로 팔을 그어 가며 분노를 삭인다는 그의 가사가 믿기 어렵게도 사실임을 증명했다. 나는 사진

하나를 골라 손가락을 벌려 사진을 확대했는데 그의 손목 위에 수없이 그어진 상흔들이 바코드처럼 보였다. 나는 한 손으로 입을 틀어막으며 덜덜 떨리는 스마트폰의 사진을 뚫어지게 바라보았고 귀에서 이어폰을 떼어내고도 침대 위에 한동안 멍하니 앉아 있었다. 여지없이 밀려오는 밤에 잠기는 세상 어딘가에서 누군가는 아물어가는 손목의 상처를 보며 현실의 고통을 감내할 수 있는 어른이 되어가고 있었다.

어슴푸레한 서광

    결국 잠들지 못할 거라는 불안감이 엄습하자 그 불안감이 기폭제라도 된 것처럼 눈가를 짓누르는 피곤함에도 불구하고 의식이 점차명징해졌다. 나는 얼굴을 파묻고 있던 베개에서 고개를 돌려 흐리멍덩한 눈길을 모아 꽤 오랜 시간 동안 침대 옆의 협탁을 바라보며스마트폰을 찾았지만 협탁 위에는 후더분한 고요만이 어둠 속에서몸을 웅크리고 있었다. 나는 마지못해 왼팔을 이불 속에서 빼내어협탁 위를 더듬었는데 믿기 어렵게도 손가락이 상판을 두드리는 소리만 둔탁하게 울릴 뿐 아무것도 없었다. 나는 서서히 치밀어 오르는 실망과 짜증에 입가가 일그러지며 왼팔을 그대로 침대 옆에 늘어뜨린 채 얼굴을 다시 베개에 파묻었다. 시각을 확인하기 위해서라도 서재에 가 봐야 한다는 생각이 들자 어떻게든 붙들어 두려던 잠기운이 침대 밖으로 달아났고 나는 숨을 깊게 내뱉으며 침대에서 몸을 떼어냈다. 방바닥에 내려서자 침대 옆에 놓여 있던 선풍기 덮개가 무릎에 부딪혀 선풍기의 목이 모로 꺾어졌다. 도대체 몇 시간 동안이나 침대 위에서 뒤척였던 것일까? 벌써부터 시작되는 긴 하루에 머리가 지끈거렸다. 나는 손잡이를 잡아 선풍기를 서랍장 옆으로 치워 놓고 휘청거리는 걸음으로 서재에 들어갔다. 불을 켜자 서재 한가운데 놓인 책상 위에 뼈대를 그대로 드러내는 차 모형의 차대와 그 주위에 색깔별로 분류된 브릭들이 유려하게 반짝였다. 나는 한숨을 쉬며 의자에 풀썩 앉았다. 필요할 때 쥐기 편하도록 책상 오른쪽 구석에 놓아둔 브릭 탈거용 집게와 스티커를 자르는 용도의 가위 사이에서 스마트폰이 어정쩡하게 엎드려 있었다. 스마트폰을 들어 화면을 밝혀 보니 굵은 서체의 콜론 양옆으로 3과 43이 떠올랐고 나는 이마를 주무르며 의자에 등을 기댔다. 만약 한두 시를 갓 넘긴 시각이었으면 나는 브릭들을 천천히 조립하며 잠이 쏟아지기를 바랐을 테지만 보통 평일에 일어나는 시각이 여섯 시임을 감안하면 다시 잠을 청하기에는 너무 늦은 시각이었다. 잠을 더 이상 자지 않을 거라면 차라리 가벼운 옷을 챙겨 입고 집 근방을 걸으며 잠을 완전히 쫓는 건 어떨까 하는 생각에 블라인드를 들추고 밖을 내다보았지만 어슴푸레한 서광은커녕 하늘 전체가 어두웠다. 블라인드에서 손가락을 빼낸 나는 의자를 다시 책상 속으로 들이밀며 서가의 책들을 바라봤지만 아무래도 책을 읽는 것은 내키지 않았다. 오로지 잠이 다시 쏟아지기를 기대하며 건성으로 책을 읽으면 책을 읽은 것도 아닌, 그렇다고 읽지 않은 것도 아닌 찜찜함이 머릿속에 들러붙었는데 결국 멀쩡한 정신으로 다시 한번 읽지 않는 한 그 찜찜함은 도통 가시질 않았다. 나는 결국 얼굴을 쓸어내리고 기지개를 켰다.

나는 책상 위를 물끄러미 바라보다 조립 설명서 위에 놓여 있는 엔진을 집어 노란 크랭크축을 손가락으로 움직여 보았다. 여섯 개의 피스톤이 엔진 블록의 구멍을 교차로 메우며 실린더 안을 오르락내리락했다. 사고 이후에 생긴 취미로 잠이 오지 않을 때 만들겠다며 아내에게 핑계를 대고 조립하기 시작한 차 모형이었다. 자정이 넘도록 잠들지 못하거나 잠들었다가도 한밤중에 깨었을 때마다 조금씩 조립했는데 수천 개에 달하는 브릭의 개수에 따라 완성하기까지 보통 삼 주에서 사 주 정도 소요되었다. 나는 아직 좌석과 엔진, 바퀴도 조립하지 않은 차대를 들어 이리저리 돌려보며 엔진이 들어갈 엔진룸 내부를 들여다보았다. 아직 절반도 만들지 않았지만 천여 개가 넘는 브릭이 서로 맞물려 지극히 복잡한 구조물을 형성했는데 캔버스 운동화 상자 크기에 꽤 무거웠다. 처음에 구입했던 모델은 차 제조사에서 실제로 출시했던 캠핑카를 사실적으로 재현한 캠퍼 밴이었다. 지금 생각해 보면 그리 많지 않은 브릭 개수에 조립 난도가 높지 않았는데도 나는 사방에 어질러진 브릭의 산더미에서 조립 설명서가 가리키는 브릭을 찾는 데 시간을 대부분 허비하고 심지어 크기와 모양, 색깔이 비슷한 브릭이 있는 줄도 모르고 다른 브릭을 잘못 끼우는 실수를 연발했다. 그렇게 잘못된 브릭을 끼우고 한참을 조립하다 중도에 조립 설명서와 동일한 브릭을 찾지 못했을 때 공장의 포장 공정에서 누락된 게 아닐까 등의 별생각조차 다 했었다. 그 부품이 없으면 더 이상 조립을 진행할 수 없기에 설마 하며 살펴봤던 브릭 덩어리 안에서 내가 찾는 브릭이 이미 끼워져 있는 것을 발견했을 때는 정신이 혼미할 정도였다. 더욱이 그것을 빼내느라 지금까지 조립한 브릭을 다시 해체할 때의 망연자실함은 이루 말할 수 없었는데 다시 조립하는 것이 순차적으로 조립하는 것보다 훨씬 어려웠기 때문이었다. 브릭을 떼어내느라 얼얼하게 부어오른 손가락을 입술의 찬바람으로 다독이며 이 밤중에 혼자서 도대체 무얼 하는지 알 수가 없었다. 조립하기 전에 스티커를 먼저 부착해야 하는 브릭들도 있었는데 엄지와 검지로 아무리 세심하게 스티커를 갖다 대어도 비뚤어지게 붙여지기 일쑤여서 끝까지 나를 상심케 했다. 그럼에도 차 모형은 천신만고 끝에 완성되었고 나는 과정이야 어떻든 홀가분한 마음으로 서재의 책장 선반 위에 차 모형을 올려놓았다. 한 발짝 물러서서 가만히 바라보니 내가 저질렀던 온갖 서투른 실수들이 떠오르며 초보 주인을 잘못 만나 고생한 차 모형에 미안하면서도 쑥스러운 애정이 솟았다. 두 번째, 세 번째 차 모형을 만들며 나는 점차 능숙하게 브릭을 조립할 수 있게 되었고 포장지를 개봉할 때부터 일반 브릭은 색깔별로, 작은 브릭은 네 칸짜리 상자에 따로 정리해 두고 집게와 핀셋, 가위 등을 미리 준비하여 내가 마음에 들 만큼 정교하게 차 모형을 만들 수 있었다. 그때부터 나는 마음의 여유에 비롯되는 안정감으로 인해 이 새로운 취미의 매력에 흠뻑 매료될 수 있었고 더 이상 글을 쓰지 않는다는 자책감에서 잠시나마 벗어날 수 있었다. 브릭의 오목한 요철이 다른 브릭의 볼록한 요철에 지그시 내려앉으며 끼워지고 단단하게 맞물릴 때 손가락 끝에 눌리는 감각이 기묘한 만족감을 주었다. 그렇게 하나씩 브릭을 쌓다 보면 의도를 알 수 없는 모양을 가진 각개의 브릭 덩어리가 만들어졌는데 그 덩어리들을 서로 체결하면 차체의 형상이 돌연하게 드러났다. 나는 부품들이 연결된 부위를 살펴보며 툭 튀어나왔거나 움푹 들어간 브릭 덩어리 모양의 의도를 뒤늦게 알아차렸고 치밀한 설계대로 들어맞는 절묘함에 살며시 현기증까지 느꼈다. 특히나 천장과 후드를 달기 전에는 차 모형이 작동하는 모습을 볼 수 있었는데 핸들을 돌리면 핸들의 방향대로 조향되는 바퀴의 움직임이나 바퀴를 돌리면 바퀴 축에 맞물린 톱니바퀴가 돌아가면서 차를 세로로 가로지르는 구동축이 돌아가고 그러면 좌석 뒤에 조립된 엔진의 피스톤이 움직이는 것을 관찰할 수 있었다. 브릭으로 만든 모형이지만 단순히 차의 외형을 모사하는 것뿐만 아니라 완성하고 나면 차의 작동 방식까지 섬세하게 재현하는 구조에서 기계적인 아름다움을 만끽할 수 있었다. 불면증으로 시작한 브릭 조립이 뜻밖의 즐거움을 주자 평일 밤에는 졸음의 기운에 촉각을 세우며 조금씩 만들다가도 다음 날에 늦잠을 잘 수 있는 금요일이나 토요일 밤에는 스마트폰 앱으로 심야 라디오 방송을 나직하게 틀고 차가운 맥주를 들이켜며 서재의 블라인드가 동이 틀 때의 빛으로 환해질 때까지 브릭 조립에 몰두할 지경이 되었다. 하지만 지금은 그럴 기분은 아니었다. 바닷물이 들어간 듯 눈은 따갑고 물속을 걷는 것처럼 몸은 무겁기만 했다. 출근할 즈음이면 여지없이 안구가 충혈될 것이고 교실에서는 뻑뻑한 눈자위를 껌뻑이며 웃는 낯으로 예민하게 벼려진 신경을 누그러뜨려야 할 것이다.

나는 의자 앞으로 차대를 끌어와 엔진을 비어 있는 엔진룸에 대충 넣어 보았다. 그때 무언가 작은 물건이 팔꿈치에 부딪히며 책상 밑으로 떨어지는 소리가 들리더니 책장과 바닥의 틈으로 떼구루루 굴러가 자취를 감추었다. 나는 어리둥절해하며 팔꿈치를 들어 책상 위를 보았고 한쪽의 모퉁이가 흐트러진 브릭 더미가 눈에 띄었다. 나는 의자에서 일어나 바닥에 얼굴을 대고 브릭이 들어갔을 거로 짐작되는 책장의 밑을 살펴보았지만 아무것도 보이지 않았다. 자라도 가져와서 헤집어 봐야 하는지 고민하던 순간 혹여나 하는 생각에 책장 사이에 끼워져 있던 노트북 가방을 꺼냈더니 원통 모양의 브릭이 노트북 가방을 들어낸 자리에 놓여 있었다. 아마 책장 밑에서 굴러서 가방에 부딪혀 멈춰 선 모양이었다. 나는 브릭을 집어 책상 위에 올려놓고 가방을 원래 놓여 있던 자리로 밀어 넣으려고 가방을 쥐었는데 그때 가방 지퍼에 붙어 있는 먼지 보풀이 보였다. 나는 눈을 감으며 잠시 고민하다 마지못해 노트북 가방에서 노트북과 마우스, 충전 케이블을 꺼냈다. 그러고는 거실에서 가져온 물티슈와 함께 가방을 화장실의 세면대로 가져가 물티슈를 뭉쳐 가방을 박박 닦기 시작했다. 하얀 물티슈가 검게 물들고 세면대 위에 떠오른 작은 보푸라기들이 허공에 머물다가 세면대 안에 내려앉았다. 다시 의자에 앉아 노트북을 넣으려고 가방 입구를 벌렸는데 나는 한참을 주저하다 가방을 내버려두고 노트북의 전원 버튼을 눌렀다. 하지만 수개월 동안 한 번도 사용하지 않아서 노트북은 방전되어 있었다. 충전 케이블을 노트북과 콘센트에 끼우고 다시 전원 버튼을 누르자 이번에는 새벽빛처럼 엷은 광휘의 파란 화면이 떴고 나는 기억을 더듬으며 비밀번호를 눌렀다. 잠금 상태가 해제되고 연도로 폴더 이름이 지정된 네 개의 폴더가 화면의 왼쪽 상단에 표시되기 시작했다. 나는 터치패드로 커서를 옮겨 제일 아래의 폴더를 클릭하려다가 의자 등받이를 뒤로 젖히며 책상에서 물러섰다. 마른침으로 입술을 축이며 노트북의 화면을 가만히 응시하던 나는 다시 상체를 천천히 책상 쪽으로 기울였고 저릿한 망설임 끝에 터치패드를 두 번 눌러 폴더를 열었다. 그 안에 폴더와 동일한 이름의 워드프로세서 파일이 있었는데 나는 그 위에 커서를 올렸지만 차마 터치패드를 누르지 못하고 눈자위만 문지르다 결국 노트북을 닫았다. 그러고는 노트북을 가방에 집어넣고 원래 있던 자리로 가방을 밀쳐넣었는데 그때 책장에 가로로 쌓여 있던 디스크 케이스들이 내 발등에 한꺼번에 떨어졌다. 디스크 케이스들은 금방 낚인 작은 물고기처럼 바닥에서 경련을 일으키다 곧 잠잠해졌다. 나는 일진이 영좋지 않다고 생각하며 방바닥에 나동그라진 케이스들을 정리하기 위해 케이스를 하나씩 집어 들다 각본집과 스토리보드북이 함께 들어 있는 종이 상자를 발견했는데 호기심에 사놓은 뒤로 여태껏 읽어본 적이 없어 비닐 포장도 아직 뜯지 않은 상태였다. 무심코 종이 상자를 뒤집으니 분홍색 꽃송이와 빗방울이 들러붙은 차 창문밖으로 손가락을 내민 사진이 보였는데 실제 영화에서는 등장하지 않는 장면이었다. 그런데도 나는 그 손이 재빨리 움직여 여린 꽃송이를 창문에서 떼어내 집어 들기를 바랐다. 그렇지 않으면 그 꽃송이는 곧 도로에 떨어져 차바퀴에 짓이겨질 것이기 때문이었다.

어제까지의 시간

　나는 차츰 말과 웃음이 많아졌다. 처음에는 목소리를 내는 것 자체가 어색하고 속삭이듯 먼저 말을 꺼내고는 정작 내가 무슨 말을 하고 싶은지 종잡을 수 없었다. 그러다가 좀처럼 맥락을 찾기 어려운 말을 아이들이 인내심을 가지고 들어주면서 서서히 대화를 길게 이어 나가게 되었고 마침내 더 이상 쭈뼛거리지 않고도 자연스럽게 대화를 주고받게 되었다. 웃는 것도 부끄러워 손으로 입을 가리고 소리도 내지 못하고 웃다가 조금씩 웃는 소리가 커지고 나중에는 목젖이 보이도록 입을 크게 벌려 웃어도 아무렇지도 않았다. 아이들은 학교에서 내보이는 내 모습의 극적인 변화에 당황스러워 어쩔 줄 몰라 하다가 내게 왜 그런 변화가 일어났는지 호기심이라도 해소해 보려는 듯 쉬는 시간에 내게 다가와 별일 아닌 것을 물어보거나 무언가를 함께 하자고 제안하기도 했다. 한동안 걱정스러운 눈길로 수업 시간이나 쉬는 시간을 가리지 않고 나를 살폈던 선생님의 얼굴에 그제야 안도하는 기색이 어렸다. 선생님은 미술 수업 시간에 내가 그린 그림을 아이들에게 보여주며 공개적으로 칭찬하거나 재기 발랄한 성격의 반장을 옆줄에 앉혀 주기도 했다. 졸업도 머지않아 어차피 중학생이 되고 나면 뿔뿔이 흩어져 보지 못할 아이들이 나의 변화를 어떻게 받아들이든 상관없었다. 특별하게 기억나는 일 하나 없이 어느덧 졸업식의 예행연습을 하느라 몹시 한기를 느끼며 체육관의 접의자에 앉았을 때 내 앞줄의 한 자리가 비어 있었다. 선생님이 그 자리를 메워서 앉으라고 했고 그 때문에 그 자리의 뒤쪽에 앉아 있던 아이들이 모두 일어나 자리를 하나씩 앞당겨 앉았다. 나는 내 다음 번호의 아이가 내가 자리를 비켜 주기를 기다리는 것을 알면서도 한참을 가만히 앉아 있다가 마지못해 자리를 옮겼다.

수백 명의 졸업생에게 일일이 졸업장을 수여하느라 두 시간이 넘도록 의자에 앉아 있던 학생들과 그 주변에 서 있던 학부모들은 마지막 학생이 졸업장을 수여받자 뜻 모를 박수 세례를 지친 환호성과 함께 보냈다. 졸업식이 끝나자 저마다 꽃다발을 들어 가족이나 친구와 함께 사진을 찍으며 영원히 남을 마지막 작별 의식을 치렀고 꽃다발에서 떨어진 꽃잎들이 체육관을 빠져나가는 분주한 인파의 발길에 치여 이리저리 떠밀렸다. 엄마는 사진을 찍고 있는 누군가의 아빠에게 스마트폰을 건네주며 사진 촬영을 부탁하고 내 옆으로 와서 팔을 다소곳하게 모았다. 나는 엄마와의 간격을 의식하며 옷이 닿지 않을 정도로 엉거주춤하게 서고는 스마트폰의 렌즈를 바라보았다. 스마트폰의 플래시가 터지고 남자는 기분 좋게 웃으며 엄마에게 스마트폰을 돌려주었다. 엄마의 스마트폰 화면에는 몸을 내 쪽으로 살짝 기울이고 애써 웃음을 짓고 있는 엄마와 엄마 쪽으로 꽃다발을 들고 멀뚱하게 서 있는 내가 하얗게 찍힌 사진이 떠 있었다. 엄마는 불만스러운 표정으로 사진을 새로 찍어 줄 사람을 두리번거리며 찾았지만 나는 엄마의 외투 소매를 잡아당기며 엄마를 말렸다.

"엄마, 괜찮아. 똑같은 스마트폰으로 찍으면 사진도 마찬가지일 거야." 나는 엄마가 내 스마트폰으로 촬영하자고 말하기 전에 서둘러 발걸음을 뗐다. 체육관 무대 앞에서 수선을 떠는 반 아이들과의 마지막 촬영을 마친 선생님이 출구로 걸어가는 나와 엄마를 지켜보다 내가 끝내 뒷모습을 내보이자 다른 선생님과 함께 졸업생이 앉았던 의자를 정리하기 시작했다. 체육관 밖에는 주차장을 한꺼번에 빠져나가려는 차들의 혼잡한 행렬 위로 굵은 눈송이가 흩날렸고 체육관 계단에도 내려앉았다. 나는 계단참에서 하늘을 올려다보았다. 누군가가 잘못 그린 연필 자국을 지우다 생긴 지우개 가루를 훅 불어 날리는 것처럼 잿빛으로 물든 구름이 창백한 하늘을 문지르며 사방에 눈을 떨어뜨리고 있었다. 저토록 우중충한 구름에서 어떻게 순백의 눈이 하염없이 쏟아질 수 있을까. 나는 눈을 감았다. 보송한 눈이 이마에, 볼에 떨어졌다. 얼굴 위에 떨어진 눈은 부드럽게 허물어졌지만, 차가운 여운을 남겼다.

다시 시작된 길고 긴 방학의 첫날, 침대에서 눈을 뜬 나는 좀처럼 일어나지 못했다. 어제까지의 시간은 홀연하게 지나가 버린 꿈만 같았다. 냉담하게 흐른 시간이 내 기억의 형체를 뭉개 버렸지만 그 안에 고여 있는 감정은 여전히 생생했다. 하지만 이제는 다 지나간 일이고 나는 더 이상 어린애가 아니었다. 나는 침대에서 일어나 내가 한동안 방치했던 의자에 앉았다. 그리고 창밖을 바라보았다. 갑작스럽게 작년 이맘때의 내가 떠올랐고 나는 실없이 웃었다. 화판 위에는 내가 팽개쳤던 그림이 뒤집힌 채로 놓여 있었고 연필과 지우개가 이젤 받침대에서 방 안쪽으로 짧고 각진 그림자를 드리웠다. 종이를 뒤집자 연필이 방바닥에 떨어지더니 연필심이 부러지며 이젤 안쪽으로 튀었다. 나는 그리다 만 그림을 한참 들여다보다 침대 위에 내려놓았다. 나는 의자에서 일어나 허리를 굽히고 침대 밑에서 커다란 상자를 꺼내어 뚜껑을 열었다. 완성된 그림을 몇 장 들어 올려 침대 위에 놓인 그림을 그사이에 끼워 넣고 다시 상자를 안으로 쑥 밀어 넣었다. 새 종이를 화판 위에 올리고 책상으로 걸어가 화집을 들었다. 화집 위에 쌓인 먼지를 후 불어 내고 눈길이 가는 대로 그림을 하나 골라 침대 위에 펼쳐 놓았다. 이젤 다리 사이로 팔을 들이밀어 연필을 집은 뒤 부러진 연필심을 개의치 않고 그대로 선을 그리기 시작했다. 그동안 그리지 못한 시간을 벌충이라도 하듯 선과 선이 막힘없이 마주치고 교차했다. 나는 무언가를 잊어버린 사람처럼 자리에서 벌떡 일어나 스마트폰에서 매일 듣는 노래를 재생하고 귀에 이어폰을 꽂았다. 나는 노래를 조그맣게 따라 불렀지만 정작 내 목소리는 들리지 않았다. 한창 얼굴 윤곽을 그리고 있는데 갑자기 화판 뒤에서 사람의 형체가 나타났다.

나는 화들짝 놀라며 자리에서 일어났고 그 때문에 방 안에 들어와 있는 엄마가 한 발짝 뒤로 물러섰다. 엄마도 난처한 모양인지 자기 귓바퀴를 검지로 두드리고 나를 가리켰다. 나는 미간을 잔뜩 찌푸리며 어리둥절해 하다가 엄마의 손짓이 내 귀에 끼워진 이어폰이라는 것을 뒤늦게 깨닫고 귀에서 이어폰을 빼냈다. 이어폰은 귀에서 떨어져 나온 뒤에도 잡음이 섞인 전자음 같은 노랫소리를 계속해서 흘렸다. 그새 퇴근해서 집으로 돌아온 엄마가 아무리 방문을 두드려도 대답이 없자 내가 방에 없는 줄 알았단다. 그래서 철렁한 마음에 문을 벌컥 열었는데 내가 이어폰을 끼고 그림을 그리는 데 몰두하고 있었다고 했다. 내 이름을 몇 번이나 불렀는데도 내가 고개를 화판 위로 들지 않아 결국 방에 들어올 수밖에 없었다고, 만약 그림을 그리는 데 방해가 되었다면 미안하다고 말했다. 하지만 엄마가 방에 들어와도 내가 화내지 않자 엄마는 낌새가 조금 이상하다고 생각하는 눈치였다. 엄마는 손가락을 모으며 혹시 괜찮다면 내가 뭘 그리고 있는지 봐도 되냐고 물었고 나는 고개를 끄덕이며 의자에서 물러섰다. 여전히 내 방에 들어오는 것조차 낯설어하는 엄마가 방 한가운데로 걸어와 그림을 보았다. 엄마는 처음에 팔짱을 꼈다가 오른손을 입술에 갖다 대고는 검지의 손톱을 살짝 물어뜯으며 혼란스러운 감정을 서툴게 감췄다. 나는 엄마에게 어깨를 으쓱해 보였다. 엄마는 팔짱을 풀지 않은 채 내게 저녁 식사가 준비되었으니 부엌으로 나오라고 말하고 잔뜩 어질러진 책상 위와 방구석을 보면서도 조용하게 문을 닫고 나갔다.

겨우내 자랐던 고드름에서 물방울이 떨어지고 거리 곳곳에 수북하게 쌓였던 눈은 질척거리며 반쯤 녹아 교복에 맞춰 산 새 구두를 물 얼룩으로 뒤덮었다. 교복은 빳빳하고 품이 커서 불편하고 거추장스러운 느낌이었다. 중학교는 내가 다니던 초등학교 바로 옆에 있었고 건물의 크기나 모양마저 비슷해서 다니던 학교에 다시 등교하는 기분이었다. 초등학교의 교정을 관통하면 중학교에 일찍 도착할 수 있었지만 나는 일부러 초등학교 운동장 옆의 좁은 보도를 걸어 중학교 정문으로 들어갔다. 운동장과 보도 사이의 초록색 펜스 너머로 구령대를 들여다봤지만 별다른 감회는 없었다. 내 앞의 수많은 교복이 만든 물결이 중학교 입구로 들이쳤고 정문 양옆에 서 있는 선생님들이 머리와 복장을 점검하느라 서로 엉기며 들어가는 학생들을 부지런히 살폈다. 선생님에게 인사하는 학생들도 더러 있었지만 대개는 오히려 발걸음을 서둘렀고 나는 어깨를 부딪치는 것을 감수하며 무리의 가운데로 섞여 들어갔다. 본관 입구에 들어서자 어디선가 단단한 바닥에 공을 튕기는 소리가 들렸고 나는 운동장을 돌아보았다. 학교 앞 아파트가 도로 건너 운동장의 가장자리까지 그늘을 걸치는 농구 코트에서 열댓 명의 여학생이 농구를 하고 있었다. 이렇게 이른 아침부터 경기를 하고 있다니. 내가 고개를 갸우뚱하며 다시 본관 안으로 걸음을 옮기려는데 그때 골대에 가려서 보이지 않았던 선생님이 코트로 걸어가 손뼉을 쳤고 여학생들은 선생님을 중심으로 반원의 대형을 만들었다. 나는 학교에 온갖 종류의 동아리부가 있다고 생각하면서도 농구부 외에 어떤 동아리부가 있을지 굳이 궁금하지는 않았다.

동아리부를 선택하는 방법을 설명하는 선생님의 낯선 목소리와 어떤 동아리부를 신청해야 할지 고심하는 아이들의 대화로 어수선해진 반 분위기 속에서 나는 동아리부 목록이 인쇄된 앞장을 상단부터 하단까지 몇 번이나 찾아보았지만 끝내 미술부가 보이지 않아 당황했다. 뒷장이 있을 거라는 생각을 하지 못한 나는 혹시나 뒤집어 본 뒷장에서 동아리부 목록을 발견하고도 미술부가 없을 수 있다는 생각에 조마조마했다. 미술부는 목록 제일 하단의 문예부와 방송부 사이에 끼어 있었는데 다른 동아리부와는 다르게 세 동아리부의 첫 글씨 위에 조그맣게 표시된 별표가 눈에 들어왔다. 동아리부 목록에서 미술부를 찾느라 어지간히 조바심을 쳤던 나는 다른 동아리부에는 표시되지 않은 별표가 눈에 띄자 슬쩍 짜증이 올라왔다. 그 아래를 보니 유의 사항이라며 별표의 의미가 작은 글씨로 적혀 있었는데 신청만 하면 가입이 가능한 다른 동아리부와는 달리 별표가 표시된 동아리부는 추후 실기 오디션을 통과한 학생만 가입할 수 있다고 되어 있었다. 미술부는 오디션을 다음 주 수요일 오후 네 시부터 미술실에서 실시할 예정이며 자신이 그리고 싶은 주제와 표현 기법에 따라 준비물을 알아서 가져와야 한다는 문구가 이탤릭체로 쓰여 있었다. 심지어 선발 인원수는 오디션의 결과에 따라 변동될 수 있다고 덧붙여서 내 머릿속을 복잡하게 만들었다. 아직도 동아리부를 고르지 못한 옆줄의 아이가 주위에 앉은 아이들에게 관심 있는 동아리부에 대한 정보를 얻으려고 이것저것 물어보았지만 누구 하나 동아리부에 가입해 본 적이 없다는 것을 생각하면 피차 마찬가지라 결국엔 애꿎은 종이만 연필심으로 톡톡 찧으며 골똘하게 내려다보았다. 나는 미술부에 동그라미를 쳤다. 잠시 후 선생님의 말에 따라 각 줄의 맨 뒤에 앉아 있는 아이들이 일어나 자기 줄의 동아리부 신청서를 걷어 선생님에게 제출했다. 선생님은 신청서를 한 장씩 넘겨보며 동아리부 신청이 잘 되어 있는지 확인하고 문예부와 미술부, 방송부를 신청한 사람은 동아리부 별로 다른 일자에 오디션이 있으니 스스로 확인하여 오디션에 참가하지 못하는 일이 없도록 유의해 달라고 말했다. 나는 오디션을 볼 때 무엇을 그릴지 생각하고 이내 결정했다. 이미 몇 번을 따라 그렸던 그림이라 화집을 볼 필요도 없었다.

비어 있는 교실들 중의 하나를 미술실로 사용하고 있을 거라는 짐작을 비웃기라도 하듯 붉은 인조가죽이 덧대진 스테인리스 문 앞에 섰을 때 나는 약간 위축되었다. 기다란 봉 모양의 금속 손잡이를 잡아당기자 문이 육중하게 열렸다. 미술실 안으로 들어가니 언뜻 봐도 교실의 두 배 정도 되어 보이는 면적에 놀라 처음에는 미술실이 아닌 강당에 잘못 찾아왔다는 착각이 들었다. 입구를 마주 보는 벽면에는 이젤들이 포개어 세워져 있었고 왼쪽 벽면에는 수납함이 있었는데 수납함을 미술부원에게 개별적으로 배정한 모양인지 칸마다 학년과 이름이 적힌 팻말 밑으로 저마다의 미술 용구들이 정돈되어 있었다. 이젤 위로 긴 벽면에 창문들이 이어져 마치 투명한 기차가 하얀 창틀 위를 달리는 것처럼 보였고 미술실 가운데 네 줄로 세워진 열한 개의 이젤은 화차에서 금방 부린 건축 자재 같았다. 네 개의 이젤 앞에는 이미 지원자들이 앉아서 각자 가져온 준비물을 꺼내고 있었는데 그중의 한 명은 이젤 옆에 직육면체의 받침대를 놓고 그 위의 석고로 된 두상을 조금씩 움직이며 구도를 조정했다. 내가 입구에 가만히 서 있자 미술부 선생님이 다가와 빈자리들 중에서 원하는 곳에 앉으라고 말했다. 나는 미술부 선생님을 쳐다보았다. 훤칠한 키 때문에 눈을 들어 올려봐야 했는데 각진 어깨 위로 나를 내려보는 얼굴이 보였다. 고개를 숙인 탓에 가르마에서 귀 뒤로 매끄럽게 넘긴 머리카락 몇 가닥이 목덜미로 흘러 얼굴 앞에 떨어졌다. 나는 고개를 끄덕이고 수납함 앞을 지나쳐 제일 마지막 줄의 이젤로 걸어가 내가 가져온 준비물을 주섬주섬 꺼내기 시작했다. 내가 물통에 물을 채우고 내 자리로 다시 돌아올 무렵 이젤의 의자가 모두 채워졌고 선생님의 낭랑한 목소리가 미술실 안에 퍼졌다. 선생님은 우리가 시간에 쫓길 필요가 없다고 말했다. 자신은 미술실 옆 교무실에 앉아 있을 테니 그림을 완성하면 화지 하단에 반과 이름을 쓰고 작품을 이젤 위에 그대로 놓아둔 채 준비물만 챙기고 집으로 돌아가면 된다고 했다. 몇 명이 뽑힐지 알 수는 없지만 합격자 명단은 다음 주 월요일 아침에 우리가 들어온 문에 붙일 예정이며 그러면 행운을 빌 테니 각자 최선의 실력을 발휘해달라고 말하고 미술실 밖으로 나갔다. 우리는 선생님이 나가자마자 종이 위에 선과 면을 그리기 시작했다. 미술실은 금세 긴장과 침묵으로 채워졌고 다들 그림을 그리는 데만 열중했다. 나는 『팔꿈치를 무릎에 대고 앉아 있는 여자』를 그리기 시작했다.

　그림을 완성한 지원자들은 조심스럽게 준비물을 챙기고 발소리마저 주의하며 미술실 밖으로 나갔다. 그네들도 다른 사람들의 그림이 궁금했는지 나가는 동선에 놓여 있는 그림들을 슬쩍 보았다. 내 그림에도 시선이 박히는 것을 느꼈지만 나는 그림을 그리는 감정의 흐름이 흐트러지는 것을 경계하며 붓끝의 움직임에 집중했다. 미술실이 차츰 어두워지고 시간이 꽤 흐른 것 같았다. 공중을 떠돌던 햇빛은 어느새 사위고 운동장의 둘레를 따라 서 있는 가로등에 날벌레가 모여드는지 가로등의 유리 덮개가 화질이 떨어지는 모니터처럼 보였다. 나 말고 남은 지원자는 한 명밖에 없었는데 이젤의 세로 받침대 꼭대기에 집게로 집은 사진을 보며 넓은 붓으로 그림 전체를 스치듯 쓸어서 윤곽선을 흐리게 만들고 있었다. 나는 종이 하단에 반과 이름을 쓰고 천천히 일어섰는데 팔과 어깨, 등, 허리까지 저리지 않은 곳이 없었다. 나는 어깨를 주무르고 옆구리를 두드리며 미술 용구들을 가방에 담았다. 긴 붓이 비죽 솟은 가방을 들고 문을 있는 힘껏 열어 복도로 나왔는데 바로 옆의 교무실이 환했다. 나는 어둑한 복도를 걸어 유리문을 열고 교정으로 나섰다. 봄이라 그런가, 저녁 공기에 향긋한 벚꽃 내음이 물씬했다. 나는 숨을 한껏 들이켜고 집으로 걷기 시작했다. 한 손으로 들었던 가방이 점차 무거워지자 가방을 양손으로 받쳐 들고 피곤한 걸음을 재촉하며 초등학교의 교정을 가로질렀다. 구령대 난간이 어둠에 잠겨 보이지 않았고 그 때문에 넓은 운동장과의 경계가 사라져 구령대가 문득 휑하게 보였다.

　나는 학교에 등교하자마자 교실에 가기도 전에 미술실로 향했다. 유리문을 열고 복도에 들어섰는데 뜻밖에 미술실 문 앞에는 아무도 없어서 합격자 발표일을 잘못 알았나 싶었다. 나는 괜히 불안한 마음이 되어 합격자 명단을 확인하는 것을 망설였다. 만약 떨어졌으면 어떻게 하지? 혼자라도 그림을 계속 그려야 하나? 유리문에 어깨를 붙이고 유리문의 바깥을 내다보며 안절부절못하던 나는 어쩔 수 없다는 심정으로 돌아섰다. 누가 내게 와서 합격자를 말해 줄 것도 아니지 않은가. 미술실에 다가갈수록 문에 붙여진 하얀 종이의 검은 얼룩이 점차 글자로 보이기 시작했는데 여기서 봐도 글자가 몇 개 적히지 않은 것을 알 수 있었다. 합격자가 몇 명 없나? 나는 갑자기 오금이 저릴 정도로 가슴이 떨렸지만 눈을 질끈 감고 문으로 돌진해서 눈을 떴다. 합격자는 두 명이었다. 두 번째 칸에 내 이름이 적혀 있었다. 나는 안도의 숨을 길게 내쉬며 앞으로 쓰러질 것처럼 이마를 인조가죽에 기댔는데 학교까지 뛰어오느라 이마에서 솟은 땀이 묻어 검은 얼룩을 남겼다. 나는 땀자국을 손바닥으로 닦아내며 뒤돌아섰고 문에 등을 미끄러뜨리며 바닥에 주저앉았다. 그때 교무실에 있던 미술부 선생님이 인기척을 느꼈는지 문을 반쯤 열고 얼굴을 내밀어 복도를 내다보았다. 나도 문이 열리는 소리를 듣고 교무실 쪽을 쳐다보았는데 미술 선생님과 눈이 마주쳤다.

"네가 설하니?" 내가 고개를 끄덕이자 선생님은 고갯짓으로 문의 안쪽을 가리켰다. 나는 치마에 묻은 먼지를 탈탈 털며 일어나 쭈뼛거리면서 교무실에 들어갔다. 선생님의 책상 위에 놓인 내 그림이 보였다. 선생님은 의자에 앉아 내 그림 하단의 양 귀퉁이를 손가락으로 집어 그림을 들어 올리더니 종이를 이리저리 기울이며 그림의 구석까지 살폈다. 그러고는 그림을 내려놓고 의자를 돌려 책상 옆에 서 있는 나를 올려다보았다. 선생님은 잠시 단어를 고르는 것처럼 검지를 가로로 눕히고 입술을 문질렀는데 마침내 손가락이 입술에서 떨어졌다. 선생님은 그림이 무척이나 흥미로웠다고, 그림을 어디에서 배웠냐고 물었다. 나는 선생님을 바라보지 못하고 그림을 내려다보며 집에서 혼자 그렸다고 대답했다. 선생님은 눈을 크게 뜨며 당혹스럽게 나를 쳐다보더니 그러면 이 화가의 그림을 어떻게 알게 되었냐고 물었다. 나는 초등학교 오 학년 가을에 현장체험학습을 다녀오며 화집을 샀다고 대답했다. 선생님이 미간을 좁히며 눈썹머리를 내려앉혔다. "초등학교 오 학년 때 말이니?" 나는 선생님이 왜 놀라는지 의아해 하면서 고개를 끄덕였다. "왜 이 화가의 화집을 골랐니?" 나는 선생님의 계속되는 질문에 조금 무안해져 그냥 어깨만 으쓱하고 고개를 가로저었다. 선생님은 입술을 손가락으로 문지르며 다시 그림을 들여다보았다. "너는 자신에 대해 잘 모르거나 네 감정이 남에게 드러나는 것을 경계하는 모양이구나." 나는 선생님의 긴 머리카락을 묶고 있는 뒷머리가 물고기의 꼬리지느러미처럼 움직이는 모습을 보는데 잠깐 정신이 팔렸다가 그 말을 듣고 갑자기 마음 한구석이 뜨끔해졌다. 선생님은 적어도 중학생들 중에 다른 사람의 그림을 따라 그리면서도 자신의 내밀한 감정을 이토록 통렬하게 투영시킨 작품을 본 적이 없었다고 말했다. 그의 손가락이 내가 그린 여자의 얼굴 윤곽선을 따라 머리카락으로 올라가더니 원을 그렸다.

"너도 보려무나. 네가 연필로 종이를 긁어낸 것 같은 투박한 선과 두터운 물감의 표면에 남긴 붓질의 뒤엉킴을. 원작보다는 시선이 모호한 눈을 크게, 어깨는 과도하게 수그리도록 그렸구나." 그는 숫제 검지의 첫 번째와 두 번째 마디를 입술로 가볍게 물고 있었는데 손톱 끝이 물감에 물들어 있었다. "너를 만나서 반갑다." 그가 나를 다시 올려다보더니 웃음을 함박 머금었다.

그는 매주 금요일 오후 네 시에 그림을 그릴 거라고 말했다. 그림을 그리는 데 필요한 용구는 학교에서 모두 제공할 거라고. 나는 내가 말릴 새도 없이 성급하게 유화도 그리는지 물었다. 선생님은 나의 갑작스러운 질문이 오히려 만족스러웠는지 가늘어지는 눈꼬리가 끌어올린 볼 근육이 봉긋하게 솟았고 내가 원하는 것은 무엇이든 배울 수 있을 거라고 대답했다. 선생님은 나가봐도 좋다는 듯 고개로 문을 가리켰다. 나는 허리를 숙여 인사하고 천천히 문을 닫으며 복도로 나왔다. 선생님이 내게 했던 말이 다 이해되는 것은 아니었다. 하지만 교실로 향하는 내 발걸음은 가벼웠다. 언제인지 기억나지 않을 만큼 오랜만에.

한 손은 내저으면서

굴청을 가득 담은 유리 용기를 내려놓고 성긴 리넨 천이 등받이를 덮고 있는 소파에 앉자 바람이 빠지는지 쉭 소리를 내며 좌방석이 허리춤까지 꺼졌다. 소켓에 물려 있는 부분부터 그을음이 차오르며 어두워진 형광등이 소파의 팔걸이부터 다릿발까지 굽이치는 등나무 다발에 침침한 빛을 떨어뜨렸다. 이 소파에 처음 앉아 본 것은 내가 고등학교 이 학년이었던 시절 입시 학원의 수업이 끝나고 버스에서 함께 내린 승객들의 발소리를 집어삼키는 주택가의 밤거리를 나 역시 서둘러 걸어 집으로 돌아왔을 때였다. 그 당시에 부모님이 일 층에서 작은 식당을 운영하고 이 층이 가정집이어서 이 층으로 올라가기 위해서는 일 층의 뒷벽을 타고 올라가는 계단을 이용해야 했는데 가게 안의 상황에 따라 계단으로 가는 방법이 달랐다. 불판에서 올라오는 연기를 환기하느라 추운 겨울에도 늘 열어 놓는 창문을 통해 나는 가게 안에 앉아 있는 손님의 숫자를 가늠할 수 있었는데 귀가하는 시각이 꽤 늦어 내가 가게 안을 지나가기가 꺼려질 만큼의 손님이 들어차 있을 확률이 사흘 중에 한 번은 되었다. 가게가 한산한 경우에는 현관으로 들어가 빈 테이블의 의자에 앉아 있는 부모님에게 인사하고 부엌문을 통과해 이 층으로 올라갔지만 그날따라 가게 안이 손님들로 시끌벅적하였다. 좁은 부엌 안에서 칼로 썬 고기와 밑반찬을 담은 접시들을 스테인리스 쟁반 안에 올려놓는 어머니와 쟁반을 오른손에 들고 술과 음료를 왼손가락 사이에 끼워 테이블로 나르는 아버지를 방해하지 않기 위해 나는 일 층의 벽과 벽돌담 사이의 작은 후문을 열고 이 층으로 올라갔다. 잔들이 서로 부딪히고 유리병을 테이블에 내려놓는 소음과 목청을 높이지만 취기에 구부러져 알아들을 수 없는 목소리를 뒤로 하고 부엌의 불빛이 비쳐 드는 캄캄한 계단을 오르다가 나는 이 층의 열려 있는 현관문을 올려다보았다. 처음에는 도둑이라도 든 건 아닐까 걱정하며 남은 계단을 마저 올랐는데 현관문의 노루발이 바닥의 타일을 단단하게 디딘 것을 보고 내심 안도하면서 불이 환히 켜진 거실에 들어갔다. 거실에 들어서자마자 왜인지는 모르겠으나 팔걸이와 다릿발만 두꺼운 비닐 포장지에 덮여 있었고 등받이와 좌방석은 훤히 드러난 채 연보라색으로 물든 커다란 꽃무늬가 형광등 빛에 거슬거슬한 광택을 내고 있었다. 책가방을 내 방의 책상 옆에 내려놓고 부엌에서 가위를 가지고 나와 비닐 포장지를 묶고 있는 노끈을 잘라 내어 포장지를 벗겨 냈다. 유연하게 휘어진 등나무의 팔걸이와 다릿발이 눈앞에 드러나자 나는 뜯어낸 포장지와 노끈을 손으로 뭉쳐 쥐었는데 새로 들어온 소파가 반갑기보다는 당황스러웠다. 거실뿐만 아니라 집 안에 있는 가구라고는 하나같이 네모반듯한 가구밖에 없었는데 라탄 바구니를 연상시키는 소파가 자리를 잡고 있으니 종잡을 수 없는 어머니의 가구 취향에 어리둥절해하며 소파에 앉아 보았다. 새로 산 소파라 그런지 푹신하기보다는 단단했고 팔걸이에 얼굴을 대고 무릎을 구부려 몸을 옆으로 뉘자 팔걸이의 높이와 소파의 길이가 내 몸에 제법 알맞았다. 나는 포장지와 노끈을 쓰레기통에 버린 뒤로 간혹 소파에 누워 텔레비전을 보기도 했지만 내 방의 몸에 익은 침대를 놔두고 딱히 소파를 애용했던 기억은 없었다. 그때 들여놓았던 소파가 십여 년 전 이 집에 이사 올 때도 어김없이 거실에 들어와 지금도 내 몸을 받치고 있으니 가구들 중에서는 터줏대감이라 할 만하다는 생각에 혼자 실소를 머금었다. 나는 팔걸이에 얼굴을 대고 무릎을 구부려 소파에 누워 보았다. 여기서 잠을 자서 다음 날 일어나도 이제는 몸이 뻐근하지 않을 만큼 푹신했고 어머니가 밥상을 차릴 때마다 희미하게 맡을 수 있었던 핸드크림 냄새가 풍겼다. 가만히 누워 있자니 몸이 노곤했는지 넓은 거실 창으로 땅거미가 기어들어 와 거실 벽이 어둑해지고 선풍기의 그림자가 길어지는 모습을 몽롱하게 지켜보다가 나는 힘없이 몸을 일으켜 세웠다. 지금 잠들어 버리면 오늘 밤에는 더욱더 잠을 이루지 못할 것이다. 나는 소파에서 일어나 팔을 쭉 뻗고 고개를 좌우로 흔들며 다시 소파를 바라보았다. 소파와 거실 벽이 이루는 모퉁이에 숨어 있는 것처럼 잘 보이지 않는 탁자 위로 두툼한 책의 모서리가 내보였다. 나는 책을 집어 들어 앞표지를 보았다. 『모비 딕』이라는 제목 밑에 여러 줄의 굵은 눈꺼풀 안으로 정면을 응시하는 아몬드 모양의 검은 눈동자가 그려져 있었다. 책을 살짝 돌려보니 먼지가 앉은 누리끼리한 책머리에 도서관의 이름이 파란 잉크로 흐릿하게 찍혀 있었다. 나는 저번 주에 집에 잠깐 들르겠다고 말하려고 어머니에게 전화했을 때 어머니는 발신음이 가고도 한참 뒤에나 전화를 받더니 지금 열람실에서 책을 대여하느라 수신이 늦었다고 말했었는데 아마 그때 빌렸던 책인 모양이었다. 나는 분별없게도 어머니에게 무슨 일로 도서관에 갔는지 물어보았는데 어머니는 산책 겸 도보로 왕복 한 시간 정도 걸리는 도서관에 걸어가 책을 빌리거나 반납한 지도 벌써 일 년이 다 되어 간다고 말했다. 나는 책등을 왼손에 얹고 오른손의 엄지를 앞표지에 걸쳐 책장을 한꺼번에 넘기면서 책을 훑어보았다. 칠백 쪽이 넘는 책장들이 바람 소리를 내며 넘어가다 위로 튕기는 가름끈이 순식간에 덮쳐 오는 뒤쪽의 책장에 잠기는 모습이 언뜻 보였는데 쪽수를 확인할 새도 없이 뒤표지가 엄지에 다다랐다. 나는 책장을 다시 넘기며 책장 가운데로 떠밀려 있는 가름끈을 찾아 책 밑으로 잡아당겨 빠지지 않도록 단단히 끼워 넣고 좌우 책장의 대각선 방향으로 시선을 옮기며 내용을 살폈다. 고래 척추에 대한 해부학적 묘사에 이어 오른쪽 장 하단에 「제104장 화석 고래」라는 제목이 본문의 글씨보다 큰 고딕체로 불거져 있었다. 제목은 들어보았지만 읽어볼 엄두는 내지 못했었는데 어머니는 어느새 여기까지 읽었던 모양이었다. 나는 책을 덮고 이제는 고달픈 생업에서 벗어나 원 없이 낚시에 매달리는 아버지와 장성한 자식의 부재로 고적해진 집에서 독서에 열중하는 어머니의 모습을 떠올려 보았다. 언젠가 내가 어머니의 나이가 되어 이 책을 읽게 된다면 이미 읽어본 것처럼 친숙한 느낌이 들어 왜 그런 기시감이 드는 것인지 의아하게 될까? 그 순간 수명이 다했는지 형광등이 깜빡거리기 시작했고 나는 형광등을 올려다보며 책을 내려놓았다. 어머니가 저녁 식사를 준비하는 동안 형광등이라도 갈아 볼 생각에 부엌으로 들어가 혹시 여분의 형광등이 없는지 물어보았는데 어머니는 뒤도 돌아보지 않고 마트에서 형광등을 사 와야 한다고 대답했다. 나는 가운데가 파인 나무 도마에서 생미역 줄기를 써느라 어머니의 팔꿈치가 오르내리는 모습을 보며 마트에 다녀오겠다고 말하고 집을 나섰다. 아버지의 슬리퍼를 신고 문을 나섰더니 고랑과 이랑으로 결을 낸 자그마한 텃밭이 눈에 들어왔다. 텃밭 안을 들여다보니 아버지가 직접 쌓아 올린 무릎 높이의 돌담 구석까지 꼼꼼하게 일구어져 보송한 질감의 흙이 돌담에 닿아 있었다. 이사 올 당시에는 관리가 되지 않아 뾰족한 줄기의 잔디가 발목을 찌르던 정원이었지만 아버지가 손수 일구어 정원의 일부는 텃밭으로, 나머지는 시멘트를 부어 주차장으로 만들었다. 세대를 세울 수 있는 주차장의 제일 왼쪽 칸에 부모님이 십사 년 전에 구입한 소형차가 세워져 있었는데 호기심에 차를 둘러보니 범퍼와 휠을 가릴 것 없이 긁힌 부분들이 군데군데 보였지만 나는 그다지 실망하지 않았다. 물이 빠진 틴팅 필름에 눈을 대어 차 안을 들여다보니 온갖 곳을 돌아다니며 산전수전 다 겪은 외부와는 다르게 핸들과 대시보드, 시트 위에는 먼지 하나 없이 깨끗했다. 조수석 바덕에 작은 진공청소기가 놓여 있는 것을 보니 아마 새 차로 짐을 옮기면서 차 안을 비워 내고 청소한 것 같았다. 나는 창에서 눈을 떼고 똑같은 밝기와 길이의 형광등을 사기 위해 소켓에서 빼낸 형광등의 온기를 손바닥에 느끼며 버스 정류장에서 이곳까지 걸어올 때 지나쳤던 마트의 위치를 떠올려 보았다. 다녀오는 데 십오 분 정도 걸릴 것 같았다.

새 형광등을 들고 집으로 돌아왔을 때 거실 창밖의 마루와 텃밭의 돌담 사이에서 보지 못했던 고양이가 사료를 먹고 있다가 나를 쳐다보았다. 나 역시 어머니에게서 고양이를 키운다는 말을 들어본 적이 없어 고양이를 멀거니 바라보았는데 고양이가 나를 경계하기는커녕 꼬리를 말고 귓등을 누그러뜨리며 사료 가루가 묻은 얼굴을 다시 그릇 안에 밀어 넣었다. 고양이의 태연한 몸짓에 당황해하며 나는 슬리퍼를 벗고 거실 밖 마루에 올라섰는데 마루 왼쪽 벽에 기대고 있는 작은 포대가 고양이의 사료라는 것을 그제야 알아차렸다. 그때 그릇이 비었는지 달그락거리는 소리가 들려 고양이가 있던 곳을 내려다보니 고양이가 나른하게 하품하고 목덜미를 털면서 마루 밑으로 모습을 감췄다.

그새 어머니는 부엌 등에 의지하여 식탁을 차려놓고 의자에 앉아 나를 기다리고 있었다. 나는 형광등을 뺄 때 거실 한가운데 놓았던 의자 위로 올라가 소켓에 형광등을 끼웠다. 어머니가 빛이 잘 들어오는지 확인하려고 형광등을 켰는데 지나치게 밝은 빛이 눈을 찔러 나도 모르게 손으로 눈을 가렸다. 잠깐 시야를 가득 채웠던 하얀 장막이 사라지자 의자 옆에서 내 다리를 붙잡고 나를 올려보고 있는 어머니와 눈이 마주쳤다. 나는 겸연쩍게 웃으며 의자에서 내려와 의자를 식탁 밑으로 밀어 넣고 그 위에 앉았다.

"고양이를 키우세요?" 고양이에 대해 물어보기 전에 그런 질문을 해도 되는지 형광등을 끼우며 고심했는데 집의 변화를 좀처럼 알아차리지 못하는 내 무심한 성격이 드러날 것이기 때문이었다.

"저번에 한 번 비가 왕창 왔을 때 밤새도록 고양이가 우는 소리가 들리지 뭐냐? 그래서 네 아버지가 잠을 이루지 못해서 밖을 내다봤는데 비에 젖었는지 처량하게 가르랑거리는 소리만 들리고 정작 고양이는 어디에 있는지 보이지 않는 거야. 비 때문에 밖에 나가서 찾지도 못하겠고." 엄마는 그때 어지간히 난감했는지 뒤늦게 가져온 물컵에 물을 따랐는데 물줄기가 살짝 흔들리며 식탁 위로 물방울이 튀었다. 대번에 물컵을 가득 채우고 식탁에 떨어진 물방울을 행주로 훔쳐낸 어머니는 말을 이었다. "고양이도 우는 게 지쳤는지 소리가 점점 잦아들어서 깜빡 잠이 들었는데 눈을 떠보니 네 아버지가 마루 밑에 손을 집어넣고 뭔가 간지러운 것처럼 웃고 있더라고. 아침부터 무슨 일인가 싶어 내가 가서 보니 조그만 고양이가 마루 밑에서 고개를 내밀고 네 아버지의 손가락을 혀로 핥고 있더구나. 시장에 다녀오겠다고 말하면서 네 아버지가 집을 나서더니 고양이 사료와 밥그릇을 사 들고 집에 급하게 돌아와서 내가 웃음이 다 났다. 솔직히 길고양이가 집에 모여들까 봐 처음에는 걱정도 했는데 요새는 내가 적적하지 않아서 좋더라고. 고양이를 차마 집안에 들이지는 못하고 네 아버지가 낚시 가면 내가 밖에 나가서 고양이 밥도 가끔 주고 그런다." 어머니는 음식이 식기 전에 얼른 먹으라는 듯 그릇들을 내 앞으로 살짝 밀었다. 나는 가타부타 말없이 고개를 끄덕였다.

"어머니는 식사 안 하세요?" 나는 억지로 눈썹 끝을 살짝 긁으며 숟가락을 집어 들었다. 식탁 위에는 현미밥과 생선 미역국, 삶은 돼지고기, 배추김치를 담은 그릇들이 정갈하게 놓여 있었다. 어머니는 낚시를 간 아버지가 돌아오면 함께 먹는다며 내가 뜨거운 미역국을 한 숟가락 떠서 후루룩 소리를 내며 입안으로 넣는 모습을 가만히 지켜보았다. 입안에서 뭉그러지는 생선살과 보들보들한 미역을 씹어 삼키자 뜨거운 국물이 먼저 넘어가며 데인 것처럼 따가웠던 목구멍이 점차 진정되었다. 나는 돼지고기에 김치를 얹어 입을 크게 벌리고 입안에 밀어 넣었다.

"여기까지 어떻게 왔니?" 어머니는 삶은 돼지고기가 한입에 먹기에는 다소 크다고 생각했던 모양인지 주방용 가위와 집게를 가져와 접시에 놓인 돼지고기를 반으로 자르기 시작했다.

나는 돼지고기가 가위에 부드럽게 썰리는 것을 보며 버스를 타고 왔다고 대답했다. 집 바로 옆의 빌라 맞은편에 버스 정류장이 있었지만 학교를 경유하면서 그곳에 정차하는 버스가 없어 마을 입구 버스 정류장에서 내렸다는 말은 하지 않았다. 거기에서 여기까지 두 정거장 거리라 그다지 멀지 않을 거라고 생각했었지만 걷기에는 만만치 않은 거리였다.

"아버지는 전기차를 몰고 나가셨어요?" 내가 돼지고기 한 점을 젓가락으로 집어 크기를 가늠하고 입안에 넣었는데 이제야 씹기에 좀 편해졌다.

"전기차도 길들여야 한다면서 전기차만 운전한다, 요새." 어머니는 가위와 집게를 돼지고기가 담긴 접시 가장자리에 걸쳤다. "전기차가 유지비도 저렴하지만 트렁크가 크니까 오일장 다녀올 때마다 편하더라. 예전에 키 큰 화초를 사면 트렁크에 담을 수가 없어서 내가 화분을 안고 타거나 뒷좌석 바닥에 신문지를 깔고 실었어야 했거든." 어머니는 불과 일주일 전의 일이지만 입을 떼기까지 조금 시간이 걸렸다.

어머니가 예전에 화초 하나 사 올 때마다 바지가 더러워진다며 허벅지 위의 얼룩을 보여줬던 기억이 났다. 몇 개인지 세볼 생각조차 나지 않는 크고 작은 화분들이 집을 둘러쌌는데 저마다 화사한 꽃을 피우고 강렬한 향을 내뿜어 집에 올 때마다 코가 얼얼하고 기침이 멈추지 않을 정도였다. 식탁에서 내다보이는 거실 창밖의 소나무 분재만 하더라도 한낮의 열기는 식었지만 여전히 후덥지근한 밤이 내려앉고 있는 풍경에 운치를 더하고 있었다.

"버스로 출퇴근하기에는 학교가 좀 멀기는 하지?" 어머니는 먼저 말을 꺼내면서도 못내 내키지는 않은 어조로 물었다.

"버스를 타고 학교에 가는 시간도 시간이지만, 버스 정류장까지 걸어가고 버스를 기다리는 시간도 적지 않더라고요. 날씨가 궂기라도 하면……." 나는 적당하게 말을 감췄다. 그 당시의 일을 어머니에게 말한다 한들 이미 지나간 일에 대해 어머니의 걱정만 늘 것이기 때문이었다.

어머니는 눈을 내리깔고 말없이 고개를 끄덕였지만 내 말에 수긍하기보다는 어쩔 수 없다는 기색이 역력했다. "다리는 좀 괜찮니?"

"철심이 박힌 부위가 가끔 저릿한 것만 제외하면 딱히 불편한 건 없어요. 내년 초에 철심을 빼는 수술을 하는데 대단할 것도 없대요. 의사 말이." 나는 신중하게 생각하며 대답하기 위해 어머니가 질문할 때는 잠시 젓가락을 내려놓았다.

"사고 후에 운전을 해 본 적은 있고?" 어머니는 결국 걱정스러운 낯빛으로 나를 뚫어지게 바라보았다.

나는 사고라는 표현에 약간 움찔했지만 구태여 심드렁하게 대답했다. "주말에 가끔 아내 차를 몰기도 했어요. 천천히요." 나는 어색한 웃음을 지어 보였다.

어머니는 어쩔 수 없다는 듯 한숨을 내쉬며 굳은 얼굴로 말했다. "너 주려고 차 청소해 놨다. 차가 너무 오래되어서 말썽이라도 일으킬까 걱정이다."

"제가 조심하면서 운전할게요. 너무 걱정하지 마세요." 어머니는 국그릇을 들어 건더기를 다 건져 먹은 국물을 들이켜는 내 얼굴을 쳐다보다 소파 옆의 탁자에서 차 열쇠를 꺼내더니 식탁 위에 올려놓았다.

나는 밥과 국, 찬그릇 할 것 없이 모두 말끔하게 비웠다. 내 건강을 염려하는 어머니의 걱정이 이렇게 하면 무마되기라도 할 것처럼.

식탁을 정리한 어머니는 부엌에 들어가 말린 옥돔을 포일에 싸기 시작했다. 포일이 찢기고 구겨지는 소리를 들으며 나는 어머니가 읽던 책에서 가름끈이 끼워진 책장을 펼쳐 하얀 봉투를 끼워 놓고 책을 덮었다. 그러고는 한 손으로 차 열쇠를 쥐고 다른 손으로 옥돔이 들어 있는 비닐봉지를 들어 주차장으로 나갔다. 차 열쇠를 누르자 전조등이 켜졌는데 그때 마루 밑에서 고양이가 우는 소리가 들렸다. 나는 조수석에 비닐봉지를 내려놓고 바닥에 있는 진공청소기를 꺼내어 어머니에게 건넸다. 어머니는 미처 몰랐다는 듯 진공청소기를 받아 들고는 밤길이 어두우니 주변을 잘 살피며 운전하라고 신신당부했다. 나는 고개를 끄덕이면서 "옥돔 잘 먹을게요. 들어가세요, 이제."라고 말하고 운전석의 문을 열었다. 내가 차에 시동을 걸고 주차장을 천천히 빠져나올 때도 어머니는 주차장에 서 있었다. 한 손에는 진공청소기를 들고, 한 손은 내저으면서.

난처럼 그어진

중학교 생활은 내 기대보다는 순탄하게 시작되었다. 낯을 가리고 수줍어하면서도 쾌활하게 웃고 떠드는 내 모습을 친구들은 본 적도 없으면서 예술가는 기질이 복잡한 사람이라며 이내 받아 주고 나는 누구와도 어울릴 수 있는 곁에 두기 편한 사람이 되었다. 특히 수백 명의 일 학년 중에서 두 명밖에 없는 미술부원이라는 것이 알려지면서 나는 부담스럽기 짝이 없는 경탄의 대상으로 치켜세워지고 수업 시간에 딴짓으로 공책 구석에 그린 낙서조차 쉬는 시간이 끝나기도 전에 교실 안에 작은 화제를 불러일으켰다. 하지만 나는 미술실에서 그림을 그릴 때마다 서서히 드러나는 그림의 분위기와 내가 교실에서 연출하는 모습과의 괴리 때문에 가끔 나 자신에게 낯선 감정을 느꼈다. 저번 주에도 미술실에서 그림을 그리고 있었는데 원 모양으로 배치된 이젤들 밖을 길쭉한 행성처럼 공전하면서 그림들을 하나하나 들여다보는 미술부 선생님의 모습이 캔버스 모서리의 언저리에서 맴돌다가 캔버스 뒤쪽으로 사라졌다. 그러다 다시 캔버스 밖으로 모습을 드러낸 선생님은 검지로 입술을 문지르며 멈춰 섰는데 그 동작은 자신이 보고 있는 그림에 대해 의구심이 생겼다는 뜻이었다. 그러면 캔버스 앞으로 허리를 숙이거나 근처의 스툴에 걸터앉고는 손가락을 모아 가볍게 흔들거나 손바닥을 펼치고 허공에서 휘저으면서 미술부원에게 무언가를 속삭였다. 선생님이 걸어 다닐 때는 발소리가 나지 않고 말할 때는 선생님 특유의 억양만 간간이 들려와 마치 대낮에 형체가 확연한 유령이 미술실을 돌아다니며 우리가 그리고 있는 캔버스를 무대로 줄 인형극을 공연하는 것 같았다. 나는 부지불식간에 선생님이 무슨 말을 했을까 궁금해 하면서도 그림을 그리는 일에 집중하려고 마음을 다잡았다.

가는 붓으로 옷의 주름 안을 파고드는 그림자를 그리느라 캔버스 가까이에 얼굴을 들이밀어 시야가 한껏 좁아진 나는 선생님이 옆에서 내 그림을 보고 있는 것을 알아차리지 못했다. 내 옆에 스툴이 놓이고 선생님이 그 위에 앉아서 캔버스의 오른편이 어두워지고 나서야 나는 고개를 옆으로 돌렸다. 선생님은 양 무릎에 팔꿈치를 세워 손바닥에 얼굴을 내려놓고 내 그림을 가만히 바라보고 있었다. 선생님은 내가 그리는 모든 인물의 얼굴이 정면을 향하지 않고 턱을 들어 올리거나 떨어뜨린 얼굴의 옆면을 그림의 전면으로 드러내는 방식이 특별하다고 말했다. 그런 구도에서는 얼굴 면이 협소해지면서 인물의 표정이 미묘해지거나 강렬해지는데 그 때문에 그림

을 보는 사람은 그림 속 인물의 감정을 짐작하기가 더욱 어려워진
다고 했다. 그러더니 선생님은 진심으로 궁금하다는 표정으로 혹시
내가 의도적으로 그림을 그렇게 그리고 있는 것인지 조심스럽게 물
었다. 나는 선생님이 던지는 질문 자체가 어려울뿐더러 그것에 대
해 생각해 본 적도 없던 터라 선생님의 질문에 대답하지 못했다.
나는 어떻게 그리겠다고 미리 구상하기보다는 보통 선을 하나 그리
는 것으로 그림을 시작했는데 그런 말을 하는 것이 선생님의 질문
에 대한 대답이 될 수 있을지 알 수 없었다. 선생님은 뺨이 벌게지
면서 눈앞의 그림만 뚫어지게 바라보는 나를 바라보며 내 대답을
잠시 기다리다 나를 다독이는 어투로 말했다. 아마 내가 그 대답을
아는데 몇 개월이나 몇 년이 걸릴 수도 있는데 왜냐하면 내가 그리
고 있는 그림에 대한 질문은 나에 대한 질문과 같기 때문이라고 했
다. 나는 선생님의 말이 무슨 뜻인지 짐작하기도 어려워 선생님과
의 대화가 끝날 때마다 미술부원들이 당혹스럽게 내보였던 반응이
지금 내게도 일어나고 있다는 생각이 들었다. 선생님은 불현듯 자
신이 한 말이 나를 지나치게 몰아붙인다고 생각한 듯 손바닥으로
허벅지를 홀가분하게 털어내고 내가 알고 있는 예의 그 몸짓으로
내 그림의 몇몇 세부적인 문제에 대해 말을 꺼내기 시작했다. 아직
은 내가 유화 물감을 서투르게 사용해서 그림의 표면이 고르지 않
은 지점이라든가, 잘못된 비율로 분할한 근육 때문에 부자연스럽게
길어진 팔을 동그랗게 오므린 손가락으로 가리키며 수정해야 할 부
분이라고 말했다. 그리고 손바닥으로 그림자와 배경의 경계 부분을
넓게 쓸며 빛의 방향에 따라 명암과 색조의 변화에도 일관성이 있

어야 한다고 덧붙였다. 처음부터 이렇게 설명했으면 선생님은 입이, 나는 머리가 덜 아팠을 것이다. 나는 고개를 끄덕였다. 선생님은 잠깐 말을 멈추더니 목청을 가다듬었다. 그러고는 그림을 그릴 때 자신이 건네는 조언을 지나치게 의식할 필요는 없다고 말했다. "그림에 네 감정을 마음껏 표출하면서 네가 원하는 대로 그리면 좋겠구나. 너의 감정을 모두 소진해서 몸이 기진맥진하고 마음이 허탈할 정도로 그림을 그리고 나서야 네가 진심으로 원하는 것이 무엇인지 알 수 있단다." 선생님께서는 도대체 내게 왜 이런 말씀을 하실까. 나는 또다시 시작하는 선생님의 알 듯 모를 듯한 말에 고개를 내젓고 말았고 답답한 마음에 쳐다본 선생님의 표정은 신비롭기까지 했다. 선생님은 내게 의미심장한 미소만 남겨 놓고 스툴에서 일어나 스툴을 미술실 벽에 붙여 놓았다. 그러고는 고개를 오른쪽 위로 틀고 있는 내 그림 속 인물의 시선이 가리키는 캔버스의 모서리 너머로 마치 아무 일도 없었던 것처럼 사라졌다.

오월 첫째 주 미술부 수업은 그림을 그리지 않고 미술 전시회를 관람하기로 하여 나와 윤슬은 미술부 선생님의 차를 타고 학생문화원으로 향했다. 미술실에서 이미 수없이 봤었던 선배들의 그림을 비롯해 다른 학교 학생들이 출품한 그림을 점잖게 감상하다 금세 학교로 돌아올 줄 알았던 우리는 들뜨기는커녕 별로 달갑지도 않게 선생님의 차에 올라탔다. 선생님이 미리 나눠준 리플릿을 윤슬과 함께 뒤적이던 내가 갑자기 리플릿이 보물 지도라도 되는 것처럼 뒷좌석에서 발을 구르고 윤슬이 내 어깨를 붙들며 호들갑을 떨기 시작하자 선생님이 룸미러로 우리를 힐끔 돌아보았다. 일주일간 운영되는 행사의 일환으로 지역의 중고등학교 학생들이 출품한 그림을 아우르는 전시회뿐만 아니라 오케스트라와 합창, 연극 등의 공연이 쉬지 않고 이어지고 심지어 스마트폰으로 촬영한 단편영화까지 상영한다고 했는데 정작 우리를 경망스럽게 흥분시킨 대목은 야외공연장에서 운영될 열다섯 개가량의 부스 배치도였다. 이렇게 즐길 거리가 풍성하단 말인가. 우리는 마치 서커스 천막 주위의 장터 같을 야외공연장의 광경을 상상하며 무엇부터 해야 할지 결정하느라 상의를 거듭했다. 윤슬은 금강산도 식후경이라며 부스의 모든 음식을 먹고 나서 다른 부스에 가야 한다고 나를 설득했는데 우리의 대화를 듣느라 선생님의 주의가 흐트러졌던 모양인지 우리가 탄 차가 알맞은 순간에 차선을 변경하지 못하고 오른쪽 차선에 억지로 끼어든 탓에 뒤차가 경적을 몇 번 울렸다. 선생님은 운전석의 창을 내려 손을 내밀고 미안하다는 손짓을 하더니 재킷의 소매로 이마를 훔쳤다. 선생님은 그림을 감상하고 나면 뭘 해도 좋다고 말했지만 윤슬은 그림을 꼭 먼저 봐야 하냐고 짓궂게 되물어서 선생님의 머리를 지끈거리게 했다. 우리는 학생문화원으로 가는 도중에 꽃집에 들러 꽃다발을 세 개 샀다. 꽃다발을 품에 안고 차 안으로 돌아온 나와 윤슬은 꽃에 얼굴을 비비며 희희낙락했다. 나는 작년 졸업식 때 엄마에게서 받았던 꽃다발을 떠올렸다. 붉은빛이 선연했지만 꽃망울이 채 터지지 않아 희붐한 빛이 감도는 안개꽃 속에서 꽃잎을 오므리고 곤히 잠든 것처럼 보였던 장미꽃을 내려다봤었다. 계절이 바뀌어서 그런가. 차 안은 온통 봄의 색과 향으로 가득 찼고 선생님은 몇 번 팔꿈치로 입을 가리며 크게 기침을 하더니 코를 큼큼거리며 창문을 조금 열었다. 하얀색과 분홍색, 자주색의 커다란 꽃송이 사이로 민들레와 같은 들꽃이 천연덕스럽게 고개를 내밀어서 그야말로 꽃들이 흐드러진 들판에서 금방 딴 꽃을 크림색의 한지로 감싼 것 같았다. 선생님은 우리가 꽃다발에 코를 박은 와중에도 리플릿에서 체험하고 싶은 부스를 일일이 손가락으로 짚는 모습을 룸미러로 간간이 흘깃거리며 우리도 내년에는 전시회에 출품해야 하니 올 겨울방학부터 작품을 시작하자고 했다. 윤슬은 선생님의 말을 듣고 꽃다발 사이로 얼굴을 불쑥 내밀더니 내년에는 올해보다 미술부원을 더 많이 뽑아달라고 운전에 여념이 없느라 눈과 귀가 바쁜 선생님에게 졸랐다. 나는 차가 갑자기 좌우로 흔들리는 것을 느끼고 윤슬의 귓불을 살짝 잡아당겨 윤슬을 뒷좌석에 깊숙이 앉혔다. 내가 적당히 좀 하라는 뜻으로 눈썹을 험악하게 구기며 윤슬을 돌아보자 윤슬은 얼굴을 꽃다발 뒤로 숨기며 배시시 웃었다. 선생님은 수많은 교차로에서 차를 왼쪽과 오른쪽으로 꺾으며 육중한 빌딩들이 양옆으로 협곡을 이루어 건조한 그림자가 흐르는 도로를 바쁘게 헤쳤다. 마침내 조수석 창으로 테라코타 타일을 붙인 외벽을 다양한 크기의 삼각형으로 도려내어 창을 낸 건물이 보였고 선생님은 이제 다 왔다고 말했다. 나는 저 건물이 미술관처럼도 보여 학생문화원이냐고 선생님에게 물었는데 선생님은 저곳은 어린이 도서관이며 학생문화원은 그 옆 동의 건물이라고 대답했다. 우리는 도서관 바로 앞 진입로에서 우회전하여 학생문화원으로 들어갔는데 삼각형의 입구 위로 유성들이 떨어지는 모양새의 조명이 반짝여 나와 윤슬의 눈길을 끌었다. 선생님은 도서관의 미학적 요소에 관심을 가질 여력이 없다는 듯 건물에는 눈길 한 번 주지 않고 야외공연장을 크게 돌아 학생문화원 맞은편의 주차장에 차를 세웠다. 주차장은 학생문화원 부지의 반이나 차지할 만큼 넓었는데도 차들이 거의 들어차 있었고 차에서 내린 나는 빈자리를 찾느라 서행하는 차들이 길게 늘어선 줄을 보고 행사의 규모가 실감 났다.

우리보다 먼저 도착한 미술부 선배들은 가족이나 친구로 보이는 지인들과 삼삼오오 모여 화기애애한 대화를 나누고 있었는데 손에 쥔 다과를 입에 넣는 동작이 가벼웠다. 선생님이 걸음을 사뿐하게 놓으며 전시실에 들어서자 선배들이 고개를 돌리더니 곧바로 선생님에게 모여들었다. 선생님은 선배들의 어깨를 토닥이며 덕담을 건네다가 꽃다발을 들고 입구에 엉거주춤하게 서 있는 나와 윤슬을 손짓으로 불렀다. 우리는 선생님 옆으로 쪼르르 달려가 낯익은 얼굴과 낯선 얼굴을 분간할 새도 없이 선생님의 소개에 따라 꾸벅 인사했다. 우리가 인사를 마치자마자 선생님은 지체하지 않고 그림을 출품한 선배들을 한 명씩 호명했고 한 걸음 앞으로 내딛는 것도 쑥스러워 하는 선배들에게 우리는 제법 조신하게 꽃다발을 건넸다. 한 명씩 꽃다발을 받을 때마다 고막을 간지럽히는 휘파람이나 변성기의 굵은 환호성이 경쾌한 박수 소리와 뒤섞여 작은 소란이 일었지만 다행스럽게도 주변 관람객의 이목을 크게 끌지는 않았다. 선생님은 오늘 그림이 전시되기까지 선배들의 노고도 많았지만 자신도 자질구레한 참견을 퍼붓느라 힘들었다며 농을 쳤고 선배들은 그림을 그리는 팔보다 선생님 잔소리에 귀가 더 아팠다며 엄살을 부렸다. 모두가 웃는 가운데 선생님은 짧은 축하사를 끝내더니 무언가를 찾는 것처럼 입구로 걸어갔다. 우리는 영문을 모르는 시선으로 선생님의 뒷모습을 좇았는데 선생님은 전시실 운영 지원이라는 명찰을 목에 걸고 있는 자원봉사자를 여기로 데리고 와서 자신의 스마트폰을 건넸다. 스마트폰에 자원봉사자의 얼굴이 가려지고 숫자를 세는 소리가 조그맣게 들리더니 스마트폰의 플래시가 몇 차례 터졌다. 선생님은 자원봉사자에게 고맙다고 말하며 스마트폰을 돌려받고 사진을 확인했다. 내 걱정과는 다르게 사진이 잘 나온 모양인지 선생님은 스마트폰을 재킷의 안주머니에 넣고 전시실 벽마다 하나씩 걸려 있는 선배들의 그림을 찾았다. 그림을 앞에 두고 모여든 사람들 속에서 누군가가 앞으로 떠밀렸는지 서로 간격을 벌리며 주춤주춤 뒤로 물러섰다. 곧 그림을 두서없이 설명하는 선배의 떨리는 목소리가 사람들의 틈에서 가늘게 새어 나왔다.

　인파의 끝자락에 매달려 있던 나는 그림은 보이지 않고 선배의 목소리는 들리지 않아 난처하다는 표정으로 윤슬을 바라보았다. 윤슬은 어깨를 한 번 으쓱하더니 눈동자를 굴려 입구 앞에 걸린 그림을 가리켰다. 나와 윤슬은 무리에서 떨어져 나와 입구에서 가장 가까운 그림부터 함께 보기 시작했다. 내 그림을 그리기도 벅차 정작 남의 그림까지 관심을 가져 본 적이 없었던 나는 벽에 떠 있는 그림을 건성으로 훑어보며 발길을 옮겼는데 어느 순간 그림을 혼자 보고 있어 고개를 돌려보니 윤슬은 아직도 입구 쪽에서 그림을 보고 있었다. 차 안에서는 그렇게 까불며 선생님을 골리더니. 나는 왼손을 오른쪽 겨드랑이에 끼우고 오른손가락으로 턱을 받치며 더없이 진지하게 그림을 감상하는 윤슬을 가만히 바라보았다.

윤슬은 오 년 동안 홍콩에서 국제 학교를 다니다 올해 초에 한국에 돌아왔다고 했다. 홍콩에는 예쁜 소품을 파는 가게가 많았는데 다행스럽게도 학교가 번화가에 위치하여 거의 하루도 빠짐없이 여러 가게에 들렀다고 말했다. 자신은 특히 도자기 인형을 좋아했다면서 밤에도 생각나서 잠을 이루지 못할 정도였다고. 하지만 워낙 고가라 살 엄두를 내지 못하고 마음에 드는 도자기 인형을 발견할 때마다 스마트폰으로 사진을 찍었는데 결국 가게 주인이 물건은 사지 않고 사진만 촬영하는 자신을 탐탁해 하지 않는 것을 눈치 채고 가게 밖에서 도자기 인형을 찍게 되었다고 했다. 그래서 일 년이 넘도록 날씨와 계절을 가리지 않고 갈 수 있는 가게들을 모두 돌아다니며 진열창 안의 도자기 인형들을 수없이 촬영했다고. 그러다가 스마트폰의 얼마 되지 않는 용량을 모두 채우게 되었는데 사진을 삭제하기가 아까웠던 윤슬은 포토 프린터와 인화지를 사 달라고 엄마에게 졸랐고 예상외로 엄마는 선뜻 사줬다고 말했다. 하루는 비가 오는 날에 촬영한 사진을 인화했는데 이미 수십 장의 사진으로 도배한 방 안에는 더 이상 붙일 곳이 없어 어쩔 수 없이 부엌의 냉장고에 자석으로 붙이고 방으로 돌아오려는데 이상하게도 사진이 눈에서 잘 떨어지지 않았다고 했다. 그래서 사진을 자세히 보니 윤곽이 흐릿한 도자기 인형과 진열창에 반사된 바깥 풍경이 겹치며 묘한 분위기가 배어나서 손가락 끝으로 사진을 문질러 보기까지 했다고. 그날 저녁 엄마가 집 안에 들어오고도 기척이 없어 거실로 나갔는데 엄마가 구두의 긁힌 부분에 투명 매니큐어를 바르고 있더랬다. 그런데 매니큐어를 바닥에 흘릴까 봐 용기를 받쳐 놓은 종이가 하필이면 자신이 냉장고에 붙였던 그 사진이어서 사진을 다급하게 빼 들었는데 사진을 보니 매니큐어가 이미 몇 방울 떨어져 있었다고. 그래서 엄마에게 사진을 어떻게 할 거냐고 성을 내려는데 매니큐어 방울 속에 몽글게 맺힌 사진의 선과 색이 인화지 안에 붙박였던 현실이 인화지 밖에서 응축되어 또 다른 세계를 만든 것처럼 보여서 잠시 숨이 멎는 줄 알았다고 했다. 그때부터 사진을 그림으로 그리기 시작했다고. 윤슬은 미술실 청소를 끝내고 스툴에 앉아 물기가 번들거리는 미술실 바닥을 내려보고 있다가 나를 쳐다보았다. 내 그림을 봤다고. 그날. 그런데 그림을 보고 내가 궁금해졌다고 말했다. 내가 무슨 소리냐는 듯 한쪽 입꼬리를 들어 올리자 윤슬은 내 그림을 보았을 때 매니큐어 방울이 떨어진 사진을 보았을 때와 똑같은 떨림을 느꼈다고 했다. 나는 손가락을 머리카락 속에 집어넣어 북북 긁으며 갓 입학한 중학생이 그린 그림이 그렇게까지 인상적이었냐고 멀뚱하게 물었다. 윤슬은 고개를 가만히 끄덕였고 윤슬의 눈동자에 단호함이 어렸다. "네 그림에 있는 것이 내 그림에는 없었어." 나는 머리카락 속에서 손가락을 꺼내고 왼손을 오른손목 위에 올렸다. 윤슬은 깨문 것처럼 입술을 물고 있었고 그 때문에 피가 몰려 입술이 붉었다.

나는 나도 모르게 잔뜩 긴장하며 물었다. "그게 뭔데?"

윤슬이 내 눈을 똑바로 바라보며 대답했다. "체온."

그림의 호수부터 장르까지 가지각색인 스무 점 가량의 그림 중에 나는 먹으로 난을 그린 수묵화 앞에서 걸음을 멈췄다. 이제껏 서양화만 보고 그려 왔던 나로서는 낯선 충격이었다. 화선지를 묵직하게 가로지르는 난의 줄기는 방향에 따라 미세한 너비의 변화를 보여주며 맵시 있게 굴곡지고 가늘어졌다. 진하고 힘 있게 처진 줄기와는 달리 연한 농담으로 마디를 그리며 올라간 꽃대에 금세 떨어질 것 같은 단아한 꽃잎이 가까스로 매달려 있었다. 그림을 계속 들여다보고 있자니 그림에서 허공으로 번지는 고적한 평온이 내 눈으로 흘러들었다. 이 그림을 그린 사람은 어떤 사람일까? 나도 모르게 중얼거리다 불현듯 미술부 선생님이 내게 했던 말이 무슨 뜻인지 깨달았다. 갑작스럽게 머릿속부터 시작된 충격이 내 몸 안에서 요동치고 지진이 끊이지 않는 땅의 여진처럼 멈추지 않는 경련을 내 피부 위에 남겼다. 그림을 그리는 한 누군가에게서 나를 감추지는 못할 것이다. 무엇을 그리든 나는 결국 나를 그리게 될 것이다. 나는 멍한 기분으로 걸음을 옮겼지만 더 이상 그림은 눈에 들어오지 않았다. 나와 간격이 벌어졌던 윤슬이 이상한 낌새를 느꼈는지 내게 다가와 어깨에 손을 올리며 괜찮냐고 물었다. 나는 전시실 바닥을 내려다보며 더 이상 그림을 보지 않아도 될 것 같다고 웅얼거렸다. 윤슬은 섣부르게 내게 무슨 일이냐고 물어보지 않고 팔로 내 등을 감싸며 전시실 밖으로 나를 데리고 나갔다. 우리는 학생문화원의 현관을 나가 계단참에서 바람을 쐬었다. 나는 잠시 숨을 골랐고 윤슬의 걱정스러운 눈빛이 내 얼굴을 쓰다듬었다. 우리는 잠시 말없이 서 있었다. 학생문화원 밖에는 야외공연장의 가장자리를 따라 뾰족하게 솟아오른 하얀 천막들이 늘어서 있었다. 천막 안에는 사인용 테이블이 두세 개씩 놓여 있었고 대여섯 명의 부스 운영자는 프로그램을 체험하려고 천막 입구에 줄을 선 입장객들을 맞이하느라 분주했다.

"한 번 돌아볼까?" 윤슬이 팔짱을 꼈다. 나는 윤슬의 얼굴을 보며 팔짱을 끼느라 내 팔꿈치에서 매듭을 만드는 윤슬의 양 손등을 왼손으로 살포시 감싸 쥐었다. 나와 윤슬은 계단을 내려와 부스 앞을 걷기 시작했다. 건물의 그늘을 벗어나 야외공연장의 한복판을 걸으니 마음이 한결 편안해졌다. 공기 속에서 푸른 빛살을 흩트리던 바람이 지면으로 내려와 천막 지붕을 한바탕 쓸고 지나가자 지붕이 부드럽게 펄럭이며 좌우로 비틀어지고 지붕과 잔디밭에 박힌 고리못을 연결하는 끈이 팽팽하게 당겨졌다가 풀어졌다. 우리가 리플릿에서 본 대로 부스마다 운영하는 프로그램은 다채로웠다. 좁은 챙의 모자를 쓰고 검은색 망토를 두른 마술사가 손바닥을 펼칠 때마다 손가락 사이에 끼워져 있던 카드가 한 장씩 사라지고 관객들은 환호성을 질렀다. 특수 분장을 체험하는 부스에는 얼굴에 좀비 분장을 한 참가자가 어깨를 꺾고 다리를 절룩이며 카메라에 다가서다가 정작 사진을 찍을 때는 해맑게 웃었다. 아크릴 상자에 들어 있는 온갖 종류의 곤충이 움직일 때마다 여학생이 상자 밖에서 손을 대보는데도 소스라치게 놀랐다. 점점 낮아지는 림보대에 결국 무릎을 꿇고는 푹신한 매트리스 위에서 안타까움에 몸부림치는 작은 아이. 그 와중에 쉭 소리와 함께 발사된 에어 로켓이 천막 위로 작은 점을 만들었다가 야외공연장의 잔디밭에 설치된 그물 안에 떨어졌다. 나와 윤슬은 탕후루가 만들어지는 부스 앞에서 눈이 휘둥그레졌다. 머리 두건과 조리용 마스크, 앞치마로 중무장한 운영자가 뭉근하게 끓고 있는 설탕 시럽을 한 국자 떠서 머스캣과 딸기, 망고, 블루베리가 끼워진 나무 꼬치 위에 부었다. 설탕 시럽이 골고루 묻도록 냄비 위에서 꼬치를 몇 번 돌리고 포일 위에 올려놓았는데 금세 굳어지는 설탕에서 하얀 광택이 매끄럽게 흘렀다. 나와 윤슬은 진열대에 달려들어 먹어도 되냐고 물었고 운영자는 인심이 후하게도 과일별로 하나씩 맛보라고 했다. 우리는 믿어지지 않는 표정으로 머스캣과 딸기 탕후루를 하나씩 집어 들고 어금니로 힘껏 깨물었다. 굳은 설탕이 잘게 바스러지며 입안에서 녹아내리고 과즙과 뒤섞이면서 형언하기 어려운 맛의 황홀경을 자아냈다. 조리대와 진열대를 사이에 두고 맞은편에 서 있는 운영자는 나무 꼬치마저 씹어 댈 것처럼 탕후루를 우적우적 깨물어 삼키는 우리를 보며 놀란 표정을 감추지 못했다. 부스를 한 바퀴 둘러본 우리는 탕후루를 먹느라 끈끈해진 손을 수돗가의 물을 틀어 헹구고 공연장에 가 보기로 했다. 우리는 다시 학생문화원 중앙 현관의 계단을 올라 안내도를 살펴보며 공연장을 찾았는데 공연장이 하나밖에 없을 거라는 우리의 예상과는 다르게 대공연장과 소공연장이 학생문화원 본관 양 끝에 연결된 별관에 있었다. 나는 대공연장을, 윤슬은 소공연장을 가 보고 서로 연락하기로 했다. 오늘 중고등학생 모두가 여기에 모이기로 약속이라도 한 걸까? 나는 서로가 밀치고 밀리는 인산인해의 틈바구니를 비집으며 대공연장으로 향했다. 여기저기에 부딪히느라 얼얼한 어깨를 문지르며 굳이 공연을 봐야 하는지 자조가 들 무렵 정체된 인파 사이로 미술실의 문과 똑같은 모양의 문 세 개가 열리고 닫히는 모습이 보였다. 대공연장에 다가가니 입구에 놓인 테이블 앞에 사람들이 줄지어 있었다. 나도 줄 끝에 서며 줄 사이로 앞을 내다보았는데 자원봉사자 네 명이 의자에 앉아 테이블 가운데 쌓인 종이를 한 장씩 펼치고 형광펜으로 무언가를 표시한 뒤 줄을 선 사람들에게 나눠주고 있었다. 줄이 점차 짧아지고 내가 리플릿을 받을 순서가 다가오자 나는 자원봉사자가 하는 일이 무엇인지 알아차렸다. 아마 대공연장과 소공연장에서 하는 공연이 장소의 구분 없이 시간만 표시되어 공연 일정을 안내하는 리플릿이 만들어진 것 같았다. 그래서 자원봉사자가 대공연장에서 하는 공연을 소공연장에서 하는 공연과 혼동되지 않도록 형광펜으로 표시하고 나눠주느라 대공연장의 입구가 사람들로 혼잡했던 것이었다. 네 명이 얼마나 바쁜지 고개도 미처 들지 못하고 리플릿만 내밀기도 했는데 그때 대공연장 운영 지원이라는 글자를 내보이는 명찰이 테이블 위로 들렸다가 밑으로 떨어졌다. 나는 뒷사람이 자꾸 등을 떠미는 통에 뒤돌아봤는데 줄은 오히려 길어지고 있었다. 자원봉사자가 안타까우면서도 어수선한 상황에 조금 짜증이 나려는 찰나 "여기요!"라는 외침에 스카프를 묶은 팔을 내밀며 앞을 돌아보았다. 내게 내민 왼손에는 리플릿이, 오른손에는 형광펜을 쥐고 있는 자원봉사자의 긴 머리카락 사이로 난처럼 그어진 눈썹이 드러났다. 리플릿을 든 손이 테이블 위에 떨어졌고 나는 얼어붙었다. 내게 리플릿을 건네려던 은재의 놀란 얼굴이 나를 올려다보고 있었다.

어떤 암시

내가 이층에서 내려오는 계단에서 난간을 붙잡고도 살짝 휘청거리자 옆에서 내려오던 성운이 허리를 틀며 내 팔꿈치를 부여잡았다. 그는 내가 계단을 헛디뎌 넘어지기라도 할까 봐 붙들었겠지만 정작 당혹스러운 취기가 도는 것은 본인도 매한가지였던 모양인지 발걸음이 불안한 두 명이 내가 한 손으로 잡은 난간에 의지해서 계단을 내려오는 형국이 되었다. 우리는 안전모의 조명이 비추는 낯선 동굴 속을 탐사하는 지질학자처럼 발바닥에 닿는 지형지물을 주의 깊게 살피며 마침내 출입구의 바닥에 무사히 내려섰다. 계단을 내려오는 동안 동행하거나 마주친 사람이 없다는 사실에 안도하며 우리는 어처구니없다는 듯 터져 나오는 웃음을 손으로 틀어막았다. 그러고도 호흡이 진정되지 않아 배를 잡고 허리를 숙이거나 이마와 한쪽 어깨를 벽에 대고 한참을 컥컥거렸다. 눈가에 어린 물기를 손등으로 닦아내고 눈을 마주친 우리는 무거운 문을 힘껏 열어 보도로 걸어 나갔다. 주점 밖으로 나오자 직선으로 구획된 도로와 건물 사이로 소금기를 머금은 바람이 돌연하게 몰아쳐 내가 입은 반소매 상의를 들추고 허리께까지 드러난 살갗에 들러붙었다. 불과 보도에 나오기 전까지 눈으로 신호를 주고받으며 짓궂은 장난을 모의한 것 같은 유쾌한 취기가 얼굴을 붉혔었지만 머리카락을 들쑤시는 바람에 술기운이 휘발되어 정신이 번뜩 들었다. 너도 그러냐는 표정으로 서로의 놀란 얼굴을 바라본 우리는 맞바람을 헤치며 호기롭게 해변 공원으로 걷기 시작했다. 공원은 걸어서도 불과 이분 남짓한 거리였는데 모서리가 굽은 통유리로 찻잔의 손잡이를 쥔 여자가 들여다보이는 카페를 지나치며 인적이 한산한 밤거리를 걷자 순간적으로 에드워드 호퍼의 그림 속을 걷는 듯한 착각이 들었다. 이 년여 만에 만난 우리는 선술집에서 고등어초회를 시작으로 천천히 저녁 식사를 시작했다. 빈자리 하나 없이 가게 안은 떠들썩했고 벽에 매달린 등이 낯선 사투리로 대화에 몰두하는 사람들의 들뜬 낯빛을 어두운 테이블에서 끄집어내었다. 우리도 이런 열기에 일조하며 얼굴이 점차 달아올랐고 추가로 주문한 표고 만두와 튀긴 가지, 크림 짬뽕을 앞 접시에 채우고 비우며 사케 한 병을 금세 비웠다. 열대야가 이어지는 후덥지근한 계절 때문이었는지, 아직은 남아 있는 짭조름한 안주 때문이었는지 맥주잔 바닥에 침잠한 금색 빛이 얼음의 모서리에 야릇한 광택을 만드는 하이볼을 시원하게 들이키고 우리는 자리에서 일어섰다. 그러고는 도로 하나 건너 이 층의 주점에서 얇게 썬 살라미를 빼곡하게 얹은 피자를 안주로 이국의 정취를 연상시키는 이름의 맥주를 두세 잔 마시고 나자 배가 부르기도 하고 취기가 올라오기도 해서 바람 좀 쐬려고 공원을 걷기로 한 것이었다.

해변 공연장의 꼭대기에서 피어오르는 연기를 조형한 듯한 모습의 돌무더기에 달빛이 덧칠된 모습을 올려다보며 공영 주차장을 지나치자 해변 공원을 둘러치고 있는 방파제가 점차 보이기 시작했다. 우리는 넓고 야트막한 계단을 걸어 방파제를 따라 우레탄 바닥이 깔린 산책로에 올라섰다. 방파제 벽이 얕은 바다에 잠긴 모래사장이라도 된 것처럼 물고기와 불가사리, 조개 따위가 세밀한 양각으로 새겨져 있어서 우리는 걸음을 잠시 멈추었다. 게다가 산책로를 따라 걸어가는 동안 방파제 위에 물거품을 일으키며 수면 위로 치솟는 돌고래나 출렁거리는 바다에 날개를 접고 떠 있는 갈매기 등의 환조들이 간간이 올라서 있었는데 방파제에 설치된 조각상치고는 실감 나게 만들어져 우리의 감탄을 자아냈다. 우리는 두 번의 술자리에서 이제는 익숙할 법도 하지만 여전히 고단한 직장 생활이라든가 아이들이 커가며 늘어나는 교육비로 점차 빡빡해지는 생활비, 이미 복용하고 있는 약 말고도 하나둘씩 늘어 가는 영양제 등등의 이야깃거리를 이미 소진해 버린 터라 공원의 풍광을 눈에 담으며 한동안 말없이 걸었다. 트라이포트 안으로 들이쳐 부서지는 바닷물이 트라이포트가 얽혀 있는 검은 공간에 차오르며 웡 하고 진동하는 소리를 방파제 위로 분출했고 나는 모골이 조금 송연해졌다.

"요새도 글 쓰고 있어?" 바지 주머니에 손을 꽂은 채 터벅거리던 성운이 허물없이 물었다.

나는 성운을 바라보았다. 예전에 습작했던 소설을 성운에게 보여주며 촌평을 부탁한 적이 있었다. "아니, 안 쓰고 있어." 나는 뭐라고 대답해야 할지 곤란하다는 듯 잠시 머뭇거리다가 낙심한 어조로 대답하며 바다를 바라보았다. 오늘따라 세차게 부는 바람에 파고가 높아서인지 수평선에 오징어잡이 배 한 척 떠 있지 않아 밤하늘과 밤바다의 경계가 뭉그러져 있었다. 지난 수년 동안 신춘문예에 투고한다고 소설에 매달렸던 기억이 났다. 나는 글을 쓰고 싶다고 별안간 아내에게 말을 꺼냈고 아내는 기꺼이 일주일에 삼 일은 내가 마음껏 글을 쓸 수 있도록 배려해 주었다. 당시 유아였던 둘째딸을 비롯해서 두 아이를 혼자서 양육해야 하는 고된 상황을 감수해야 함에도. 나는 노트북을 들고 소위 글이 잘 써지는 장소를 찾아 교실과 카페, 도서관 등을 전전했다. 심지어 확 트인 개방감이 글을 쓰는 데 도움이 될까 싶어 미술관 현관 옆에 앉아 키보드를 두드렸고 그 때문에 무릎 위의 노트북이 흔들려 멀미했었다. 모두가 퇴근한 후에도 교실 모니터의 텅 빈 화면을 응시하며 소설의 첫머리를 고심했지만 생생하게 떠올랐던 단상을 적확한 문장으로 옮기는 것은 다른 일이었다. 벽과 칸막이로 둘러싸인 카페 구석에 몸을 밀어넣고 유리벽에 어른거리는 군상의 파편들을 무의식적으로 꿰맞추며 노트북의 화면을 한 줄씩 문장으로 채웠다. 주말에는 도서관에 온종일 앉아 노트북 화면 뒤에서 저벅거리는 이용객들의 발소리를 백색 소음이라고 스스로를 설득하며 화면을 가득 메운 문장들을 고치고 또 고쳤다. 정작 그렇게 글을 쓸 때는 내 안의 모든 것을 쏟아부으며 달려들었건만 심신이 지쳐 매사에 의욕을 상실한 지금에 와서야 그때 왜 그렇게까지 글을 쓰고 싶어 했었는지 뒤늦게 자문하는 나 자신이 곤혹스러웠다. 그들은 내 안에 있었기에 나는 지금도 분명하게 떠올릴 수 있었다. 문장으로 구현하려는 나의 의도에 상관없이 단상 속에서 불현듯 떠올라 시간과 공간에 매이지 않고 일면을 드러냈던 인물들을. 그들은 번민 어린 시선으로 내 의식을 응시했지만 놀랍게도 얼굴은 평온했다. 그게 어떻게 가능한 일일까? 현실이 아니기 때문에? 내 열망이 만든 환영에 불과해서? 그런데도 나는 글쓰기에 몰두하는 과정에서 가끔씩 찾아오는 충만과 고양의 감각이 내게 어떤 암시를 줄 거라고 기대했던 것 같다. 시간과 기억을 잃은 사이 창밖으로 세 번의 계절이 지나갔고 낮이 짧아지고 밤이 길어지는 마지막 계절에 이르러 서류 봉투에 원고를 담아 일간지의 주소를 적어 등기로 보냈다. 하지만 나조차도 납득하지 못하는 소설이 어떻게 당선될 수 있을까. 심지어 나는 그들을 뼈와 살을 가진 문장으로 형상화하지도 못했고 내가 창조한 인물들은 그저 내 기억을 덧씌운 관절 인형처럼 느껴졌다. 결국 머릿속을 혼탁하게 떠도는 의구심과 거듭되는 낙선이 만들어 낸 빈자리에는 다시 한번 글을 빚어내겠다는 열정은 사그라지고 나 자신에게 실망한 좌절감과 우울함이 그 자리를 메워 잡초처럼 무성하게 자랐다. 지금 생각하면 불면증이 생긴 시기도 신춘문예 당선자가 세종로에서 활짝 웃으며 찍은 사진을 보며 복잡다단한 심경을 곱씹었을 즈음인 것 같기도 했다. 나는 차마 당선작을 읽지도 못하고 신문을 접어

서재의 상자에 넣었다. 그러고는 노트북을 가방에 담아 서재 책장 구석으로 밀어 넣었다.

"소설을 쓸 때 부근에 왔었어. 굳이 둘러대자면 배경으로 등장하는 장소를 직접 보기 위한 답사 정도라고 할 수 있겠지." 나는 떨떠름하게 웃었다.

"뭘 보러 온 거야?" 광장 옆 벌집 모양의 호텔에서 베란다 벽을 타고 기어 나온 빛이 그의 얼굴까지 날아들어 담담한 안색에 달라붙었다.

"밤바다 위에 뜬 교교한 달. 그런데 막상 와 보니 그때 뜬 달은 저렇게 하얀 달이 아니었고 만월이었는데 약간 붉었었지." 그는 고개를 돌려 밤바다 위에서 이지러지고 있는 달을 보았다. 그러다 갑작스럽게 우레탄 바닥을 울리며 공이 튕기는 소리가 들렸고 우리는 뜻밖의 광경에 농구 골대 뒤쪽으로 걸어가 계단에 앉았다. 광장의 농구 코트들 중 제일 왼쪽에 있는 코트에서 고등학생 두 명이 공을 튕기거나 던지는 데 열중하고 있었는데 우리가 졸업한 고등학교의 교복을 입고 있었다.

"오, 후배들이 교복도 갈아입지 않고 이 밤까지 농구하고 있네." 성운은 농구하는 이름 모를 후배가 반가운 것인지 아니면 저 나이에 농구했던 우리를 떠올리게 해서인지 알 수 없는 흐뭇한 미소를 지으며 말했다. 나 역시 하절기에 입었던 교복을 다시 보니 감회가 새로우면서도 저들이 저 나이 때의 우리와 별반 다르지 않아서 입매가 가늘어졌다. 둘은 드리블을 하거나 공을 뺏는 과정에서 어깨와 가슴이 서로 부딪히며 바닥에 넘어지기도 했는데 그때마다 땀으

로 흥건하게 젖은 등에 먼지가 달라붙어 교복이 더러워졌다. 한동
안 경기가 이어지다가 백보드에 맞은 공이 그대로 림 안으로 들어
갔고 그제야 경기가 끝났는지 한 명이 팔과 다리를 흐느적거리다
바닥에 드러누웠다. 나머지 한 명도 땀으로 범벅된 팔을 교차하며
모로 쓰러졌는데 먼저 누운 학생의 몇 마디에 약이 올랐는지 눈치
빠르게 상체를 일으키려는 학생을 덮쳐 옴짝달싹하지 못하게 만들
었다. 그러자 밑에 깔린 학생이 빠져나오려고 버둥거리면서 간지럼
을 타는 것처럼 웃음 섞인 비명을 내질렀다.

"고등학생들은 다 똑같구나." 성운이 즐거운 표정으로 활짝 웃으
며 바지를 털고 일어섰다. 나는 고개를 내저으며 성운을 따라 다시
산책로에 올라섰다. 광장의 나머지 코트는 대학생인지 일반인인지
구분할 수 없는 사람들로 이미 가득 차서 사방에서 공을 튕기거나
공이 골대를 뒤흔드는 둔탁한 소리들이 연이어졌다. 코트 앞으로
인라인스케이트를 타는 사람들과 자전거를 모는 사람들이 아슬아슬
하게 교차하면서 광장 안을 어지럽게 휘돌았다. 산책로를 걷는 사
람들도 제법 많아져 이제는 마주 오는 사람들과 어깨를 부딪치지
않기 위해 우리는 순발력 있게 좌우로 방향을 틀면서 걸어야 했다.

"와, 게도 있네." 성운이 위압적으로 치켜든 집게발을 손바닥으로
쓰다듬었는데 게는 마치 자신을 보호하기 위해 상대를 과장되게 위
협하는 자세를 취하는 것처럼 보였다. 나도 성운을 따라 게의 등딱
지를 만져 보았는데 청동으로 만들었을 거라는 짐작과는 다르게 방
파제와 똑같은 재료로 만들어 페인트를 칠한 것 같았다. 우리가 지
나쳐 간 뒤에도 여전히 우리의 등을 향해 집게발 마디의 사면을 내

244

보이는 게를 남겨두고 우리는 산책로로 끝까지 걸어갔다.

산책로가 끝나는 지점에 멈춰 서서 방파제의 끝을 바라보니 공원을 감쌌던 방파제가 바다를 향해 꺾여 길게 돌출되어 있었다. 우리는 돌아갈지 아니면 좀 더 걸어갈지 잠시 고민하다 한결 선명하게 부딪치는 파도 소리를 듣고 산책로에서 좁은 계단을 통해 아스팔트 보도에 내려섰다. 녹이 슨 수조 뒤로 쇠락해 보이는 십여 동의 횟집을 지나쳐 방파제 안쪽으로 걸어가자 밤바람에 휩싸인 삼 층 높이의 등대가 시커먼 위용을 드러냈다. 짙게 깔린 어둠 속에서 잘 보이지 않아 등대 앞으로 다가서니 불이 꺼진 창문 두 개와 굳게 닫힌 철문 하나가 마치 벽감인 듯 보였고 우리는 졸지에 미지의 입구에 서 있는 조각상이 되었다. 등대를 올려다보니 등대의 상단이 둥근 철제 난간으로 둘러쳐져 있어 혹시나 문을 열면 올라가 볼 수도 있지 않을까 하는 우리의 허황한 기대는 문 여기저기를 아무리 더듬어 보아도 찾을 수 없는 손잡이가 시의적절하게 무산시켰다. 우리는 등대 앞에서 오른쪽으로 꺾어 오징어잡이 배들이 선체를 뒤척이며 정박하고 있는 선착장으로 걸어갔다. 요동치는 오징어잡이 배 한가운데 매달린 스무 개 안팎의 커다란 전구가 서로 부딪치며 조그맣게 쨍그랑 소리를 냈고 갑판 위에는 미처 정리하지 못한 삭구가 스산하게 놓여 있었다. 수면 위에 어른거리는 달빛에도 선착장은 거의 완전한 어둠에 잠겨 있었고 옆에 있는 성운의 얼굴마저 보이지 않을 정도였다. 퀴퀴한 냄새가 코를 찌르는 바람이 불어 사방에서 끼익하는 잡음이 들리자 우리는 문득 오한을 느끼고 선착장을 벗어났다. 곧 산책로의 끝으로 돌아온 우리는 인파가 넘치는 광

장을 활기차게 떠도는 조명 속에서 공영 주차장으로 느긋하게 걸어
갔다.

성운은 대리 기사를 함께 기다리겠다고 운을 뗐지만 내가 가고
나면 어차피 네가 혼자이니 대리 기사를 기다릴 시간에 네가 탈 택
시를 잡는 것이 좋겠다는 내 고집을 꺾지 못하고 우리는 횡단보도
를 건넜다. 주변에 몰려 있는 호텔 입구에서 택시를 타고 내리는
관광객들이 많아 택시를 잡는 일은 수월했다. 택시 한 대가 보도에
서 팔을 흔드는 나를 발견하고 전조등을 비추며 멈춰 섰다. 타지에
서 직장 생활을 하느라 언제 다시 만날지 기약할 수 없는 성운은
"다음에 보자. 내려오면 연락할게."라는 짧은 인사말과 함께 손을
흔들며 택시 안으로 사라졌다. 뒷문이 닫힌 택시는 오른쪽 깜빡이
를 켜고 사거리의 모퉁이를 돌아 순식간에 모습을 감췄다. 대도시
의 빌딩 숲에서 출근길을 서두르는 성운을 떠올리다 횡단보도에 푸
른빛이 번들거리자 나는 도로를 건너 주차장으로 빠르게 걸어갔다.
어두컴컴한 공중을 여기저기 휘저으며 선명했다가 희미해지기를 반
복하는 스마트폰의 플래시 빛이 주차장의 입구에서부터 보였는데
가까이 다가가니 차의 번호판을 확인하며 내 차를 찾고 있던 대리
기사였다. 나는 차 열쇠로 문을 열며 대리 기사에게 뛰어가 열쇠를
건넸다. 대리 기사는 플래시를 끄며 "대리운전 예약을 걸어 놓고
차 안에서 주무시는 분들이 많아서요. 차를 빨리 찾지 못하면 다음
예약에 늦거든요."라고 차를 생각보다 쉽게 찾아 다행이라는 어투
로 말했다. 대리 기사는 어둠 속에서도 핸들 옆의 구멍에 열쇠를
한 번에 끼워 넣어 시동을 걸었다. 그는 출발하기 전에 액셀을 몇

번 밟았고 그 때문에 묘하게 거슬리는 배기음이 차 안에 들어찼다. 그가 서글서글한 목소리로 "대학병원 방면 맞으시죠? 이제 출발합니다."라고 확인했고 나는 "네, 거기로 가주시면 됩니다."라고 그가 정확하게 들을 수 있도록 조금 크게 대답했다. 대리 기사는 차의 핸들을 천천히 돌리며 액셀을 부드럽게 밟았고 타이어가 아스팔트 바닥을 구르는 소리가 나더니 차가 출발하기 시작했다. 나는 뒷좌석의 머리 받침대에 고개를 기대고 창밖을 내다보았는데 희멀건 섬광의 테를 두른 달이 주위에서 명멸하는 별들을 하얀 어둠 속으로 삼키고 있었다.

아파트 단지로 이어지는 도로에 차가 진입하여 전조등의 빛으로는 잘 보이지 않는 과속방지턱을 넘었는데 좌석 아래에서 삐거덕거리는 소리가 들렸다. 대리 기사는 사방을 조심스럽게 살피며 도로변에 차를 댈 만한 공간을 찾더니 전진과 후진을 반복하며 차를 능숙하게 세웠다. 둘 다 차에서 내리고 내가 감사하다는 인사말과 함께 대리 기사에게 요금을 건네자 그는 잠시 머뭇거리면서도 말을 꺼냈다. 차를 몰아 보았더니 액셀을 밟을 때마다 엔진의 회전음이 거칠고 도로의 크지도 않은 요철을 지나갈 때는 하부에서 잡음이 올라온다고 했다. 브레이크를 밟을 때는 브레이크 패드가 드럼을 살짝 긁는 소리도 들려서 조만간 패드를 갈지 않으면 드럼을 같이 교체해야 해서 수리 비용이 많이 들어갈 것 같다고. 이런 말씀을 드리면 언짢아하는 손님도 계시지만 아무래도 안전에 관련된 것이기 때문에 굳이 말씀드린다고. 나는 생각지도 못한 대화에 당황스러워하면서도 조만간 말씀하신 부분들을 점검하겠다고 웅얼거렸고 그는 상기된 얼굴로 다음에 예약된 대리운전을 위해 대로변으로 다급하게 뛰어갔다. 사실 그가 말했던 내용을 내가 몰랐던 것은 아니었다. 다만 차가 연식도 오래됐거니와 주행거리도 적지 않아 나는 내심 이 차가 아니고 다른 그 어떤 차라도 이럴 만하다고, 최소한 계기판에 뜬 경고등은 없기에 아직은 괜찮다고 생각했었다. 서비스센터에서 차를 정비하는 데 얼마나 걸릴까? 출퇴근도 출퇴근이지만 아직도 연락이 없는 은재가 신경 쓰여 조금 난감하다는 생각이 들었다. 나는 퇴근길에 차를 맡길 서비스센터의 위치를 스마트폰으로 검색하며 아파트 단지 입구에서 놀이터를 가로질러 집으로 걸어갔다. 어디선가 금속끼리 쓸리는 소리가 들려 어둠에 잠겨 있는 놀이터를 쳐다보았는데 이 밤에도 누군가 그네에 앉아 그네를 흔들고 있었다. 밤공기가 움직이는 것처럼 막연한 실루엣만 보일 뿐 사람은 보이지 않았고 당연하게도 얼굴이 보인다고 내가 아는 사람은 아닐 터였다.

서로에겐 전부

　우리는 빛 한 점 도달하지 못하는 깊은 바닷속을 유영하는 심해
어처럼 건물을 휘감고 돌아가는 어둠 속을 걸으며 교정을 가로질렀
다. 학교 별관의 옥상 모서리를 구름에서 차츰 벗어나는 달이 비춰
건물의 윤곽을 흐릿하게 드러내기 시작했다. 나는 별관의 계단을
한걸음에 올라 유리문 옆의 잠금장치에서 비밀번호를 망설임 없이
눌렀다. 그러자 잠금장치의 액정 화면에 출입이라는 글씨가 표시되
면서 문의 잠금쇠가 딸깍 소리를 냈다. 나는 문의 손잡이를 잡아
안쪽으로 밀고 들어가 은재가 복도에 들어올 때까지 문을 잠시 붙
들었다. 은재는 한참이나 망설이더니 결국 체념한 듯 복도에 들어
섰고 한동안 캄캄한 복도를 응시하다 나를 뒤돌아보았다.
　"여기 비밀번호는 어떻게 아는 거야?" 은재의 잠긴 목에서 목소

리가 간신히 새어 나왔다.

"일 학년이 미술실을 관리하거든." 나는 무덤덤하게 대답하며 문의 손잡이를 놓고 미술실로 향했다. 미술실 문을 열자 미술실 안에 고여 있던 물감 냄새가 복도로 흘러나왔고 나는 쿰쿰한 공기를 헤치며 형광등을 켰다. 은재는 형광등의 빛에 눈이 부셨는지 고개를 숙이고 눈언저리를 손으로 가렸다. 그러다가 손가락을 조금씩 벌리고 고개를 서서히 들더니 주위를 살피기 시작했다.

"미술실이야." 내 목소리가 나와 은재를 감싸는 어색한 분위기를 미처 밀어내지 못하고 냉랭한 공기 속에서 가늘게 떨렸다.

은재는 나를 한 번 쳐다보더니 걸음을 천천히 옮겨 이것저것 둘러보기 시작했다.

"와, 미술실이 생각보다 넓구나." 나는 혼잣말을 중얼거리는 은재를 따라잡아 은재 뒤에 섰다. "예술가의 작업실치고는 깨끗한데." 은재가 나를 돌아보며 이외라는 놀라움이 담긴 표정을 지었다.

"그림을 그리고 나면 미술실이 한바탕 어질러지는데 나랑 윤슬이 남아서 이젤들을 정리하고 바닥도 쓸고 닦고. 그러고는 별관 출입문을 잠그고 집으로 돌아가지." 나는 은재를 바라보지 못하고 멋쩍게 대답했다.

"윤슬이 누구야?" 은재는 무심하게 물었지만 약간 경계하는 낯빛을 감추지는 못했다.

"나랑 같은 일 학년 미술부원." 나는 은재의 얼굴을 조심스럽게 살피며 부러 심드렁하게 대답했다.

은재는 윤슬에 대해 무언가를 더 물어보고 싶은 눈치였지만 다시 벽에 세워져 있는 선배들의 그림으로 눈길을 돌렸다. 은재는 실제로 그림을 보는 것은 생전 처음이라는 것처럼 팔짱을 끼고 허리까지 숙여 가며 그림을 들여다보았다.

"그때 전시했던 그림들이야." 나는 은재가 한가하게 전시실을 찾아와 그림을 둘러볼 여유가 없었음을 돌이키면서 말했다. 나와 은재는 같은 건물 안에 있었으면서도 서로의 존재를 알아차리지 못했다. 내가 수묵화를 지나쳐 자기 그림을 설명하느라 절절매는 선배를 끝까지 따라갔다면 은재를 마주치지 못했을 수도 있었다. 은재는 미안하게도 그림을 보지 못했다고 말했다. 그 어느 관람객보다 학생문화원에 오래 머물렀는데 화장실도 자원봉사자들끼리 돌아가며 다녀와야 했을 만큼 바빴다고. 지금도 손목과 어깨가 뻐근하다며 은재가 왼손으로 자신의 오른쪽 어깨를 문지르는 시늉을 하더니 힘없이 손을 내렸다. 예전 같았으면 내가 꾹꾹 주물러 줬을 은재의 어깨에 손을 댈 엄두조차 나지 않았다.

"이 그림은 정말 대단하다." 은재가 발걸음을 멈췄다. 삼 학년 양온우 선배의 그림이었다. 전시실에서 관람객의 이목을 가장 많이 끌었던 작품들 중의 하나로 중고등학생이 아닌 일반 관람객조차 그림 앞에서 북새통을 이루는 광경을 보고 권이한 선배가 부럽다는 양 그림 제목이 '포토 존'이라고 농담했을 정도였다. 게다가 관람객의 요청으로 그림을 가운데 두고 선배와 관람객이 사진을 함께 찍기도 했는데 그러면 여지없이 선배의 품에 꽃다발이 안겼고 선배는 손에 들고 있는 꽃다발과 그림 밑에 수북하게 쌓인 꽃다발들을 번갈아 보며 난감해 했던 기억이 났다. 선배는 어지간히 곤란한지 애

꽃은 꽃다발만 들었다 내려놨고 보다 못한 나와 윤슬이 꽃다발들을 양팔로 싸 들고 미술실로 가져와 물통에 꽂아 두었는데 입구가 넓은 물통이 꽃다발을 지탱하지 못해서 결국 꽃다발들을 보관함 위에 올려 두었다. 전시회가 끝나고 불과 며칠 만에 강렬한 색과 짙은 향을 내뿜던 꽃은 짧은 시간이나마 아름다웠던 기억조차 우리에게 상기시키지 못하는 자신에게 상심한 것처럼 속절없이 시든 꽃잎만 떨어뜨려 청소에 마음이 바쁜 나와 윤슬을 성가시게 했다. 보다 못한 미술부 선생님이 정물화라도 그려야 하는지 고심하기도 했지만 그 뒤로 딱히 꽃다발을 어떻게 하라는 말이 없어 꽃은 고운 먼지를 뒤집어쓴 투명한 비닐과 가지각색의 포장지 안에서 방치되고 있었다. 은재는 선배의 그림에서 눈을 떼지 못했다. 선생님은 중앙 복도의 벽면에 자리를 내어 그림을 걸어 둘 예정이니 캔버스가 다치지 않게 보관하라고 하여 나와 윤슬은 그림이 닿는 바닥에 여분의 벨벳 커튼을 깔아서 캔버스를 받쳤다. 선배가 그림을 그렸던 과정을 모두 봐왔던 나로서는 그림이 새삼스럽지 않았지만 은재와 함께 보니 그림이 또 다른 분위기를 내는 것 같기도 했다. 은재는 뒷걸음을 쳐 그림으로부터 멀어졌고 나도 몇 걸음 물러나 은재 뒤에 머물렀다. 그림의 왼쪽과 오른쪽에 배치한 상가 건물 사이의 거리를 각종 물건을 판매하는 노점상과 바쁜 눈길을 내던지는 행인이 가득 메우고 있었다. 허름한 건물의 창문과 간판, 외벽의 벽돌을 그리는 선이 가로와 세로로 교차하며 정적인 구도를 만들었고 손으로 무언가를 가리키는 행인 옆에서 낚지를 들어 올리는 상인과 같은 인물이 동적인 구도를 만들었다. 멀리서 보면 선과 색이 고착된 세밀화로 보였지만 가까이에서 보면 물감은 윤곽선에 연연하지 않고 그물망에서 퍼덕이는 생선처럼 칠해져 생기를 냈다. 마치 시장의 모습이 아닌 시장의 분위기를 사실적으로 그린 것만 같았다. 은재는 미술실을 한 바퀴 둘러보고 뭔가 이상하다는 듯 고개를 갸웃거리더니 나를 돌아보며 물었다. "네 그림은 없어?"

나는 그림이 완성되지 않아서 그림을 보여줄 수 없다고 어물쩍거리며 대답했다. 사실 은재를 미술실에 데려오기로 결심하고도 나는 내 그림을 끝내 보관함에 밀어 넣었다. 은재가 그림을 보고 무언가를 알아챌까 겁이 났다. 내가 그림을 보여준다면 은재는 나를 걱정하는 것을 넘어서서 불안감에 휩싸일 것이다. 은재는 내 대답을 듣고 시선을 떨구더니 그림을 보여 달라고 더 이상 말하지 않았다. 은재는 미술실 문 옆에 놓인 스툴에 앉아 벽에 등을 기대고 캄캄한 창밖으로 보이는 가로등의 빛을 우두커니 바라보았다. 나는 스툴 의자 하나를 건너뛰어 은재 옆에 앉아 아무리 닦아도 지워지지 않는 물감의 희미한 흔적을 운동화 밑창으로 문질렀다.

"나, 깜짝 놀랐었어." 은재는 여전히 창밖을 내다보고 있었다.

"언제? 우리가 학생문화원에서 우연히 마주쳤을 때?" 나는 내가 의뭉스럽게 굴고 있는 것을 알았다. 하지만 은재가 꺼낼 말이 나를 두렵게 했다.

은재는 건조한 눈빛으로 나를 바라보았다. 화를 내는 것도 아닌, 그렇다고 마음이 누그러진 것도 아닌. 은재가 내 운동화 위로 눈길을 떨어뜨리자 나는 운동화를 세우고 스툴 다리 사이로 밀어 넣었다.

"아니, 그 후에. 너한테 걸려 온 전화를 받았더니 지금 우리 집 앞에 서 있다고 말해서 현관문을 열었는데 네가 진짜로 문 앞에 서 있었을 때." 은재는 이제 자기 발끝을 내려다보고 있었다.

나는 고개를 수그렸다. 벌써 이 주 전의 일이었다.

"네 얼굴은 온통 눈물로 범벅되었고 네 오른 손목이 붕대에 감겨 있었지." 여전히 긴 머리카락이 은재가 내쉬는 숨으로 허공에 살짝 흩날렸다가 다시 은재의 얼굴을 감쌌다.

늘 그렇듯 모든 것을 사진처럼 기억하는 은재와 달리 나는 모호한 인상만 떠오를 뿐이었다. 은재가 우느라 헐떡이는 나를 거실로 들여 자기 방으로 데려갔고 똑같은 이불로 내 다리와 허리를 덮어 주더니 어깨를 꼭 붙이며 옆에 앉았다. 그동안에도 은재의 방은 변한 게 없었다. 은재는 내 등을 문지르며 내가 스스로 말하기를 기다렸다. 내가 울음을 멈추지 못하고 붕대를 감은 손목으로 눈가를 문지르자 은재는 부엌으로 조용히 나가서 물을 끓이고 따뜻한 코코아를 머그잔에 내왔다. 머그잔의 코코아가 식을 무렵 여전히 내가 울먹이며 말을 꺼냈을 때 은재는 가만히 듣고만 있었다. 나는 손상된 음성 파일을 재생하는 녹음기처럼 드문드문 얘기했다. '도대체 무엇이 너를 이토록 고통스럽게 하는 거니, 엄마니?'라고 울부짖으며 응급실에 함께 다녀온 엄마가 내 목덜미에 얼굴을 묻고 어깨와 등이 다 젖도록 눈물을 쏟아 내신 것을. 그때 철컹하며 현관문이 닫히는 소리가 들렸고 나와 엄마에게 심상치 않은 상황이 벌어진 것을 직감한 아빠가 서류 가방을 내던지며 뛰어와 내 손목의 붕대를 보고 얼굴이 굳었던 것을. 아빠가 도저히 믿어지지 않는다는 표정으로 나를 다그치려 하자 엄마가 '도대체 애한테 무슨 잘못이 있냐?'라며 아빠에게 맹렬하게 달려들었고 그때 안방에서 터지는 동생의 자지러지는 울음소리가 거실의 공기를 날카롭게 찢은 것도. 어느 순간 정신을 차려 보니 내가 집을 뛰쳐나와 버스를 타고 있었는데 너무 무서웠다고 말했다. 은재는 내 손목을 들어 천천히 뒤집었다. 은재가 숨을 멈추고 침을 삼키는 소리가 들렸다. 내 팔을 내려놓은 은재가 양팔을 들어 내 목덜미를 안았고 은재의 따뜻한 입김과 심장 박동의 울림이 내 어깨에 닿았다. 나는 눈물을 멈췄다.

내 스마트폰이 진동하고 화면에 뜬 엄마라는 글자도 함께 흔들렸다. 은재는 내게 속삭였다. 예전과 똑같은 실수를 반복할 수는 없다고. 내가 집으로 돌아가야만 한다고. 나는 은재의 얼굴을 쳐다보았다. 내가 전화를 받지 않고 집으로 돌아가지 않는다면 다시는 은재와 만나지 못할 것이다. 은재와 헤어지는 것을 더 이상 감당할 수 없었다. 나와 은재는 개가 컹컹 짖는 밤길을 걸어 버스 정류장으로 걸어갔다. 은재는 가는 내내 나와 팔짱을 꼭 끼고 있었다.

"우리 다시 만날 수 있어. 내가 주말에 버스를 타고 네 학교로 갈게. 하지만 매주 갈 수는 없어. 주말에는 엄마와 시간을 보내야 해. 우린 서로에게 전부니까." 은재가 내 어깨에 고개를 기울여서 얼굴로 뺨을 문질렀다. 버스가 도착하고 버스의 앞문이 열리자 은재가 내 손을 잡았다. "전화 받을 거지?" 나는 은재의 손을 세게 움켜쥐었다. 나는 은재가 확실하게 알 수 있도록 몇 번이고 고개를 끄덕였다. 버스 앞문이 닫히고 버스 창문 밖에 혼자 남겨진 은재가 보였다. 내가 버스 뒤로 걸어가 버스 뒤창으로 바라봤을 때도 은재는 자리에서 움직일 줄 몰랐다.

우리는 한 달에 두세 번 토요일이나 일요일에 만났다. 우리는 육
학년 때 종종 갔던 초등학교 인근의 편의점에 앉아 컵라면과 도시
락, 과자, 음료를 먹으며 만나지 못했던 시절의 일이나 근황을 주제
로 시간이 가는 줄 모르게 이야기를 나눴다. 은재는 내가 스마트폰
을 고치지 않고 새로 바꿔서 부재중 통화 목록과 문자 메시지를 확
인하지 않았던 것이 농담이나마 화제가 되지 않도록 주의를 기울였
다. 은재는 내 손목에 스카프가 넓게 묶인 것을 보고 그런 일을 겪
고도 내가 완전히 멈추지는 못한 것을 알아차렸다. 나는 스카프를
흘낏거리다가 시선의 초점을 잃어버리는 은재 앞에서 지나치게 밝
은 사람이 되었다. 목소리 톤은 한결같이 높고 내가 한 말에 내가
과장된 웃음을 터트렸다. 그렇게 하면 은재도 모르게 은재의 얼굴
에 드리워진 근심을 내가 지울 수 있을 것처럼. 한때 웃음을 주체
하지 못해 한 손으로 입을 가리고 다른 손으로 내 어깨와 등을 장
난스럽게 두드렸던 은재의 손길은 이제 부드러운 어루만짐으로 변
했다. 우리는 이미 알고 있었지만 입 밖으로 꺼낼 수는 없었다. 우
리의 관계를 복원하려는 그 어떤 노력에도 우리가 처음 만났을 때
의 천진난만함을, 되찾을 수 없음을.

스카프의 매듭

생활통지표 작성에 한창 골몰하고 있을 때 스마트폰을 올려놓은 모니터의 받침대에서 잠자리가 날개를 파드득 떨며 내려와 앉은 것처럼 진동하는 소리가 들렸다. '명료'와 '명확' 사이에서 단어 선택을 고심하고 있던 나는 모니터 밑을 손으로 더듬어 스마트폰을 쥔 뒤 발신 번호를 확인하지도 않고 수신 버튼을 눌렀다.

"네, 여보세요?" 나는 얼굴과 어깨 사이에 스마트폰을 끼우고 인터넷의 어학사전에 접속하여 '명료'와 '명확'의 뜻을 검색했다. 화면의 스크롤을 끌어내려 '명확'의 마지막 예문까지 모두 읽었는데도 스마트폰의 수화부가 잠잠해서 나는 어깨를 들어 올려 스마트폰을 귓가에 더 갖다 붙였다. 그런데 느닷없이 비명인지 환호성인지 분간하기 어려운 짧고 날카로운 소리가 귀를 파고들었고 그 때문에 나는 화들짝 놀라 스마트폰을 떨어뜨렸다. 나는 얼결에 검지로 귓바퀴 안을 문지르며 교탁 위에 나동그라진 스마트폰을 물끄러미 바라보았는데 스마트폰은 고장이 나고도 작동을 멈추지 않는 로봇처럼 이제는 "여보세요?"라는 소리를 연거푸 내고 있었다. 고막을 관통한 이명이 머리뼈와 아래턱뼈가 맞물리는 부위에 얼얼한 통증을 남겼고 나는 귀에서 손을 내려 엄지 두덩으로 턱관절을 부드럽게 문질렀다. 내가 전화를 받고도 대답이 없자 저희들도 당황스러웠는지 수선을 떨며 대화하는 소리가 들렸는데 발신 번호를 확인하니 내가 모르는 번호였다. 나는 우리 반 학생의 전화번호일 수도 있다고 생각했는데 학기 초에 배부했던 기초 조사표에 당시에는 스마트폰이 없어서 전화번호를 기재하지 않았던 학생도 몇몇 있었기 때문이었다. 하지만 내 전화번호를 어떻게 알았을까. 작년까지와는 다르게 올해는 내 전화번호를 학부모나 학생에게 알려준 적이 없었다.

"선생님 목소리가 들리지 않는데 어떡하지? 어떡해? 일단 끊고 운동장으로 가서 다시 전화해 볼까?"라고 안절부절못하며 옆에 있는 누군가에게 물어보더니 무언가를 꾹꾹 밟는 소리가 들렸다. 곧이어 "여보세요? 여보세요?"라고 목청껏 외치는 소리가 들렸는데 이번에는 희한하게도 혀뿌리에서 떫은 긴장이 느껴져 혀로 아랫니 안쪽을 슬쩍 밀어 보았다. 나는 갑자기 어처구니가 없어서 웃음이 났다. 도대체 누군데 나를 이토록 간절하게 찾는단 말인가. 우리 반 학생이 아닌 건 분명했다. 지금 전화를 건 사람이 운동장에 있다면 운동장의 크기를 가늠해 보건대 내가 앉아 있는 교실에서도 분명 목소리가 들렸을 것이다. 나는 한숨을 쉬고 다시 스마트폰을 귀에 갖다 댔다. 이번에는 스마트폰과 귀 사이에 손을 끼워 넣었다.

"선생님의 청각이 정상이니 소리를 지르지 않아도 된다. 누구니?"라고 나는 또박또박 물었다. 또다시 외마디 소리가 들렸는데 이번에는 내 귀의 사정을 아는지 입을 틀어막아 방금처럼 스마트폰을 떨어뜨릴 정도는 아니었다. 나는 상대방의 목소리를 벼려 주는 스마트폰의 성능에 새삼 감탄하며 수화부의 볼륨을 뒤늦게 낮췄다. 옆에서 누군가가 대답하라고 부드럽게 재촉했고 여전히 호들갑을 떠는 목소리가 이번에는 조금 작게 들려왔다. "선생님, 저 설하인데요, 기억하세요?" 나는 당연히 기억한다며 설하가 볼 수 있는 것도 아닌데 고개도 끄덕였다. 낯익지만, 낯선 목소리. 지금 내가 통화하고 있는 설하는 내가 기억하는 설하가 아니었다. 우리는 약속을 잡았다.

"둘이 버스를 타고 여기까지 오겠다고?" 나는 서비스센터에서 아직 출고되지 않은 차를 떠올리며 반문했다. 정비공은 랜턴으로 엔진룸에 연결된 배관들을 이곳저곳 비추더니 곧 물방울이 떨어지는 곳을 찾아냈다. "냉각수가 새고 있네요." 정비공은 차가 손 볼 곳이 많다고, 최소 일주일 이상은 차를 여기에 맡겨야 한다고 기름때가 묻은 장갑을 벗으며 말했고 나는 고개를 끄덕일 수밖에 없었다.

"선생님께서 주말에 학교에 오기 힘드세요?" 설하가 약간 풀이 죽은 목소리로 되물었다.

"그게 아니라 선생님이 네 중학교 근처로 가는 게 낫지 않을까? 거기는 시내 번화가라 갈만한 곳도 많고 말이다." 나는 내심 설하와 은재의 귀가 시간도 고려해야 했다. 우리가 만날 장소가 설하의 집에서 가까울수록 좋았다.

갑자기 목소리가 바뀌었다. "선생님, 설하가 선생님 학교를 둘러보고 싶대요. 저 혼자 선생님 학교를 먼저 다녀와서 배신감을 느꼈대요. 저 덕분에 선생님을 만나는데 말이에요." 은재가 자신도 설하를 말릴 수 없다는 듯 기운 없이 하소연했다.

나는 스마트폰을 귀에 갖다 붙인 채 고개를 기울였고 오른손으로 이마를 감싸 쥐었다. 설하와 은재를 주말에 만난다면 학교에서 누군가에게 누를 끼칠 만한 상황은 벌어지지 않을 것이다. 하지만 우리가 학교를 모두 둘러보고 나면 설하를 교실에 앉혀 놓고 일장 연설을 늘어놓아야 할까? 나는 아무리 생각해도 해피 엔딩이 그려지지 않았다. 내게 '상담' 받으리라고 예상하지 못한 설하는 내가 무슨 말을 어떻게 해도 받아들이기 어려워할 것이다. 나는 은재에게 잠깐만 기다려 달라고 말한 뒤 스마트폰을 교탁에 내려놓고 키보드를 두드려 점심을 먹을 만한 학교 주변의 맛집과 카페를 검색했다. 다행스럽게도 이곳의 풍광이 꽤 아름다워 나름 이름이 알려진 맛집과 카페가 몇 군데 들어서 있었다. 스포츠 이온 음료 광고에 나올 만한 청량한 분위기의 브런치 카페가 모니터에 뜨자 나는 재빨리 메뉴를 클릭했다. 원유를 듬뿍 넣어 맛이 진한 아이스크림과 엄청난 양의 계절 과일을 얹은 피자 크기의 와플이 유명하다고 소개되어 있었다. 그 외에도 신선한 재료가 들어간 두툼한 샌드위치가 맛과 식감이 좋다고. 나는 쉴 새 없이 조잘거리며 칼과 포크로 와플을 써는 설하와 샌드위치의 귀퉁이를 조심스럽게 베어 물고 입을 오물거리는 은재를 사진 속의 카페 테이블에 앉혀 보았다. 메뉴 옆에 일요일은 휴무라고 되어 있었다. "너희들, 이번 주 토요일 열두 시까지 학교에 올 수 있겠니?"

"오, 점심 사주시려고요?" 그새 스마트폰을 바꿔 들었는지 다시 설하의 목소리였다. "우리를 감당하실 수 있을지 모르겠네요, 선생님. 각오하세요!" 설하가 굵은 목소리로 천연덕스럽게 허세를 부렸고 은재가 옆에서 "죄송해요, 선생님. 설하는 요새 저랑 만날 때도 매번 이래요. 토요일에 학교에서 뵐게요."라고 통화에 끼어들더니 은재가 설하를 타박하는 소리와 함께 전화가 끊겼다. 나는 설하의 해맑은 목소리를 곱씹으며 작년 설하의 모습을 떠올렸다. 은재의 갑작스러운 전학으로 걷잡을 수 없이 낙담했던 설하는 졸업식이 끝나도록 기운을 되찾지 못했었다.

설하와 은재가 학교 후문 너머 횡단보도에 서 있는 모습이 보였다. 시력이 안 좋은 나는 미간을 한껏 오므리고 둘의 모습을 보았는데 둘은 마치 타지에서 이곳에 놀러 온 관광객처럼 보였다. 날이 워낙 무덥기 때문에 반소매 티셔츠와 반바지까지는 좋은데 설하가 쓰고 있는 저 선글라스는 뭔가? 심지어 챙이 넓은 모자를 쓴 통에 바람이 슬쩍 불거나 얼굴을 조금만 움직여도 모자가 벗겨지기 일쑤여서 매번 손으로 모자를 고쳐 쓰고 있었다. 반면에 은재는 평소대로 입은 것 같았다. 야구 모자 뒤로 한 줄로 묶은 머리가 길게 비어져 나와 있었고 내가 봤었던 신발 끝으로 노란 점자 블록을 밟고 있었다. 설하는 무언가를 말하느라 입을 끊임없이 움직였는데 자신이 한 말이 우스웠는지 허리를 접으며 포복절도했다. 은재는 어깨를 들썩이며 상체를 수그리고 있는 설하의 모자를 내려다보더니 대뜸 모자의 챙을 툭 쳤고 설하는 밀짚모자를 비뚤어지게 쓴 허수아비 같은 모양새가 되었다. 설하가 모자를 벗어 우그러진 챙을 곧게 펴는 동안 은재가 횡단보도를 건넜고 설하는 은재에게 뭐라고 소리치며 허겁지겁 뒤를 쫓았다.

나는 중앙 현관에 서서 설하와 은재를 기다렸다. 내가 보고 있는 시선이 어색했는지 둘은 천천히 운동장을 가로지르며 저희들끼리 쳐다보고 쑥스러운 웃음을 손으로 가렸다. 내가 저들과 다를 게 뭐가 있단 말인가. 나도 민망하기는 마찬가지였다. 설하와 은재의 그림자가 잔디 위에서 부드럽게 나부끼는 벚나무의 그림자를 밟자 나는 한껏 미소를 지었다. 내 앞에 선 설하와 은재는 버스에서 마치 그렇게 하기로 약속이라도 한 것처럼 "안녕하세요."라고 동시에 말하며 뜬금없이 고개를 숙였다. 곧 기울어진 모자와 흐트러진 앞머리를 매만지는 둘을 보며 오늘은 긴 하루가 될 것 같은 예감에 나는 마른침을 삼켰다. 둘은 현관으로 들어와 운동화를 벗고 내가 미리 준비해 둔 내빈용 실내화를 신었다. 설하는 껌이라도 밟은 양 발을 들어 올려 실내화 바닥을 요모조모 살펴보다 몇 번 제자리에서 바닥을 밟았다. 아무래도 실내화가 커서 헐거웠는지 실내화 안에서 발등을 이리저리 옮기다가 결국 발을 신발 안으로 최대한 밀어 넣고 약간 바닥을 끌듯이 걸음을 디뎠다. 은재도 실내화를 신고 설하를 천천히 따라갔는데 설하와 마찬가지로 중앙 현관으로 학교에 들어온 것은 처음이기에 호기심이 가득한 눈으로 교실 크기의 공간을 쭉 둘러보았다. 설하와 은재는 현관의 왼쪽 벽면이 방송실 장비로 가득 차 있고 오른쪽 벽면에 수도꼭지를 내민 음수대가 붙어 있는 것을 보고 장소의 용도가 무엇인지 헷갈려 하는 것 같았다. 설하는 다목적강당의 벽에 손가락을 대고 사면을 한 바퀴 돌기 시작했고 은재는 널빤지가 맞물린 마루를 내려다보며 한가운데로 걸어갔다.

"여기는 방송실이에요? 아니면, 시청각실이에요?" 설하가 행정실로 들어가는 미닫이문에 붙인 하얀 시트지 위로 눈을 넘겨 안을 들여다보며 물었다.

나는 이곳이 다목적강당이라고 말했다. 여기서 방송 조회도 하고 비가 오는 날은 체육 수업을 한다고도 했다.

"여기서 체육 수업을 한다고요?" 설하가 나를 돌아보며 놀란 얼굴로 물었다. 은재는 고개를 왼쪽으로 돌려 커다란 텔레비전 옆에 놓인 무지개색 뜀틀과 초록색 매트를 번갈아 보았다.

은재가 뜀틀로 천천히 걸어가 뜀틀의 마모된 부분을 손가락으로 문질렀다. 설하는 그새 면 하나를 돌아 싱크대 위에 놓여 있는 커다란 스테인리스 보온통을 올려다보았고 마치 그 안에 뜨거운 물이 가득 들어 있는 것처럼 조심스럽게 만져 지문을 남겼다. 그러고는 보온통을 지나쳐 행정실의 문과 똑같은 문을 똑같이 들여다보았다. 중앙 현관에서 정면으로 들어오는 햇빛에 시트지가 광택을 내며 번들거렸다. "여기는 뭐 하는 곳이에요?"

나는 교육상담실이라고 설하에게 알려주었다. 설하가 까치발을 세우고 교육상담실 안의 책상과 모니터를 바라보자 나는 스포츠 강사와 원어민 교사가 수업을 준비하시는 곳이기도 하다고 덧붙였다. 은재는 방송실 장비를 보고 있었지만 굳이 만져 보지는 않았다. 설하는 기어코 뜀틀을 뛰어올라 맨 위에 앉아서 나와 은재를 내려다 보았다. 내가 행정실과 싱크대 사이에 나 있는 복도를 손으로 가리키자 설하가 뜀틀에서 뛰어내렸고 그 때문에 실내화 한 짝이 발에서 벗겨져 바닥에 나뒹굴었다. 은재가 방송실 장비에서 물러서며 신발을 바르게 세워 주고 내게 다가왔는데 은재의 감정을 헤아리기 어려웠고 나는 또다시 마음이 무거워졌다. 설하는 신발에 발을 꿰고 나와 은재를 서둘러 따랐다.

설하와 은재는 천천히 복도를 살펴보며 육 학년 교실로 향했다. 복도에 책들이 빼곡하게 꽂혀 있는 책장들이 끊임없이 늘어선 모습을 보고 설하가 물었다. "책이 복도에 있어요?"

"학교가 너무 작아서 도서관이 없단다. 그래서 책을 복도에 비치했는데 덕분에 아이들이 책을 가져오기가 수월해서 책을 많이 읽는 편이지. 복도 바닥에 앉아서 책을 읽는 친구도 있고." 나는 설하를 돌아보며 대답했다.

"복도 바닥에서요? 그건 좀 낭만적이네요. 전교생이 몇 명이에요?" 설하가 책등의 제목을 눈으로 훑으며 물었다. 은재는 세계문학전집이 꽂혀 있는 책장에서 우연히 알고 있는 작가의 책이라도 발견했는지 소설을 한 권 꺼내어 훑어보느라 우리에게 뒤처졌다.

"백 명이 조금 넘는단다. 그래도 분교 시절에 비하면 학생 수가 엄청나게 늘어난 편이지." 나는 설하가 입을 벌리는 모습을 보며 그럴 만하다고 생각했다. 육 학년만 열한 개 학급에 전교생이 천팔백 명이 넘는 학교에 다녔으니 설하가 놀라는 것이 새삼스럽지 않았다. 설하는 질문을 멈추지 않았다.

"애들은 착해요?" 설하가 짐짓 무관심한 척하며 물었다.

"너희들에 비하면 천사 같은 애들이지." 나는 설하가 듣고 싶어 하는 대답을 알면서도 설하를 골렸다.

설하는 부루퉁한 표정을 지었다. "우리도 뭐, 보기 드물게 착한 아이들이라고요." 어느새 우리를 따라붙은 은재도 설하를 옆에서 거들었다. "맞아요, 우리 엄청 착하거든요."

설하는 은재가 편을 들어주자 기세가 올랐다. "와, 선생님 오랜만에 뵀는데 진짜 서운하게 말씀하시네. 오늘 점심 먹을 땐 전쟁이에요, 전쟁!"

나는 설하가 전의를 불태우는 모습을 보고 실소를 감추지 못했다. "그래, 그렇게 하려무나. 밥 먹다 죽은 사람 얘기를 들어본 적이 없으니 최선을 다해 보거라."

우리는 육 학년 교실에 들어갔다. 아니나 다를까 교실 뒷벽의 스테인드글라스 작품을 가리키며 이거 우리도 했던 거 아니냐고 지난번에 은재가 했던 말을 설하가 그대로 되풀이하자 웃음을 참지 못한 은재가 설하의 어깨에 양손을 올렸고 은재를 돌아보는 설하의 얼굴에 놀란 표정이 스쳤다. 설하는 크지도 않은 교실을 구석구석 돌아보며 수납함까지 몽땅 열어보다 창밖을 내다보았다.

"와! 경치가 예쁘네요. 저기에 뭘 심은 거예요?" 설하가 학교 담벼락 너머 돌담에 둘러싸인 밭을 가리켰다.

"양배추." 양배추 색깔이 말 그대로 푸릇했다. 오늘 물이라도 줬는지 물에 젖은 양배추와 밭에서 증발하는 수증기가 희미한 아지랑이를 만들어 멀리 돌담과 방풍림에 내려앉는 하얀 빛이 일렁였다.

"우리 학교는 사 층 복도에서도 고층 건물만 보였잖아요. 그런데 여기는 돌담도, 나무도, 집도 너무 예쁘다." 설하는 감탄을 멈추지 못했다. 은재도 창가에 달라붙어 밖을 내다보았다. 구름 한 점 없는 개운한 하늘이 낯설었는지 은재의 어안이 벙벙해 보였다.

운동장은 카페에 가는 길에 둘러보기로 했다. 운동장을 가로지르면 금방 학교를 벗어날 수 있지만 우리는 관광객처럼 운동장을 둘러싸는 밧줄 난간 안의 판석들을 하나하나 밟으며 학교 전경을 바라보았다.

"학교 뒷산이 있으니까 교과서에 나오는 그림 같다. 우리는 갈 곳이 편의점이랑 노래방밖에 없는데. 애들이 저기서도 놀아요?" 설하가 가락봉을 가리키며 물었다.

"그럼, 놀지." 나는 아이들에게 들었던 가락봉에 얽힌 섬뜩한 일화를 떠올렸지만 굳이 설하에게 말하지는 않았다. 그게 사실인지 여부는 나중에 정해준 선생님에게 물어봐야겠다고 생각했다.

"저기 정상에 올라가면 뭐가 있어요?" 설하의 질문에 나는 가슴이 덜컥했다.

"전망대가 있는데 오늘 올라가 보기에는 날씨가 너무 더운 것 같구나." 나는 괜한 이야기로 설하의 호기심을 자극하지 않은 것을 다행스럽게 여기며 얼른 대답했고 설하는 예상대로 푸념했다. "오늘은 못 올라가 보겠네."

우리는 학교 정문을 빠져나와 보도를 쭉 걸어 소담한 연꽃과 넓은 잎이 수면을 뒤덮은 못을 지나 사거리에서 왼쪽으로 방향을 꺾었다. 곧 아담한 정원을 품고 있는 파란 카페가 보였고 설하와 은재는 마주 보며 기대감에 부풀었다. 모서리에 칠이 벗겨진 우체통이 서 있는 낮은 돌담 입구에 들어서니 이름을 알 수 없는 꽃들이 돌담의 그늘 밖으로 고개를 내밀며 꽃잎을 펼쳤고 철제 다리를 느긋하게 뻗은 의자들이 짧은 차양 밑에서 정원을 내다보고 있었다.

설하가 뿌듯한 감탄사를 내뱉었다. "여기까지 찾아온 보람이 있네요." 설하는 챙이 넓은 모자의 좌우를 양손으로 잡아 오므리며 현관 안으로 먼저 들어갔다. 설하가 카페 안으로 모습을 감추도록 은재가 들어가지 않아 뒤를 돌아보니 은재의 얼굴이 온통 기대와 걱정으로 얼룩져 있었다. 나는 애써 밝게 웃으며 은재더러 들어가라고 손짓했다. 실내는 쾌적하고 카페 전면의 접이문이 끝까지 젖혀져 여름의 빛이 환하게 들이쳤다. 설하는 햇빛이 닿지 않는 카페 안쪽의 그늘진 테이블에 자리를 잡았다. 은재는 설하 옆에 앉았고 나는 테이블 반대편의 의자를 끌어당겼다. 메뉴를 가져다주는 사장님의 목소리가 나긋나긋했다. "천천히 고르세요."

브런치를 먹는 시간이 지나서인지 아니면 점심을 먹고 차를 마시기에는 아직 시간이 일러서인지 카페 안에는 우리밖에 없었다. 설하가 메뉴를 집어 들어 테이블에 펼쳤고 은재와 함께 신중하게 메뉴를 살폈다. 나는 섣부르게 메뉴를 추천하지 않고 설하와 은재를 내버려두었다. 설하는 과일 와플과 초코라떼를 골랐다. 은재는 자몽 생과일주스를, 나는 청귤 에이드를 골랐다. 내가 흔드는 손짓에 사장님이 웃으며 다가왔고 설하가 주문하려는 것을 내가 부드럽게 제지했다. 나는 메뉴를 손가락으로 짚으며 "과일 와플과 초코라떼, 자몽 생과일주스, 청귤 에이드 그리고 크래미 샌드위치도 주세요."라고 말했다.

설하는 넥밴드에 걸쳤던 선글라스를 빼내어 테이블 위에 내려놓으며 함박 웃었다. "분명 선생님께서 주문하신 거예요."

은재는 설하가 만족해하는 표정이 미묘한 각도로 반사되는 선글라스를 가만히 내려다보았다.

설하는 키위가 산더미처럼 쌓여 있는 와플을 큼직하게 썰어 입안에 밀어 넣었고 코끝에 아이스크림이 묻었다. 은재가 샌드위치를 씹으며 눈살을 찌푸리자 설하는 은재의 눈치를 슬쩍 보더니 와플을 담고 있는 접시에 깔린 휴지 한 장을 끄집고는 아이스크림을 닦아냈다. 설하가 하던 말을 계속하려고 하자 은재가 설하에게 사정하듯 말했다. "선생님 만날 때 우리 이 얘기 꺼내지 않기로 미리 약속하지 않았어?" 은재는 샌드위치 조각을 찍은 포크를 접시 위에 내려놓더니 옆벽에 머리를 기대고 눈을 감았다. 설하는 아직도 자신이 억울한 게 많다며 은재의 간청을 아랑곳하지 않고 말을 이었다.

"은재 집 현관문 비밀번호를 누르고 들어갔더니 집안이 어둑한데 은재 방문이 절반쯤 열려 있더라고요. 그래서 거실을 가로질러서 방 안을 들여다봤는데 사람 모양으로 이불이 불룩 솟아 있고 이불 틈새로 골골 앓는 소리가 들리는 거예요. 이불을 살짝 들췄더니 정수리가 보여서 이마에 손을 댔는데 열이 장난이 아니더라고요. 은재가 눈을 뜨지도 못하고 몸을 뒤척이면서 엄마냐고 들릴락 말락 물어봐서 제가 '나.'라고 대답했더니 은재가 갈라진 목소리로 '나 누구?' 이렇게 또 물어보더라고요. 그래서 제가 한 번 더 '나야.'라

268

고 말했는데 은재가 게슴츠레한 눈으로 저를 올려다보더니 갑자기 어금니를 깨물면서 '야! 여기 왜 왔어?' 이러는 거예요. 진짜 섭섭하게. 그래서 제가 '네 엄마가 자정 무렵에 집에 들어오시는 거 내가 뻔히 아는데 어떻게 안 오냐? 우리 딸 저녁 먹여야지.' 이렇게 말했더니 고맙다는 말은커녕 머리가 아프다면서 이불을 다시 뒤집어쓰는 거예요. 그래서 제가 은재의 어깨를 두드리면서 '나만 믿어. 내가 이래봬도 한 요리하잖아.'라고 말하고 부엌으로 나갔는데 ……."

갑자기 어이없다는 듯 눈을 번쩍 뜨며 은재가 벽에서 머리를 떼어냈다. "한 요리? 진짜 맛없는 라면을 그때 처음 먹어봤네. 어떻게 라면을 그렇게 맛없게 끓일 수가 있어? 선생님, 라면을 맛없게 끓일 수 있다는 게 이해가 되세요? 진짜 정신이 하나도 없는 상태에서 식탁에 간신히 앉았는데 라면을 한 입 먹어보니 정말 맹탕이더라고요. 맹탕. 세상에, 물 양도 못 맞추는 거예요."

은재가 흥분하면서 말하는 모습은 처음 보는 것 같았다. 나는 놀란 나머지 입안에 머금고 있던 에이드를 급하게 삼켰는데 한꺼번에 터지는 기포 때문에 목구멍이 따가워서 은재를 진정시키지 못했다.

설하는 어지간히 억울했던 모양이었다. "야, 물 양을 당연히 맞추기 어렵지. 우리 집 냄비도 아니고 너희 집 냄비를 처음 쓰는데, 너 같으면 물의 양을 정확히 맞출 수 있겠어?"

은재는 눈을 부릅뜨며 지지 않았다. "아니, 냄비 안에 선이 그어져 있고 숫자가 적혀 있잖아. 라면이 두 개면 물을 어디에 맞추면 되겠어? 라면 하나 끓이는 데 오백 밀리리터니까 일이 표시된 선까지 물을 넣으면 되잖아!"

"네가 아파 죽어 가는데 내가 그런 걸 찾아볼 겨를이 어디 있냐? 솔직히 맛없어도 친구라면 맛있게 먹어 줘야 하는 거 아냐? 내가 먹을거리를 사서 그 먼 데까지 버스 타고 갔는데 고마운 줄도 모르고." 설하가 은재에게 눈을 흘겼다.

"라면이 웬만큼 맛이 없어야 말이지. 너 김치통에서 김치를 꺼내서 라면에 넣었던 거 기억나? 김치가 냄비에 떨어지면서 국물이 사방에 튀고, 라면 국물은 짜고." 은재가 싸늘한 표정으로 설하를 쏘아봤다.

설하는 끝까지 항변했다. "그러면 어떡해? 여분의 분말스프가 있는 것도 아닌데!"

나는 애들이 흥분해서 목소리가 커지자 사장님 눈치를 봤다. 다행히 카페 안에는 여전히 우리밖에 없어서 조금 안도했다.

은재는 꼬박 사흘을 앓아누웠다. 맛없는 라면으로 은재와 옥신각신했던 설하는 생전 처음 해보는 설거지를 하는 동안 마음을 누그러뜨리며 은재에게 어쩌다 감기에 걸렸냐고 물었고 은재는 식탁에 엎드린 채 죽어 가는 목소리로 나를 만나러 왔다가 비를 홀딱 맞았다고 대답했다. 설하는 수돗물을 잠시 끄고 은재를 돌아보며 "선생님을 보러 갔다고? 왜?"라고 또다시 물었고 은재는 "그냥."이라고 성의 없게 대답해서 설하는 부아가 났다고 했다. 심지어 "다음에 선생님 뵈러 같이 갈래?"라고 은재가 말을 꺼내는 통에 설하는 은재가 아픈 나머지 제정신이 아니라고 생각했단다. 은재에게 골을 내려고 사발을 서둘러 헹구고 고무장갑을 팔에서 빼내어 돌아봤는데 은재가 감기약을 입안에 털어 넣고 물을 힘겹게 삼키는 모습을 보자 갑자기 은재가 안쓰러웠다고. 그래서 내가 근무하는 학교가 궁금하기도 해서 은재와 함께 나를 찾아올 궁리를 하게 되었다고 했다. 하지만 자신이 먼 곳까지 외출할 상황이 안 되어서 나를 만나러 오는 데 시간이 걸렸다고 머뭇거리며 말했는데 순간 은재의 얼굴에 긴장이 서렸고 나는 설하에게 이유를 물어보지 않았다. 떨리는 손가락으로 포크를 집어 든 은재가 소스를 티셔츠에 흘렸는지 휴지를 집어 하얀 얼룩을 닦기 시작했다. 나는 은재더러 화장실에 가서 손 세정제로 소스가 묻은 부분을 손빨래하라고 말했다. 은재는 별로 묻지도 않았다면서 휴지를 접어 깨끗한 면으로 다시 닦으려다 말고 돌연 내 얼굴을 뚫어지게 쳐다보았고 나는 시선을 내려뜨리며 고개를 가볍게 끄덕였다. 은재는 설하에게 화장실에 다녀오겠다며 말하고 의자에서 일어섰는데 등받이를 짚은 손이 여전히 떨렸다. 은재가 휘청거리며 화장실로 향하는 사이 나는 유리잔을 입술에 붙여 초코라떼를 벌컥벌컥 들이켜는 설하를 지켜보았다. 설하가 유리잔을 테이블 위에 내려놓자 오른 손목에 묶인 스카프의 매듭 끝이 유리잔에 닿아 조금 젖었고 그 때문에 테이블 밑으로 처졌다.

완성할 수 없는 자화상

굵은 빗줄기가 마치 자신을 들여보내 달라는 것처럼 미술실 창문을 거세게 두드리며 텅 빈 미술실 벽을 뿌연 잿빛으로 물들이고 있었다. 수행 평가 과제 때문에 모둠 회의를 하느라 오늘 말고 내일 미술실을 함께 청소하자는 윤슬의 부탁에도 불구하고 나는 굳이 혼자 미술실에 들어와 벽에 등을 기대고 스툴에 앉아 멍하니 바닥만 내려다보고 있었다. 창문에서 끊임없이 부서지며 흘러내리는 빗방울에 산란된 빛줄기가 고적하게 세워진 이젤들을 지나쳐 반쯤 쓰러져 있는 책가방에 흐릿한 광택을 만들고 움푹 파인 주름의 그림자 속으로 스며들었다. 나는 축 늘어진 어깨끈을 잡아 올려 책가방을 치마 위에 올려놓고 지퍼를 열어 속을 뒤적였다. 참고서 몇 권과 가정통신문을 담아 두는 홀더 사이로 팔꿈치까지 집어넣어 책가방

바닥을 손가락으로 헤집고 나서야 두꺼운 참고서 밑에 깔려 있던 스마트폰을 꺼낼 수 있었다. 그리고는 책가방을 옆에 놓인 스툴 위로 밀쳐놓고 화면이 캄캄한 스마트폰을 양손으로 그러쥐어 내려다보았다. 스마트폰의 매끄러운 화면에 짧은 머리카락으로 둘러싸인 내 얼굴이 실루엣처럼 비쳐 보였다. 나는 전원 버튼을 눌러 스마트폰을 켜고 앨범 앱을 찾았다. 앱이 열리면서 화면을 분할하는 사진들이 촬영 일자별로 정렬되어 순식간에 화면을 채웠다. 화면 상단의 사진을 누르자 나와 은재가 운동장을 가로지르며 걸어가는 모습이 화면을 뒤덮었다. 버스에서 내리자마자 온몸을 휘감던 열기와 귀청을 때리던 매미의 울음소리에 화들짝 놀랐던 나는 횡단보도를 건너기 전부터 보이기 시작한 학교의 전경에 호들갑을 떨기 시작했고 은재는 "여기 오길 잘했지?"라며 평소의 은재답지 않게 생색내었다. 학교에 들어서는 순간 발바닥에 밟히는 폭신한 감촉의 천연잔디와 소박한 단층 건물 위로 하늘에 실오라기처럼 엉겨 붙은 구름이 우리를 생경한 황홀감에 빠뜨렸다. 그렇게 학교를 구경한다고 부지런히 두리번거리던 우리는 본관 중앙에 서 있는 두 그루의 나무 사이에서 선생님을 뒤늦게 발견했다. 선생님을 마주 보면서 걸어가는 것이 아무래도 쑥스러웠는지 우리는 서로의 얼굴을 바라보며 어색한 표정을 손으로 감췄다. 게다가 나는 기분을 낸다고 엄마의 옷장에서 꺼내 쓴 선글라스와 모자 때문에 얼굴이 더욱 보이지 않았는데 거센 바람에 챙이 들려 기울어진 모자가 날아가지 않도록 한쪽 손으로 모자를 꽉 붙들고 있었다. 그날 선생님은 나중에 보면 재미있는 추억이 될 거라며 우리가 의식하지 못하는 사이에 틈틈이 사진을 찍었고 다음 날 나와 은재에게 스마트폰으로 사진을 전송했다. 화면을 쓸어 넘기니 교실의 게시판을 가리키며 놀라는 내 모습과 내 어깨에 손을 올리고 너도 그럴 줄 알았다는 듯 고개를 뒤로 젖히며 웃음을 터트리는 은재가 함께 찍힌 사진이 나왔다. 실내여서 벗었는지 선글라스는 그새 티셔츠의 넥밴드를 늘어뜨리며 매달려 있었고 렌즈의 귀퉁이에 스마트폰으로 촬영하는 선생님의 모습이 조그맣게 맺혀 있었다. 나는 화면을 왼쪽으로 움직여 내 옆에서 한껏 웃고 있는 은재의 모습을 두 손가락으로 확대했다. 고른 치아를 내보이며 폭소를 터트리는 얼굴과 내 어깨에 올리고 있는 은재의 하얀 팔을 바라보며 나는 감회에 젖었다. 생각해 보면 같은 선생님이 가르치는 같은 학년의 교실이기에 책상과 의자 정도만 제외하면 내가 있었던 교실과 별반 다른 것도 없었는데도 나는 많은 것이 새로웠던 것 같았다. 교실 맨 앞줄의 책상에 은재와 나란히 앉아있는데 나무 책상과 의자만 사용했던 내가 강화 유리로 뒤덮인 책상의 상판을 신기하다는 듯 손가락으로 문지르고 은재는 한심하다는 표정을 지으며 나를 쳐다보는 사진도 있었다. 초등학교에 다닐 때는 그토록 원했어도 은재와 짝으로 앉아 보지 못해서 늘 아쉬웠는데 사진 속에서 천연덕스러운 나와 정색하는 은재가 함께 앉아 있는 모습이 제법 잘 어울렸다. 나는 주위에 아무도 없는데도 누가 알아채기라도 할 것처럼 입술 밖으로 밀려나오는 웃음을 삼키며 계속해서 화면을 쓸어 넘겼다. 칠판에 선생님의 얼굴을 그려 준다고 마커로 그림을 그리려는데 그걸 뜯어말리겠다고 마커를 움켜쥐지만 뚜껑만 낚아챈 선생님의 손이 함께 촬영되거나 복도 벽에 비치된

서가 앞에서 책을 뒤적이는 은재의 모습 너머로 내가 전원 버튼을 찾으려고 진공청소기의 호스를 유심히 살펴보는 사진이 나를 머쓱하게 만들었다. 선생님은 진공청소기 본체에 있는 빨간 버튼을 가리키며 내가 전원 버튼을 못 찾는 것은 둘째 치고 왜 진공청소기를 틀려고 하는지 도무지 이해할 수 없다고 어이없어했다. 학교 정문 옆에서 함께 껴안아도 서로의 손끝이 닿지 않는 소나무에 눈이 커진 나와 은재를 찍은 사진 이후로 선생님이 보내 준 사진은 학교를 나온 뒤 그날의 여정을 순서대로 보여주고 있었다. 더위에 지쳐 납작하게 엎드린 오름을 바라보며 돌담 옆의 좁은 보도를 걸어 카페로 향하는 나와 은재. 접시를 가득 채운 와플이 금방 잡은 사냥감이라도 되는 양 포크와 나이프로 난도질하고 있는 나와 빨대를 입에 물고 웃음을 참으며 나를 곁눈질하고 있는 은재. 카페 정원의 잔디를 밟으며 호기롭게 선글라스를 다시 쓰는 나와 모자 밖으로 비어져 나온 머리카락을 말없이 매만지는 은재. 우리는 갑작스럽게 공간 이동을 한 것처럼 사진은 어느새 천장에서 회전하는 미러볼이 반사광을 어지럽게 비추는 노래방에서 마이크를 쥐고 노래를 부르는 나와 은재의 모습을 담고 있었다. 우리의 앞모습이 찍힌 걸 보니 선생님이 모니터 쪽으로 자리를 옮겨 우리를 촬영했던 것 같았다. 나는 헛웃음이 나왔다. 선생님이 앞에 앉아 사진을 찍은 것을 기억하지도 못할 만큼 내가 노래를 부르는 일에 열중했었나? 왼손으로는 마이크를 잡고 오른손으로는 모니터를 가리키지만 눈을 찡긋 감은 나와는 달리 은재는 마이크를 양손으로 움켜쥐고 모니터를 쏘아보듯이 응시하며 노래를 부르고 있었다. 이후의 사진에서도 나는 한 번 자리에 앉는 일도 없이 마이크를 내려놓지 않아서 뒤늦게 부끄러움이 몰려들었다. 은재는 소파에 앉아 내가 부르는 노래를 따라 부르는 시늉을 하고 있었지만 열창하는 정도는 아니었다. 노래방이 어두워서인지 아니면 은재가 지칠 때가 되어서인지 학교에 있을 때와는 다르게 은재의 얼굴에는 생기가 넘치는 쾌활함은 사라지고 인내심이 묻어나는 차분함이 어려 있었다. 자신의 속마음을 드러내지 않고 다른 사람의 기분을 맞춰 줄 때 나오는 은재 특유의 표정으로 우리가 다시 만난 뒤로 줄곧 내게 보이던 낯빛이었다. 그래도 우리가 얼마 만에 노래방에 함께 갔던가. 나는 스마트폰을 그대로 쥔 채 손을 치마 위에 내려놓았다. 아까 책가방에서 스마트폰을 꺼내다가 참고서의 모서리에 살짝 긁혔는지 팔등에 살갗이 일어나서 세로선이 하얗게 그어져 있었다. 나는 스툴에서 일어나 물감 냄새가 뒤섞여 있는 퀴퀴한 공기를 밀어내며 내 그림을 받치고 있는 이젤로 걸어갔다. 그러고는 캔버스를 집어 들고 칠판 받침대에 올려놓았다. 캔버스에는 고개를 왼쪽으로 살짝 틀고 오른뺨을 내보이며 오른눈으로는 나를, 왼눈으로는 내 뒤의 어딘가를 응시하고 있는 내 얼굴이 그려져 있었다. 나는 손가락을 내밀어 귓불에서부터 우둘투둘하게 그려진 턱을 따라 그림을 매만지다가 엷은 붉은색의 입술로 시선을 옮기고 아랫입술의 언저리를 부드럽게 문질렀다. 모나게 솟아오른 코끝과 눈 밑에 불거진 광대뼈를 보고 나도 모르게 쓴웃음을 지었는데 얼굴에 쏟아지는 빛의 방향을 생각하면 다른 부위보다 밝아야 할 부분이 오히려 더 진한 갈색으로 칠해졌기 때문이었다. 하지만 이런 것이 무슨 상관이란 말인가. 은재와 선생님을 만난 이후로 그림에는 좀처럼 진척이 없었고 나는 은재가 사라져 버린 때의 내 모습을 돌이키며 쓰라린 기억을 더듬었다. 은재를 다시 만났는데도 그림을 그리지 못할 줄은 생각지도 못했다. 나는 캔버스를 들어 내 이름이 붙어 있는 보관함에 조심스럽게 밀어 넣었다. 그러고는 이젤들을 접어 벽에 세우며 미술실을 정리하기 시작했다.

청소를 마치고 현관 계단참으로 나섰을 때 비는 그새 멈춰 있었다. 나는 별관의 현관문을 닫고 제대로 잠겨 있는지 확인하기 위해 문의 손잡이를 가볍게 흔들어 보았다. 그렇지 않아도 열고 닫기 무거운 유리문은 철컹철컹 둔중한 소리를 내며 꿈쩍도 하지 않았다. 유리문 안으로 비상계단 유도등의 푸른빛이 번져 나와 복도의 어둠과 부드럽게 뒤섞이며 바닥에 가라앉는 것을 멍하니 바라보다 나는 집으로 걸어가기 시작했다. 반팔 교복 밖으로 드러난 목덜미와 팔에 어느덧 스산한 밤공기가 달라붙어 나도 모르게 어깨를 움츠리고 손바닥으로 팔을 문질렀다. 교정의 보도블록을 밟을 때마다 보도블록의 틈에 고여 있던 빗물이 비어져 나와 내 발소리를 집어삼키고 다시 보도블록의 틈으로 스며들었다. 학교가 아파트 단지에 둘러싸여 있어 늦은 밤까지 운동장은 인근의 주민으로 늘 북적였지만 오늘은 비가 와서인지 인기척은커녕 펜스 너머 보도에도 걸어가는 행인조차 보이지 않았다. 나는 걸어가다 말고 잠시 운동장을 바라보다 계단을 내려가 구령대에서 마주 보이는 놀이터로 향했다. 운동장의 잔디밭은 빗물을 흠뻑 머금어 발을 디딜 때마다 잔디에 매달린 물방울이 양말을 적시고 물기가 발등까지 내려왔다. 나는 밤이 고여 있는 잔디밭에서 어슴푸레하게 보이는 하얀 선을 밟으며 운동장을 가로질렀고 이내 그네 앞에 다다랐다. 그네의 표면에는 빗방울이 성글게 맺혀 있었는데 나는 그네를 손바닥으로 탁탁 치며 빗방울을 떨어냈지만 그래도 젖어 있기는 마찬가지였다. 나는 그냥 그네에 앉아 줄을 손으로 잡았다. 그리고 발끝으로 모래밭을 밀어서 그네를 앞뒤로 흔들었다. 그네가 천천히 움직이기 시작하자 등을 내려 몸을 눕히고 그넷줄을 매달고 있는 철제 지지대 너머로 밤하늘을 올려다보았다. 비가 그쳤음에도 사위는 화염에서 피어오르는 연기 같은 구름이 하늘에 흘렀고 구름에서 벗어나는 몇 개의 별이 흐릿하게 반짝였다. 나는 눈을 감고 숨을 참았다. 그러고는 그네의 흔들림에 몸을 내맡겼다. 차가운 공기가 목깃을 파고들어 목덜미의 솜털이 곤두세워졌고 어디선가 도로를 질주하는 차의 굉음이 가로등의 빛을 꿰뚫더니 귀를 스치고 사라졌다. 곧 숨이 차고 팔이 저리면서 허리가 아프기 시작했다. 나는 줄을 잡아 올려 다시 그네 의자에 곧추앉고 칠흑 같은 어둠에 잠긴 운동장을 한동안 응시했다. 밤에 눈이 익어 구령대의 모습이 어둠 속에서 형체를 서서히 드러내자 나는 고개를 내저으며 그네에서 무거운 몸을 일으켰다. 그네의 삐거덕거리는 금속성 소리가 귀에 거슬리면서도 운동장의 적막 속에 파묻히며 잠잠해지고 나서야 나는 다시 집으로 걷기 시작했다.

  나는 자화상을, 완성할 수 없을 것이다.

밤을 응시하다

나는 그에게 중고차를 사서 더 이상 나를 데리러 올 필요 없이 오름의 입구 주차장에서 만나면 된다고 여러 차례 말했지만 그는 기어이 나를 태우러 아파트 단지까지 오고 오름 등반이 끝나면 다시 집으로 데려다주기까지 했다.

"제가 가자고 했는데 이 정도는 해야죠."라고 그는 웃으며 대수롭지 않다는 듯 손사래를 쳤다. 결국 나는 매번 정문에서 그의 차를 불편한 마음으로 기다리고 그는 약속 시간보다 일이 분 앞서 도착해 나를 태웠다. 그는 한때 이곳으로 이사 온 여가수가 몰았다는 상자 모양의 외국 차를 몰고 다녔다. 가는 그릴 때문에 헤드라이트가 아래로 처진 형상이어서 차의 전면부가 볼살이 잔뜩 늘어지고 눈꼬리가 내려간 불도그를 연상시켰다. 차를 타고 보니 뒷좌석이 있어야 할 자리에 커다란 화물칸이 있었다. 나는 두 개뿐인 좌석이 의아하면서도 공연히 돌아보지는 않고 안전벨트를 맸다. 그는 요령 있고 매끄럽게 운전했다. 핸들의 세 시와 아홉 시 지점을 가볍게 감싸 쥐고 시선을 살짝 끌어올린 채 나와 대화를 나눌 때도 정면을 주시했다. 핸들을 좌우로 돌릴 때는 어깨도 함께 돌아가 그의 뒷덜미가 간간이 보였다. 돌발적인 상황을 예측하는 운전 습관이 뱄는지 소형차지만 그는 과속방지턱조차 넘실거리는 파도를 타는 서퍼처럼 탄력 있게 차를 넘겼다.

"운전 솜씨가 좋으시네요." 어색한 분위기도 깰 겸 내가 넌지시 칭찬을 건넸다.

"누구나 이 정도는 운전하지 않나요?" 그는 겸손했다.

"그래도 저보다는 잘하시는 것 같은데요. 다음에는 제가 보여드리고 싶은 곳을 제 차로 가면 어떨까요? 근처에 괜찮은 음식점도 있고요." 나는 장갑을 착용하고 운전대를 잡고 있는 그의 손을 보며 오늘도 오름을 오르는 여정이 쉽지 않을 거라고 생각했다.

그가 나를 흘끔 쳐다보았다. "오름인가요?"

"아니에요. 해안 도로인데 사람이 별로 없고 한적해요. 바다 방면으로 좁은 길이 나 있고 길 끝에 현무암으로 둘러싸인 아주 작은 모래사장이 있어요. 파도가 현무암에 한 번 부딪치고 모래사장으로 밀려와서 발이 젖을 일은 없는데 정작 부서진 물방울을 머금은 바람에 얼굴이 조금 축축해지기는 해요. 인어 공주가 물거품이 될 때도 이런 기분이었을까 싶죠."

그는 무슨 말을 꺼내려다가 잠시 머뭇거렸다. 그리고 마른 입술을 혀로 적시더니 차분하게 물었다. "사고가 났을 때 거기에 가시던 길이었나 보죠?"

"네, 그럴 필요가 없었는데 조금 서둘렀죠." 나는 그가 무안하지 않도록 농담처럼 들리기를 바라며 다소 유쾌하게 말했다.

나와 정해준 선생님은 별다른 일이 없으면 매달 마지막 주 토요일마다 오름에 올랐다. 이제는 익숙할 법도 했지만 오름 이름의 유래라든가 오름이 형성된 지질학적 원리, 드문드문 보이는 야생화 등 모든 주제를 아우르는 그의 해박한 설명에 나는 매번 감탄했다. 오름과 오름을 잇는 능선을 타야 날 것 그대로의 경관을 볼 수 있다며 사람의 발자취가 없는 들판을 주저 없이 가로지르고 심지어 앞이 보이지 않는 덤불을 헤칠 때도 있었는데 숨을 몰아쉬며 만신창이가 된 내가 쉬고 싶다는 생각에 그를 부를라치면 어김없이 정상이 보였고 그 때문에 나는 울며 겨자 먹기로 한번에 정상에 올랐다. 제법 날이 서 있는 바람이 몰아쳐서 정신없이 흔들리는 잔디 위에 주저앉아 숨을 고르고 있으면 수평선 끝까지 뻗어 있는 청명한 가을 하늘 아래로 우리를 앞질러 출발했던 등산객들이 이곳으로 올라오는 모습이 보였다.

"에이, 나이도 젊으신데 왜 그러세요?" 그가 특유의 미소를 지으며 능쳤다.

나도 웃으며 맞받아쳤다. "어차피 도착지는 똑같은데 좀 느긋하게 올라가면 안 돼요?"

그는 입을 벌릴 듯하다가 소리 없이 웃더니 광활하게 펼쳐진 오름 아래의 전경을 가만히 응시했다. 조그맣게 내려다보이는 밭과 방목지가 무명천의 자투리를 꿰매어 이어 붙인 조각보처럼 색이 다채로웠다. 그 위를 쌀쌀한 바람이 휩쓸었고 군데군데 솟아오른 오름들의 언저리를 지나칠 때마다 여울을 만들었다. 나는 멀리 수평선을 바라보았다. 하늘과 바다가 맞닿아 있는 경계선이 흐릿하게 그어져 처음에는 알아차리기 어려웠지만 하늘과 바다가 뒤척이며 서로 다른 질감을 내어 수평선의 위치를 대강 헤아릴 수 있었다. 정상에서는 생각보다 오래 머무르지 않았다. 땀이 식어 몸이 금세 차가워지고 바람 소리 때문에 대화하기가 어려웠다.

"이제는 내려갈까요?" 나는 몸을 일으켰다. 그럴 필요가 없었는데도 정해준 선생님은 내게 손을 내밀고 힘껏 끌어당겨서 잠시나마 나를 무색하게 했다. 그는 내가 바지에 붙은 마른 줄기와 흙을 떨어내는 것을 기다리더니 내가 허리를 세우자 지금도 정상으로 오르는 등산객들을 향해 발을 딛기 시작했다. 우리는 정상에 올라올 때와는 달리 오롯한 등산로로 내려갔다. 그는 내가 물어보지도 않았는데 뒤돌아보며 말했다. "안전하게 내려가야죠. 그래야 다음에 또 올라오죠."

"그럼요." 나는 그의 말에 여부없이 수긍했다. 우리는 올라올 때보다 훨씬 천천히 내려갔다.

정해준 선생님은 내비게이션의 안내도 없이 오름 인근의 두부 가게를 찾아 주차장에 차를 세웠다. 차에서 내려보니 그야말로 허허벌판에 건물이 하나 들어서 있는 꼴이었다. 이런 곳에도 식당이 있다니.

"추운데 얼른 들어가시죠." 그가 먼저 식당 안으로 들어갔다. 문

을 닫자 주방에서 사람은 보이지 않고 "어서 오세요."라는 인사말
만 새어 나왔다. 식당 한가운데 심지가 발갛게 달아오른 석유난로
가 공기를 후더분하게 데우고 있었다. 우리는 자리를 잡기 전에 난
로 옆에 서서 잠시 손바닥을 덥혔는데 석유 냄새가 코를 찌르고 따
가운 열기가 얼굴을 휘감아 기분 좋은 노곤함이 밀려왔다. 우리는
난로와 가장 가까운 테이블에 자리를 잡았다. 그는 메뉴를 보지도
않고 두부 수육과 비지빈대떡, 마파두부덮밥을 시켰다.

"우리가 과연 다 먹을 수 있을까요?" 나는 메뉴의 음식 사진을
보며 음식의 양을 가늠하려고 애썼다.

"그럼요, 천천히 먹어요. 술도 한 잔 마시면 좋겠지만 제가 운전
을 해야 해서. 혼자라도 막걸리 좀 드시겠어요?"

나는 고개를 저었다. "괜찮아요. 피곤해서 술을 마시면 곯아떨어
질 것 같아요."

"집에 돌아갈 때 차 안에서 주무시면 되죠." 그는 그게 무슨 대
수냐는 듯 한번 더 권했다. "이 집 막걸리 괜찮아요. 드셔 보세요."

나는 손을 저으며 사양했다. 곧 어두워질 밤길을 고생스럽게 운전
할 그를 옆에 두고 태평하게 잘 수는 없었다. 나는 고즈넉한 분위
기에 젖어 안을 둘러보았고 아직 음식을 맛본 것은 아니지만 식당
이 벌써 마음에 들기 시작했다. 밖에 눈이라도 쏟아졌으면 그의 권
유를 끝까지 뿌리치지 못하고 염치없이 막걸리에 입을 대었을 것이
다.

혼자 운영하는 식당인지 주인이 부엌에서 나와 테이블까지 밑반
찬을 직접 가져왔는데 접시를 테이블 바닥에 내려놓을 때마다 탁탁

소리가 났다. 정해준 선생님은 젓가락을 들어 콩나물을 집고 입안에 넣었다. 그러고는 양손을 자기 허벅지 사이에 밀어 넣고 상체를 좌우로 흔들며 콩나물을 우물우물 씹었다. "사실 선생님이 학교에 오시기 전부터 이미 선생님을 알고 있었어요."

"그럴 만도 하죠. 학교는 작고 소문은 빠르니까요." 나는 콩나물 머리를 집어 혀 위에 올렸다. 아드득 씹히는 콩나물 머리에서 신선한 즙이 배어 나와 간이 알맞은 양념과 섞여 혀 아래로 흘렀다.

그는 고개를 절레절레 저었다. "아니요, 선생님을 작년부터 알고 있었어요. 개학 전 교직원 협의 때 선생님이 늦게 부임하실 거라고 들었는데 아무래도 제가 아는 이름 같더라고요. 그런데 협의가 끝나고도 도통 기억나지 않아서 이마를 찡그리며 교실로 돌아가는데 과학실 복도에 비치된 미디어 자료 유리장을 지나치면서 누군지 떠올랐어요. 교실에 들어가자마자 월간 교육 탐방 과월호를 들춰봤더니 아니나 다를까 거기에 선생님의 이름이 있더군요. 작년에 기고하셨더라고요."

나는 갑자기 면목이 없어졌다. "그런 글을 누가 읽을까 싶었는데 그야말로 등잔 밑이 어두웠네요. 선생님께서 무슨 말씀을 하실지 걱정됩니다."

주인이 비지빈대떡을 가져와 테이블에 내려놓았는데 잘게 썬 고추 조각들이 꽃잎 모양으로 비지빈대떡 가운데 붙어 있어서 나는 부엌으로 돌아가는 주인의 뒷모습을 슬쩍 돌아보았다. 정해준 선생님이 두툼한 비지빈대떡의 가장자리를 젓가락으로 뜯어내자 투박하게 드러난 단면에서 뜨거운 김이 확 피어올랐다.

"학생들과 함께 영화를 보고 토론 수업을 하셨더군요. 저도 그 영화를 인상 깊게 봤던 터라 원고를 끝까지 읽게 되었는데 교육 현장의 동향을 사실적으로 전달하는 기사와는 달리 선생님의 글은 조금, 결이 다르더군요. 그런 수업을 종종 하시나요?"

나는 뒷머리를 긁적였다. "보통 영화 한 편을 공부하는데 한 달 정도 걸려서 일 년에 예닐곱 편 정도의 영화로 수업했던 것 같아요. 영화 수업을 하기 전에는 소설 한 권을 일 년 동안 아이들과 함께 읽었었는데 아이들의 반응이 좀 미적지근하더라고요. 그래서 소설 대신 영화로 수업했는데 아이들의 반응이 기대 이상이어서 시대가 변했나 싶었죠. 그때부터 일주일에 한 차시씩 한 달에 걸쳐서 영화 한 편으로 수업했어요."

"글을 읽어보니 선생님이 영화를 설명하지 않는다고 하셨는데 그러면 수업을 어떻게 진행하셨나요?" 그가 학구적인 눈빛으로 물었다.

나의 대단치 않을 대답에 그는 실망해도 내색하지 않을 것이다. 어떻게 해야 명료하게 설명할 수 있을까. 나는 목을 가다듬었다. "제가 영화를 잘 모르기도 하고 아이들도 어리다 보니 최대한 단순하게 수업했어요. 각 장면에서 인물이 왜 그렇게 말했는지, 왜 그렇게 행동했는지 영화를 잠깐씩 멈추며 아이들에게 질문했죠. 예를 들어 '결혼하지 않은 루이즈가 손가락에 반지를 왜 끼고 있을까?' 이런 식으로요. 그러면 아이들이 인물의 동기를 추론하는데 당연히 저마다 다른 의견을 내기 때문에 짧은 토론이 이어져요. 그런 추론들이 테트리스의 블록처럼 한데 맞물리고 영화가 막바지에 이르면 주제가 드러나는데 사실 그것을 알아내는 것이 수업의 목표는 아니에요. 영화를 다 보고 나서 아이들은 영화에 관한 각자의 '견해'를 토대로 줄거리가 감싸고 있는 '보이지 않는 것'에 대해서 이야기를 나눠요. 비록 허상이기는 하지만 인물의 내면을 들여다보고 저마다의 일상에 힘을 부여하는 '의미'를 찾는 거죠. 그 영화만 하더라도 처음에는 다들 외계인에 대한 영화인 줄로만 알더라고요. 하지만 외계인의 출몰은 루이즈가 자신의 미래를 예지하는 계기를 제공하기 위한 전조로 작동할 따름이죠."

"루이즈의 선택에 대해서 학생들의 의견이 어떻던가요?" 그의 충족되지 않은 호기심이 그를 성급하게 했다.

"한 명만 루이즈의 선택을 납득했어요. 나머지 스무 명 정도는 다른 선택을 할 거라고 했죠. 구태여 왜 그런 고통을 감수해야 하냐고 하면서요." 나는 그날 교실의 모습을 떠올렸다. 혜승은 미래의 루이즈가 미래를 예지하는 지금의 루이즈와 동일한 기억을 가진 동일한 인물이기 때문에 동일한 미래를 선택한 것이라고 주장해서 나를 진심으로 놀라게 했다. 삶에 내재하는 어떤 필연성을 내게 연상시켰기 때문이었다.

"그때 선생님의 의견은 어떠셨어요?" 그는 숫제 나를 취조했다.

"저는 토론만 원활하게 진행할 뿐 제 의견을 아이들에게 말하지는 않았죠. 아이들의 관점이 한쪽으로 치우치거든요." 나는 순순히 자백했다.

"선생님은 루이즈의 선택을 어떻게 생각하세요?" 그는 무슨 이유에서인지 내 글을 읽지 않은 사람처럼 물었다. 직접 들어서 확인하고 싶다는 듯.

"그 당시나 지금의 제 상태로는, 영화 속에서 루이즈가 겪었거나 겪을 상실감을 견디지는 못할 것 같아요." 나는 내가 썼던 글을 그대로 읊기 시작했다. "루이즈는 미래를 선택한 것처럼 보였지만 어떤 미래를 선택하든 삶의 속성은 누구에게나 보편적이라는 것을 루이즈는 알고 있었어요. 대상과 시기의 문제일 뿐 결국 누구나 이별과 죽음을 맞닥뜨리잖아요? 이별과 죽음까지는 아니어도 누군가와 친밀했다가 소원해지기도 하고요. 혼자 살아가려니 고립에서 비롯되는 외로움을 감당해야 하고 다른 사람과 살아가려니 관계에서 불거지는 고통을 짊어져야 하죠. 때로는 자신의 고통도 감내하기 버거운데 말이에요. 결국 외로움과 고통에 맞서려면 서로가 서로에게 의미로 충만한 존재가 되고 그 순간의 기억으로 고양된 삶을 살아갈 수밖에 없어요. 루이즈가 그렇게 살아가기로 결심한 것이 그녀의 선택이었던 거예요. 그래서 루이즈는 이안이 떠나고 한나를 잃어서 자신의 삶이 한없는 기쁨과 더없는 고통으로 점철될 것을 알면서도 예지한 미래를 그대로 받아들였죠." 나는 말을 간신히 끝내고 그의 얼굴을 바라보았다.

"그런데 선생님은 그렇게 살고 있지 못하고 있군요?" 그의 목소리가 조금 고조되었다.

"그렇다고 말할 수 있죠. 저는 누군가에게 의미 있는 존재는 아닌 것 같아요. 저 자신에게도요." 나는 자조적으로 웃었다.

집으로 돌아가는 길은 캄캄하고 차의 속도는 더뎠다.

"제가 정확하게 기억나지는 않는데 혹시 일 학기에 육 학년 현장체험학습으로 폐교를 개조한 사진 전시관에 다녀왔었나요?" 그가 사이드미러를 내다보며 물었다.

나는 기억을 더듬었다. "그게, 원래는 식물원에서 졸업 앨범의 사진을 촬영하고 그곳에 경유해서 학교에 돌아올 예정이었는데 아이 한 명이 식물원 자유 관람 시간이 지나도록 사진 촬영 장소로 돌아오지 않았어요. 그 때문에 그 아이를 찾느라 촬영이 지체되었죠. 촬영을 서둘러 끝냈는데도 방과 후 수업 전까지 학교에 돌아가기에는 남은 시간이 빠듯해서 결국 그곳에는 저만 다녀온 셈이 되었어요. 사전 답사를 다녀왔었거든요."

"제가 왜 전시관에 대해 물었는지 궁금하지 않으세요?" 그는 직선 주로를 달리면서도 습관적으로 사이드미러를 살펴보았다.

"글쎄요, 그곳에 현장체험학습을 가려고 하시나요?" 나는 그와의 침묵이 딱히 신경 쓰이지 않았기에 그가 억지로 말을 꺼낼 필요는 없다고 생각했다.

"아까 식당에서 선생님과 대화를 나누면서 기억이 하나 떠올랐는데 말씀드릴까 해서요." 그는 약간 뜸을 들였다.

"저야 들을 준비가 되어 있죠. 때마침 차 안도 아늑하고 좋네요." 나는 그가 긴장하고 있는 것 같아 그의 긴장을 조금 풀어 주고 싶었다.

"이곳에 여러 차례 여행을 왔었는데도 오름에 오르기는커녕 오름에 전혀 관심이 없었어요. 그런데도 그 전시관에는 매번 들렀죠. 사진에 매료되었거든요. 그럴 수밖에 없었던 게 제가 살던 곳은 콘크리트와 시멘트, 아스팔트가 하늘과 땅을 온통 뒤덮어서 시야가 확

트이는 장소를 찾으려면 높은 곳에 오르거나 먼 곳으로 나가야만 했죠. 그런데 여기는 도시를 조금만 벗어나도 광대한 하늘과 바다, 야트막한 오름이 내보였기에 굳이 오름까지 오를 필요는 없이 사진만 봐도 충분하다고 생각했던 것 같아요. 그런데 결국 이곳에 이사 오고 나서 낯선 집에 우두커니 누워 있자니 누구에게인지 모를 원망이 마음에 차오르더라고요. 기분 전환 삼아 배낭 도보 여행을 갈 법도 한데 배낭을 다른 이삿짐과 함께 차의 화물칸에 처박아 두고 꺼내지도 않았죠. 매일 같이 저녁을 맥주로 때웠고 고주망태가 되어서야 잠을 이룰 수 있었어요. 하루는 퇴근하고 방바닥에 누워서 멍하니 텔레비전을 보고 있는데 비가 턱턱 떨어지는 소리가 들리는 거예요. 그런데 빗방울이 얼마나 굵은지 옥상을 때리는 빗소리가 천장 벽을 뚫고 방 안을 울려서 제가 누군가가 수조 벽을 두드리고 있는 수조 안의 물고기가 된 기분이었어요. 창틀에 물이 고이더니 방 벽으로 흘러내리기 시작해서 신문지를 돌돌 말아 창틀에 끼워 넣었는데 순식간에 종이죽이 되더군요. 그래도 그 정도로 비가 새는 것을 어느 정도 막을 수 있었죠. 난감한 심정에 채널을 바꿔 뉴스를 트니 때마침 태풍 특보를 내보내고 있더라고요. 그날 밤 아홉 시를 기점으로 이곳이 태풍의 직접적인 영향권에 들어 호우 경보가 내릴 예정이라고. 뉴스를 보고 저는 말로 설명하기 어려운 쾌감을 느꼈어요. 빗속으로 뛰어들고 싶던 차에 비가 후련하게 쏟아지는 것처럼요. 다음날은 토요일이었고 아침에 눈을 떠보니 창틀에서 흘러내린 빗물이 방바닥에 물웅덩이를 만들었더군요. 저는 벽과 바닥을 수건으로 황급하게 닦기는커녕 물웅덩이에 발바닥을 담그며 창밖을 내다보았어요. 빌라와 빌라 사이를 휘도는 바람이 수직으로 떨어지는 빗방울들을 빌라 외벽으로 밀쳐서 뭉그러뜨리더군요. 저는 차 열쇠를 들고 그대로 주차장으로 내려가 차를 몰고 전시관으로 향했어요. 비바람이 차를 옆으로 흔들면서 들었다 놨다 했는데 차의 화물칸에 실려 있는 이삿짐이 평형수 역할을 해줘서 차가 전복되지 않은 것 같아요. 차를 운전하며 악전고투한 것은 그때가 처음이었는데 제가 뭘 원하는지 도통 알 수가 없었죠. 그렇게 우여곡절 끝에 주차장에 도착해서 전시관의 입구로 뛰어갔는데 거대한 파도가 부서지며 만들어진 포말 속을 통과하는 것 같았어요. 얼굴에 달라붙은 머리카락을 양옆으로 가르며 매표소 문을 두드리자 직원이 도저히 믿어지지 않는다는 표정으로 문을 열더니 리플릿을 건네며 화장실에 아직 아무도 사용하지 않은 깨끗한 수건이 걸려 있을 거라고 하더군요. 화장실의 세면대 앞에서 마른 수건으로 머리카락을 훑고 목덜미와 팔을 닦고 나니 기분이 좀 개운해졌어요. 그러고는 아무도 없는 전시실에 들어갔죠. 음악을 틀어 주는 것을 직원이 잊어버렸는지 전시실 안은 적요하기 그지없었고 희한하게도 어디선가 화톳불이 타는 것처럼 타닥타닥 튀는 소리만 아련하게 들리더라고요. 저는 사진과 사진 사이를 하염없이 배회했어요. 그러다가 의자가 보여서 앉았는데 바로 앞에 거대한 사진이 벽에 매달려 있더군요. 사진을 올려다보니 피사체라고는 사진의 중앙을 세로로 가로지르는 가느다란 나뭇가지 한 줄기뿐이었는데 그마저도 불분명했어요. 사진의 초점이 맞지 않았거든요. 그래서 피사체가 구름인가 싶어서 고개를 위로 더 들었죠. 하늘로 솟구쳤다가 지면으로 떨어져 뭉개진 구름이 공중을 휘도는 바람에 휩쓸려 나뭇가지 끝을 중심으로 용오름을 만들고 있더군요. 결국 사진의 초점을 찾지 못한 저는 사진을 한동안 가만히 보고 있었는데 갑자기 동병상련의 감정이 들었나 봐요. 정신을 차려 보니 저도 모르게 의자에서 일어나 액자 유리에 손가락을 대고 나뭇가지를 쓸어내리고 있더라고요. 나뭇가지가 여린 잎사귀를 내었는데 그 바람에도 잎사귀가 나뭇가지를 꿋꿋하게 붙들고 있더군요. 저는 손가락을 옮겨 잎사귀를 매만졌고 그때 액자의 유리에 제 얼굴이 비쳤어요. 저는 살짝 놀라며 유리에 반사된 제 얼굴을 바라보았는데 그때 제 눈에 처연하지만, 부드러운 눈길이 맺혀 있더군요. 그 뒤로 저는 오름에 올랐어요. 꽃과 나무를 쓰다듬고, 바람에 몸을 내맡기고, 구름에 시선을 흩뿌렸죠. 그랬더니 메말랐던 가지에 물이 차오르는 것처럼 밤이 되면 그윽한 잠이 밀려들더라고요. 물론 이삿짐은 방의 적재적소에 잘 정돈했죠."

나는 눈썹을 미간으로 내려앉히며 그의 옆얼굴을 바라보았다. 그는 전조등으로도 미처 비추어지지 않는 어둠 속을 여전히 주시하고 있었고 나도 그의 시선을 따라 밤의 정면을 말없이 응시했다.

공전 궤도

그림을 더 이상 그릴 수 없다는 내 말을 듣고 미술부 선생님은 손에 들고 있던 검은색 펜을 책상 위에 내려놓더니 손깍지를 끼고 생각에 잠긴 모습이었다. 내가 교무실에 들어올 때만 해도 바쁘게 키보드를 두드리거나 쉴 새 없이 나오는 인쇄물을 가지러 가느라 책상과 복사기를 분주하게 오가던 다른 학년의 미술 선생님들은 심상치 않은 낌새를 눈치 채고 헛기침 한 번 하지 않은 채 책상 위의 모니터만 들여다보았다. 선생님은 자리에서 일어나 교무실 안에 있는 탕비실로 걸어가더니 커피포트의 버튼을 눌러 물을 끓이기 시작했다. 작은 쟁반에 한 줄로 쌓여 있던 종이컵 더미에서 종이컵 두 개를 바닥에 내려놓고 커피믹스 두 봉지를 찢어 하나씩 컵에 부었다. 곧이어 물이 끓어오르는 소리가 들렸고 새 부리 모양의 커피포트 입구에서 수증기가 뿜어져 나왔다. 선생님은 커피포트를 들어 뜨거운 물을 종이컵에 부은 뒤 종이컵을 들고 와 내게 한 잔을 내밀었다. 나는 영문을 몰라 선생님을 힐끔 올려다보았다. 내 걱정과는 달리 부드럽게 휘어진 난 줄기 끝에 핀 꽃처럼 선생님의 누그러진 눈꼬리에 담담한 기색이 매달려 있었다.

"커피 마시지?" 종이컵을 쥐고 있는 선생님의 손가락이 발갛게 달아올라 있었다. 나는 종이컵을 두 손으로 받아 들었는데 종이컵이 너무 뜨거워서 한 손으로는 커피가 닿지 않는 상단을 쥐고 다른 손으로는 바닥을 받치며 종이컵을 내려다보았다. 물을 부을 때 일었던 잔거품이 커피 중앙의 열기에 종이컵 가장자리로 떠밀려서 은은한 크림색의 진주 목걸이를 만들었다. 물론 커피를 처음 마시는 것은 아니었다. 미술부 선배들은 선생님의 양해를 얻어 커피믹스와 종이컵을 교무실에서 뭉텅이로 가져와 미술실에서 틈날 때마다 마시고는 했다. 선생님은 교무실 문을 열고 복도로 나가 나를 돌아보았다. 나는 얼결에 커피를 들고 건물 밖으로 나가는 선생님의 뒤를 따라나섰다. 선생님은 본관의 중정으로 천천히 걸어가더니 벤치 위에 떨어진 등나무 낙엽들을 손으로 가볍게 쓸어 내고 종이컵을 내려놓으며 앉았다. 나도 선생님을 따라 벤치에 걸터앉았는데 시멘트로 만들어진 벤치의 차가운 감촉이 엉덩이에서 등으로 타고 올라 신경을 곤두서게 했다. 나는 뜨거운 커피를 조금 마시고 종이컵이 핫팩이라도 되는 것처럼 양손으로 조심스럽게 주물럭거렸다. 개학할 때만 해도 하늘을 나풀거리는 조각들로 만들었던 등나무 이파리들이 이제는 바닥에 떨어지고 이따금 중정까지 밀고 들어오는 스산한 바람에 떠밀려 건물 구석에 수북하게 쌓였다. 선생님은 다리를 포개고 양손으로 무릎을 감쌌다. 긴 싸리비와 커다란 쓰레받기를 들고 중정에 들어오려던 남학생 두 명이 선생님과 내가 벤치에 앉아 있는 것을 보고 서로 눈치를 보더니 다시 복도로 들어갔다.

"미술부를 그만두겠다는 거니? 아니면 그림 그리는 것을 당분간 쉬겠다는 거니?" 선생님이 복도 창문 위로 고개를 내밀어 우리를 힐끔거리는 남학생 두 명을 눈으로 좇으며 물었다.

나는 종이컵을 들어서 커피를 한 모금 마셨다. 그사이에 커피가 조금 식었지만 아직은 뜨끈한 온기가 목을 덥혀 주었다. 조금 전 교무실에서 선생님에게 그 말을 꺼냈을 때는 분명 미술부를 그만두고 싶은 심정이었다. 정확하게 말하자면 그만둘 수밖에 없다고 생각했었다. 하지만 선생님의 질문에 대답하려니 미술부를 그만두겠다는 말이 쉽사리 나오지 않았다. 지금은 그림을 그릴 수 없지만 시간이 지나고 나면 그림을 다시 그릴 수 있을지도 모를 일이었다.

나는 나직하게 우물거렸다. "그림을 그리지는 않겠지만 지금처럼 미술실 청소는 계속하고 싶어요."

선생님이 고개를 슬쩍 돌려 나를 쳐다보는 시선이 느껴졌다. 입술을 잘근 깨무는 선생님의 얼굴이 곁눈에 들어왔다.

"윤슬의 말로는 네가 유쾌한 성격을 가졌다고 하더구나. 미술실 청소 때문에 네 교실을 찾아갔을 때 무엇이 그렇게 재미있는지 배를 그러안고 의자에서 넘어질 정도로 몹시 웃고 있는 너를 봤었다고. 사실 나는 그 말을 듣고 좀 의아했단다. 미술실에서 보이는 너는 내가 간혹 던지는 질문에도 당황스러워 할 만큼 수줍음이 많고

무표정한 얼굴로 오로지 그림을 그리는 일에만 몰두하니까 말이다." 선생님은 잠시 말을 멈췄다. 그러고는 하고 싶은 말은 지금부터라는 듯 뜨거운 종이컵을 꾹 움켜쥐고 커피를 한 모금 들이켰다. "네가 그리고 있는 자화상을 봤다. 다른 화가의 그림을 따라 그리든, 네 얼굴을 그리든 그림 속의 인물은 늘 음울한 분노를 얼굴에 감추고 있지. 자신을 원망해야 할지 남을 원망해야 할지 혼란스러워 하면서 말이다. 미술부원을 선발할 때 나는 그게 너의 개인적인 사정의 문제인지 아니면 네가 선호하는 화풍의 문제인지 알 수 없었지만 그림을 통해서 너를 괴롭히는 무언가가 해소되었으면 하는 바람이 있었다. 네가 그림을 그릴 수 없는 이유를 굳이 캐묻고 싶지는 않다. 하지만 내가 너에게 해줄 수 있는 건 그림을 그리지 못할 정도로 고통스러운 너의 마음을 누군가가 공감해 주기를 바란다면 네가 그림을 계속 그리는 수밖에 없다는 말뿐이구나. 올해는 미술실이 깨끗해서 너와 윤슬이 대견했다. 고생스럽겠지만, 계속 부탁하마." 선생님은 말을 끝내고 다시 종이컵을 들어 남은 커피를 한번에 마셨다. 그러고는 빈 종이컵을 쥐고 자리에서 일어나 농구 코트에 시선을 던지며 교무실로 돌아갔다. 나는 이제 미지근해진 종이컵을 내려놓고 발끝에서 나뒹구는 낙엽의 잎자루를 집어 빙글빙글 돌렸다. 한때 싱그러운 초록빛을 머금었던 잎사귀가 이제는 무게도 느껴지지 않을 만큼 메말라 부스러져 형태마저 온전하지 않았다. 갑작스럽게 불어닥치는 바람이 내가 쥐고 있던 잎자루를 부러뜨리며 낙엽을 허공으로 날려 보내고 발밑에 쌓여 있는 낙엽들을 한차례 쓸어 내자 휑한 바닥이 드러났다. 남학생 두 명이 교무실로 돌아가는 선생님의 모습을 보더니 다시 중정의 입구로 걸어 나왔다. 한 사람은 싸리비를 휘저으며 입구에서부터 낙엽을 쓸어 한군데로 모으기 시작했고 나머지 한 명은 쓰레받기로 바닥에서부터 긁어모은 낙엽 더미를 비닐봉지에 담기 시작했다. 그들이 바닥을 쓸고 긁는 소리가 나를 더욱 심란하게 했고 내가 그들을 지나치자 싸리비를 든 남학생이 빗질을 멈추고 쓰레받기를 쥔 남학생은 한쪽으로 비켜섰다.

교실에는 아무도 없었다. 종례 이후에 뒤늦게 배부한 모양인지 사분기 방과 후 수업 수강 신청을 안내하는 가정통신문이 책상 위에 덩그러니 놓여 있었다. 나는 책가방에서 홀더를 꺼내 가정통신문을 끼워 넣으려다 홀더 안이 두툼한 것을 보고 여름 방학 이후로 가정통신문을 엄마에게 보여준 적이 없었다는 사실을 깨달았지만 별다르게 당황스럽지는 않았다. 투명한 홀더 밖으로 학생 승마 체험을 추가적으로 희망하는 학생은 평생교육강좌 홈페이지에서 승마장별 강습 계획과 신청 인원수를 확인하고 신청하라는 가정통신문이 설핏하게 내비쳤다. 초등학생이었을 때는 체육 전담실을 찾아가 학생 승마 체험 신청서를 직접 냈던 기억이 났다. 심지어 지원 가능한 학생 수에 비해 체험 지원 대상자가 많아 추첨까지 한다고 했었는데 무슨 이유에서인지 내가 추첨에 떨어진 기억은 나지 않았다. 나는 귀찮다는 듯 책상 위에 놓여 있던 가정통신문을 집어 들어 홀더 안에 끼워 넣고 홀더를 책가방 책 사이에 쑤셔 넣었다. 홀더가 책가방 바닥에 닿으면서 무언가에 둔탁하게 부딪히는 소리가 나더니 책 사이로 모서리가 비죽 솟아올랐다. 나는 짜증이 치밀었다. 수업

중에는 스마트폰을 꺼낼 수 없는 터라 수납 주머니가 따로 없는 책가방 안에 넣어 두면 영락없이 스마트폰이 바닥에 깔려 있었기 때문이었다. 나는 책들이 쏟아지지 않도록 책가방 입구를 손바닥으로 가로막고 책가방을 기울이며 살살 흔들었다. 책가방 안에서 스마트폰이 쑥 빠져나와 책상 위에 떨어져 덜그럭거렸다. 나는 책가방을 의자에 던지듯 내려놓고 스마트폰을 집어 들었다. 스마트폰을 만지작거리며 손에 들고 있었지만 전원을 켜지는 않았다. 지금 은재에게 문자 메시지를 보내 봤자 내가 보낸 메시지를 은재가 읽을 수 있을지조차 알 수 없었다. 학원에 앉아 숫자로 가득 채워진 문제집을 푸느라 내가 알 수 없는 기호를 끄적이는 은재의 모습을 떠올렸다. 평일에 은재는 아홉 시가 넘어 집으로 돌아갔다. 하지만 아홉 시 이후에도 은재와 편하게 메시지를 주고받기는 어려웠다. 밤늦게 퇴근해서 녹초가 된 엄마가 집안일마저 신경 쓰지 않도록 은재는 집에 도착하자마자 설거지나 빨래 정도의 간단한 집안일을 미리 해 두고 싶어 했다. 그러고는 저녁을 스스로 차려 먹고 엄마의 퇴근을 기다리며 학교나 학원 과제에 매달리곤 했다. 저녁을 먹자마자 내 방으로 들어와 침대에 누워 잠이 들 때까지 음악을 듣거나 동영상만 보는 내가 부끄럽다는 말이라도 할라치면 은재는 한사코 고개를 절레절레 저으며 그게 자신이 하고 싶은 중학교 생활이라고 했다. 오 학년 말부터 엄마를 미처 기다리지 못하고 잠이 들어 속상했는데 이제는 무사하게 퇴근하는 엄마를 보고 잘 수 있어서 그때까지 자신이 할 수 있는 일을 하는 것뿐이라고. 은재는 애써 미소를 짓고 손사래를 치며 자신은 괜찮다거나 별일이 아니라는 말을 얼마나 자주 쓰고 있는지 알고 있을까? 나는 혹여나 내가 하는 말과 행동이 은재에게 어리광으로 보이거나 걱정을 끼칠까 봐 조바심을 내게 되었다. 은재와 이번 주 일요일 오후에 만나기로 약속이 되어 있었지만 나는 오늘 일에 대해서 아무런 얘기도 할 수 없을 것이다. 내가 그림을 그리지 않을 거라고 말한다면 이유를 뭐라고 댈 것인가? 농담처럼 돌려 말해도 은재는 내 안에서 일어난 심경의 변화가 예사롭지 않다는 것을 알아차릴 것이다. 나는 다시 스마트폰을 책가방 안에 넣은 뒤 책가방을 한쪽 어깨에 걸치고 일 층 현관 입구에 비치된 신발장에서 실내화를 갈아 신었다. 현관 밖으로 나오자 구령대 난간 너머 텅 빈 농구 코트에 남겨진 농구공 하나가 바람이 불 때마다 조금씩 굴렀는데 마치 공전 궤도에서 이탈해서 어디로 가야 할지 모르는 사막 행성처럼 보였다. 농구공이 구르고 멈추기를 반복하며 펜스에 닿아 더 이상 움직이지 않았고 그제야 나는 내키지 않는 발길을 집으로 향했다.

냉담한 침묵

샤워하고 화장실의 수납함을 열어보니 수건이 하나밖에 남아 있지 않았다. 편한 옷을 입고 아직도 축축한 머리카락을 이미 젖은 수건으로 한번 더 북북 문지르자 산발이 된 머리가 화장대 거울에 비쳤다. 어차피 잘 시간이라 머리 모양 따위는 상관없었던 나는 젖은 수건을 빨래통에 던져 넣고 안방 베란다로 향했다. 건조기 문을 열었더니 텁텁한 천 냄새와 함께 뜨거운 공기가 얼굴에 훅 끼쳤다. 우주 정거장의 모듈을 연상시키는 원형의 스테인리스 통에는 바싹 마른 옷과 수건이 미약한 중력 때문에 둥둥 떠 있는 것처럼 어둠 속에서 한데 엉겨 있었다. 원래 문을 열면 건조기 입구의 작은 전구가 건조기 안을 비춰야 하는데 아마 고장이 났거나 수명이 다했는지 문을 닫고 다시 열어보았지만 전구는 작동하지 않았다. 나는 협탁에서 스마트폰을 가져와 플래시를 켜고 우주 정거장의 통신 시설을 점검하는 우주인처럼 베란다의 미닫이문과 건조기 옆면의 좁은 틈새로 팔을 들이밀어 서비스센터의 전화번호가 인쇄된 스티커를 찾았다. 하지만 스티커를 찾고도 눈으로 전화번호를 확인할 수 없었기에 스마트폰의 카메라로 스티커를 촬영해야만 했다. 스마트폰의 화면에서 전화번호가 선명하게 찍힌 사진을 확인했지만 기분은 영 찜찜했다. 손가락 마디만 한 전구를 교체하는 것조차 서비스센터에 연락해야 하다니. 며칠 안에 퇴근 시간 즈음해서 수리 기사가 집을 방문하도록 예약해야겠다고 생각하며 스마트폰을 건조기 위에 올려놓고 건조기에서 물통을 빼냈다. 세탁기만으로도 꽉 채워진 다용도실에 건조기를 놓을 공간이 없어 어쩔 수 없이 안방 베란다에 건조기를 설치했는데 그 때문에 건조기를 한 번 사용할 때마다 물통을 분리하여 화장실로 가져가 세면대에 물을 쏟아 내야 했다. 물통을 제자리에 끼우고 건조기 안의 옷과 수건을 한 아름 들어서 안방 침대의 이불을 한쪽으로 걷어 낸 자리에 집어 던졌다. 그러고는 스마트폰의 플래시로 건조기 안을 비춰서 빨래를 모두 꺼낸 것을 확인하고 건조기의 문을 닫아 안방으로 돌아갔다. 침대 위에는 개야 할 옷과 수건이 이제는 지구에 떨어져 무거운 중력에 허덕이는 것처럼 별별 자세로 엎드려 있었다. 비록 네 명이지만 매일 쏟아지는 빨래의 양은 엄청났다. 네 명이 쓰는 수건만 해도 하루에 여덟 장이고 교복을 입는 큰딸과는 달리 작은딸은 매일 바꿔 입는 외출복을 용케도 빨래통에 잘 집어넣어서 작은 드럼통 크기의 빨래통은 이틀이면 가득 찼고 집안은 세탁기와 건조기가 교대로 돌아가는 소리로 늘 요란했다. 나는 침대 옆에 서서 옷 사이에 틈틈이 끼어 있는 수건을 골라내어 먼저 개고 안방 화장실과 거실 화장실의 수납함으로 옮겼다. 수건이 빠져나가자 한결 헐거워진 옷더미에서 크고 두꺼운 옷을 골라내어 갰는데 큰 옷부터 개야 옷을 쌓을 때 무너지지 않기 때문이었다. 마지막으로 작고 얇은 옷을 개는 대로 칸막이가 되어 있는 안방의 옷장에 한 칸씩 차근차근 집어넣었다. 양말까지 짝을 맞춰 돌돌 말고 상의와 하의로 구분하여 포갠 아이들의 옷을 한 번에 들어 작은방 문 앞에 섰다. 작은방에 큰딸이 있었지만 항상 그렇듯 방 안에서는 아무런 소리도 들리지 않았다. 나는 방문을 두드리는 것을 포기하고 거실 소파 위에 옷을 올려놓았다. 아내는 서재에서 수업 자료로 활용할 슬라이드를 만들고 있었고 작은딸은 태블릿PC를 책상 위에 세워 놓고 아이돌의 춤을 따라 추고 있었다. 나는 개킨 옷이 소파에 있으니 바쁜 일이 끝나면 작은방 옷장에 넣어 달라고 아내에게 부탁했고 아내는 고개를 끄덕이며 슬라이드에 사진을 붙였다. 서재에서 안방으로 돌아가는데 식탁 위에 뒤집힌 유광지가 보여서 펼쳐 보니 사 년 전에도 이곳에서 피아노 연주회를 열었던 외국 피아니스트의 공연을 홍보하는 리플릿이었다. 리플릿에서 보이는 그의 얼굴은 사 년 전의 모습과 별반 다르지 않았다. 내가 중학생 때 방송부를 하며 그의 앨범을 틀었으니 그의 음악을 들은 지 벌써 이십수 년의 시간이 지났다. 그때는 CD도 아닌 테이프로 점심시간 중에 음악을 틀었는데 예기치 않게 방송부가 되다 보니 정작 가지고 있는 앨범이 없어서 신청곡이란 명목으로 같은 반 친구들에게 반은 간청하고 반은 협박해서 방송으로 듣고 싶은 앨범을 가져오라 하여 틀었던 기억이 났다. 그 당시 담임 선생님이 갑작스럽게 호출하여 교무실에 갔는데 별다른 설명도 없이 방송부 선생님을 찾아가라고 하여 방송부 선생님을 찾아갔고 방송부 선생님이 내게 몇 마디를 물어보더니 알겠다며 교실로 돌아가라고 하여 교실로 돌아갔는데 그날 이후로 방송부가 되었단다. 삼 학년 방송부원의 교실 방문에 화들짝 놀란 나는 담임 선생님을 황급하게 찾아갔지만 담임 선생님은 방송 원고는 몇 문장만 끄적이면 되고 음악은 반 친구가 듣고 싶은 음악을 원 없이 틀어주라고 말하며 오히려 나를 다독여서 나는 졸지에 방송부원이 되었다. 그날 이후로 나는 자의 반 타의 반으로 이 주일에 한 번씩 방과 후에 학교 도서관에 앉아 독자의 사연으로 만든 잡지를 들춰보며 방송으로 내보낼 만한 소식이라는 것을 찾아보기 시작했다. 개인적인 사연을 주제로 방송할 수는 없는 노릇이고 그렇다고 친구들이 내게 사연을 보내는 것도 아니니 잡지에 실린 사연을 소개하는 방송 원고를 쓰게 된 것이었다. 그러면 무얼 주제로 방송 원고를 써야 할지 머리를 쥐어짜야 할 필요도 없고 사연을 소개한 뒤 이런 일이 있었다며 방송 마무리만 잘하면 되니 가벼운 마음으로 종이한 장을 대번에 채울 수 있었다. 다행스럽게 형과 누나를 둔 친구들이 가요와 팝을 많이 알고 있어서 나는 테이프를 가져오는 것을 잊지 않도록 당부하는 일만 잘하면 되었다. 그렇게 해서 알게 된 앨범이 『레이크 루이스』였다. 앨범 재킷에는 어디인지는 알 수 없으나 여하간 어딘가에 있는 산을 후경으로 에메랄드색의 잔잔한 호수가 인쇄되어 있었다. 앨범을 가져온 친구의 말로는 점심을 먹고 책상 위에 엎드려 잠을 자는 아이들을 배려하기 위한 음악이란다. 나는 곡을 들어보지도 않고 친구가 어련히 잘 골랐겠거니 생각하며 음악을 틀었는데 곧 아름답고 섬세한 선율이 내 귓바퀴를 따라 고막으로 흘러들었다. 나는 흡족한 마음으로 앨범 재킷을 앞뒤로 휙 휙 돌려보며 "연주 잘하시네."라고 혼잣말했었다. 그렇게 교내 방송으로 틀었던 음악을 연주회로 직접 들을 기회가 있다니. 때마침 피아노에 열의가 있어 보이는 큰딸에게 좋은 경험이 될 거로 생각하고 아내에게 연주회에 대해 말을 꺼냈는데 비싼 입장권의 가격에 놀란 아내는 아직 어린 둘째를 데려가 봐야 칭얼대기만 할 테니 자신은 집에서 둘째를 보고 나와 큰딸만 다녀오라고 하여 연주회에 갔던 게 사 년 전이었다.

컨벤션센터 홀의 규모는 방대했는데 만석이었다. 무대 천장에 매달린 조명이 그랜드피아노 위에 발그레한 빛을 떨어뜨렸지만 홀 전체는 어둠에 잠겨 있었고 청중의 조심스러운 수군거림과 의자 등받이를 뒤로 젖히는 소리가 청중석에 낮은 파동을 일으키다 가라앉았다. 아직은 공연 시간 전이라 연주는 시작되지 않았고 나와 큰딸은 연주자의 이력을 읽어보려고 했지만 어두워서 잘 보이지 않았다.

"차라리 검은 종이에 흰 글씨로 인쇄했으면 좋았을 텐데요." 큰딸이 결국 이력을 읽는 것을 포기하며 리플릿을 접었다. "아빠, 제가 예전에 태어나기 전에 엄마와 캐나다에 다녀오셨다고 하지 않으셨어요? 그때 찍었던 사진이 지금은 없어요?"

나는 대답하지 못했는데 그때 찍은 사진이 내게 없었기 때문이었다. 아내가 사진을 가지고 있을지도 모르겠지만 그렇다고 아내가 집에 있는 컴퓨터에 사진 파일을 따로 저장하거나 정리하는 것을 본 적은 없었다.

　나와 아내는 큰딸이 태어나기 이 년 전 밴쿠버에서 홈스테이하며 한 달을 머물렀다. 교육과학기술부에서 시행하는 영어 심화 연수에 기대치 않게도 둘 다 신청되었고 우리는 곧 사이먼 프레이저 대학교에서 강의를 듣게 되었다. 사이먼 프레이저 대학교는 현대적인 건축 양식을 가진 건물들이 유기적으로 연결되어 있었는데 중앙의 넓은 계단을 통해 광장에 들어섰을 때 건물의 유서 깊은 아름다움과 하늘마저 가두는 거대한 규모에 압도당했던 기억이 났다. 캠퍼스 전체를 둘러싸거나 관통하는 잔디밭과 비늘 모양의 잎사귀가 돋은 키 큰 나무, 건물과 구름이 내비치는 청명한 호수, 가지각색의 눈과 머리카락을 가진 학생들이 혼잡하게 오가는 광경에서 자유분방한 분위기를 물씬 느낄 수 있었다. 다시 대학생이 된 것처럼 설레었던 기분은 얼마 안 가 잦아들었는데 강의실은커녕 강의실이 있는 건물조차 좀처럼 찾지 못했기 때문이었다. 건물을 찾은 기쁨도 잠시, 건물 안에 들어서고도 이 복도 저 복도를 헤매다가 짧은 눈길로 지나쳤던 강의실로 되돌아와 여긴가 싶어 강의실 문을 열었을 때 이미 강의실에 앉아 있던 선생님들의 환대에 나는 출입문을 얼싸안고 싶었다. 옆에 앉은 고수머리의 선생님이 경상도 억양으로 "여기 찾기 쉽지 않았죠?"라며 자신도 겪어봐서 알고 있다는 듯 친근하게 말을 걸어왔다. 정작 한국에서는 알지 못했지만 이 먼 나라에서 산전수전을 함께 겪은 전우애 같은 감정이 차올라 나는 겸연쩍게 웃으며 "그래도 잘 찾아왔으니 다행이네요."라고 대답했다.

전국 각지의 초등학교뿐만 아니라 중학교, 고등학교 선생님들이 모여서 강의 전에는 친밀감이 배어나는 온갖 사투리가 난무했고 강의 중에는 유쾌하고 예의 바른 웃음이 끊이지 않았다. 강의가 끝나고 만나는 사람마다 통성명하며 이 사람 저 사람과 함께 점심과 저녁을 먹었는데 며칠이 지나자 마음이 맞는 사람들이 하나둘 모이기 시작했다. 이들과 함께 나와 아내는 결코 만족스럽게 적셔지지 않을 사막의 모래 같은 호기심을 채우기 위해 밤늦게까지 밴쿠버의 도심과 교외를 샅샅이 훑었다. 숙소가 도시 곳곳을 연결하는 스카이 트레인 역 인근에 있어서 우리는 아무런 걱정도 없이 얼어붙은 밤을 등에 짊어지고 서 있는 빌딩 사이를 스카이 트레인을 타고 온통 헤집고 다녔고 거인의 안광처럼 빛을 내는 야경에서 눈을 뗄 줄 몰랐다. 결국 우리의 지칠 줄 모르는 탐사에 밴쿠버가 백기를 내밀었고 이에 기세가 한껏 오른 우리는 침낭 같은 외투와 한 짐을 욱여싼 배낭으로 중무장하고 아침 여섯 시에 집결하여 관광버스에 올라탔다. 긴 여정이 될 거라 각오는 했지만 아홉 시간 동안 창문과 앞좌석의 등받이에 얼굴을 이리저리 들이박고 허리가 끊어지는 고통으로 몸을 가누지 못한 우리는 끝내 두 개의 좌석에 몸을 뉘고 잠이 들었다. 그러던 사이에 버스는 가파른 능선 위의 산길을 내달려 로키산맥의 밴프 국립공원에 당도했다.

물론 십수 년 전 일이라 기억은 가물가물했다. 몇몇 장면만 제외하고 기억은 모두 낡고 해졌다. 그래도 다행스럽게 레이크 루이스를 황홀하게 바라봤던 내 모습은 기억났다. 호수의 전경은 중학생 때 내가 보았던 앨범 재킷의 사진과 일치했지만 사진이 떠오른 것은 지금이지 그때는 아니었다. 그때 든 생각은 내가 어쩌다가 여기까지 와서 이렇게 아름다운 것을 보게 되었을까였다. 다들 멀미와 구토를 참으며 캐나다의 광대한 면적을 뼈저리게 절감했지만 기특하게도 모두 생존에 성공한 우리는 버스에서 내리자마자 순식간에 원기를 회복하고 환호성을 내지르며 호수로 달려갔다. 나는 일행에서 떨어져 아무런 생각도 없이 레이크 루이스 앞에 섰다. 호수가 아이스링크인 양 머리카락을 흩뜨리는 바람이 뛰고 회전하며 수면에 원을 그렸고 그럴 때마다 수면의 색과 질감이 미묘하게 바뀌었다. 누군가가 내 이름을 부르는 것 같아 뒤를 돌아보니 호수 앞에 한 줄로 모여 있는 일행들 중 한 명이 내게 손짓하고 있었는데 손이 마치 날개를 퍼덕이는 작은 새처럼 보였다. "사진 찍을 거예요. 빨리 오세요!" 나는 호수를 바라보며 일행을 향해 잰걸음을 디뎠다. 푸른 호수 한가운데로 빨간 카약 한 대가 미끄러졌는데 어찌나 노를 천천히 젓는지 수면에 멈춰 있는 것만 같았다.

「레이크 루이스」는 마지막에 연주되었다. 마치 피아노 건반이 호수의 일렁이는 수면이라도 되는 것처럼 일흔의 연륜이 세세하게 새겨진 손가락이 건반을 어루만졌다. 피아노의 청아한 소리는 호수의 아름다운 풍광과 그 풍광을 몰아의 경지에 빠져 바라봤던 연주자 자신을 반추하는 기억을 머금고 홀 끝까지 밀려갔다. 연주를 마친 외국의 피아니스트는 또렷한 발음으로 "감사합니다."라는 말을 서너 차례 반복하더니 무대 뒤로 퇴장했고 청중의 박수가 한동안 이어졌다. 집으로 돌아오는 차 안에서 우리는 스마트폰으로 재생한 그의 앨범을 들었다. 큰딸은 몇몇 곡이 마음에 들었는지 여러 번

틀어 달라고 했고 나는 큰딸에게 스마트폰을 내맡겼다. 이듬해 이월 큰딸은 자신이 만들었다는 짧은 곡을 연주했고 나는 곧바로 떠오르는 제목을 붙여 주었다. 큰딸은 연필심을 꾹꾹 누르며 악보 위에 「봄이 오는 저녁」이라고 적어서 내게 가져왔는데 나는 호수를 바라봤던 눈으로 틀린 글자를 내려다보기만 했다.

오 학년이 된 큰딸은 점차 피아노를 치는 시간이 줄어들었다. 음악에 문외한인 나조차도 음과 음 사이를 팽팽하게 채웠던 생동감과 긴장감이 사라진 것을 알아차렸다. 정확한 타건과 감정의 투영을 위해 건반을 누르기 직전 건반 위를 지그시 매만지던 손가락은 모루 위에서 쇠붙이를 때리는 망치처럼 건반을 내려쳐 피아노 소리가 둔탁해졌다. 수없는 대화에도 불구하고 결국 나와 아내는 큰딸의 심경에 어떤 변화가 있었는지 이해할 수 없었다. 큰딸은 초점이 흐린 눈과 부루퉁한 입으로 가족에게 자신의 기분을 알리더니 결국 방에 틀어박혔다. 인내심이 바닥을 드러낸 내가 큰딸을 닦달했고 큰딸은 그저 "그냥요.", "글쎄요.", "아닌데요." 등의 짧은 대답으로 일관했다. 나와 아내는 상의했다. 나는 이럴 거라면 차라리 피아노 레슨을 몇 개월 쉬는 편이 낫겠다고 아내에게 말했다. 아내는 큰딸에게 물어보겠다고 했지만 나는 큰딸로부터 가타부타 대답을 듣지 못했다. 결국 오 학년 겨울 방학 내내 뚜껑도 덮지 않은 피아노 건반 위에는 그대로 먼지가 쌓였다. 육 학년이 되었을 때 큰딸은 모든 일에 무관심한 사람이 되었다. 레슨이 있는 날조차 레슨 시각이 임박하도록 연습을 미룰 만큼 미룬 뒤 건성으로 건반을 두들겨 보고 집을 나섰다. 수행 평가나 단원 평가를 앞두고도 책가방 안에 쑤셔 넣거나 서재 책상 위에 내팽개친 교과서를 펼쳐 보지 않았다. 담임 선생님이 종례 시간에 안내한 내용을 적은 알림장에는 무언가를 제때 내지 못하는 큰딸의 이름이 괄호 안에 매번 적혔다. 전학한 신설 학교가 도보로 오 분 거리인 지척에 있었지만 지각하는 일이 잦아 먼저 출근한 아내에게 전화 오기 일쑤였다. 방과 후에 친구를 만나는 일도, 바람이라도 쐬느라 밖에 나가는 일도, 사소한 집안일조차 거드는 일도 없었다. 방문이 열리는 경우는 냉장고 문을 열거나 화장실에 갈 때뿐이었다. 나는 큰딸을 식탁 의자에 앉혔다. 나는 큰딸에게 피아노가 너의 감옥이 되지 않기를 바란다고 말했다. 네가 피아노에 관심이 없다면 억지로 할 필요가 없다고. 딸은 뜻밖에 고개를 저었다. 피아노를 치지 않으면 불안하다고, 그래서 피아노는 계속 치고 싶다고 대답했다. 나는 그렇다면 피아노 연습을 열심히 해줬으면 좋겠다고 부탁하면서도 큰딸조차 자신의 마음을 명확하게 헤아리지 못하고 있다는 인상을 받았다. 불안해지고 싶지 않기 위해 피아노를 치겠다니, 도대체 무슨 말인가. 큰딸은 식탁 위를 보며 고개를 끄덕였지만 뺨이 붉게 달아올랐다. 그 이후로 큰딸이 콩쿠르에 나갈 때마다 받았던 상장과 트로피는 더 이상 진열대의 공간을 채우지 못했다. 권위 있는 콩쿠르에서는 예선마저 통과하지 못하는 지경에 이르렀다. 나와 아내는 큰딸을 지도하는 현역 피아니스트를 상담 차 찾아갔다. 우리를 대면하는 그의 얼굴에는 곤혹스러운 안색이 역력했다. 최근에는 큰딸이 자신이 지도한 대로 피아노를 연습하고 있지 않다고 솔직하게 말했다. 하지만 그가 중학생이었을 때는 아예 피아노를 치지 않았다고, 자신도 그런

시절이 있었기 때문에 큰딸이 포기하지 않고 레슨을 계속 받았으면 좋겠다고 말했다. 아내는 그의 말에 안도하며 하소연했다. 큰딸이 아마 사춘기인 것 같다고, 예전에는 하루에 서너 시간씩 연습하느라 손가락이 아파서 밴드를 손가락마다 붙였다고 말했다. 콩쿠르를 앞두고 배가 아플까 봐 식단도 조절했었다고. 자신은 큰딸이 예전의 모습대로 돌아올 거라고 믿는다고 말했다. 집에 돌아오는 차에서 아내는 눈물을 닦아도 얼굴이 젖었다. 그즈음 신춘문예에 해마다 투고했지만 번번이 낙선해서 소설을 쓰는 일에 넌더리가 났던 나는 정작 재능을 가지고도 허비하는 큰딸에게 싸늘해졌다. 나와 큰딸과의 대화가 사라지고 저녁 식사 시간마다 냉담한 침묵이 식탁 위에 올랐다. 큰딸은 식사를 마치자마자 보란 듯이 방으로 사라졌지만 나는 아랑곳하지 않았다.

내게서 놓여나

"너 혼자 극장에서 고등학교 농구 선수가 나오는 애니메이션을 봤다고?" 은재는 작은 주황색 숟가락을 쥔 손을 테이블 위에 내려놓고 휘둥그레진 눈을 깜빡였다. 서른 종류가 넘는 아이스크림을 콘이나 컵에 담아 파는 매장에는 냉장 진열장 안을 들여다보며 아이스크림을 고르거나 테이블에 앉아 온갖 종류의 아이스크림을 먹는 손님들로 북적였다. 대여섯 살로 보이는 아이가 주문한 아이스크림이 포장되어 나오는 시간을 기다리지 못하고 두꺼운 외투를 테이블 모서리에 부딪히며 매장 안을 휘젓고 다니자 엄마가 아이를 불러 귓속말로 주의를 주었다. 마침내 포장된 아이스크림이 엄마의 손에 건네지고 엄마는 아이를 부드럽게 떠밀면서 매장 밖에 정차하고 있는 차에 올라탔다. 유리문이 열리고 닫히는 그 짧은 시간에 매장 안으로 밀고 들어온 낯익은 한기가 테이블을 맴도는 따뜻한 공기에 스르르 녹았다. 은재를 여기에 끌고 온 사람은 정작 나였으면서 시원한 맛에 먹는 아이스크림을 여름도 아닌 이런 을씨년스러운 계절에 히터를 튼 매장 안에서 먹고 있다니 사람의 마음이란 참 종잡을 수 없는 것이라는 생각을 했다.

"왜 영화를 혼자 봤어? 오늘 나랑 같이 볼 수도 있었잖아." 은재는 컵의 테두리를 따라 숟가락을 돌려서 아이스크림을 긁어모으며 나를 타박했다.

나는 아이스크림의 가운데에 숟가락을 푹 찔러 들어 올리고는 암석처럼 쪼개진 덩어리가 떨어지기 전에 입안으로 밀어 넣었다. "그냥. 그날따라 기분 전환 좀 하고 싶더라고." 차가운 아이스크림에 이가 시려서 눈물이 찔끔 났다.

"기분 전환? 기분 전환이 될 만큼 영화가 재미있었어?" 은재는 궁금해서가 아니라 이제는 놀리고 싶어서 질문을 던지기 시작했다. 나는 얼굴을 찡그리며 내가 그 영화를 고른 이유를 그제야 생각하기 시작했다. 영화관을 지은 지 얼마 안 되어 스크린의 숫자도 많아 다른 영화를 볼 수도 있었다. 영화를 보고 나서야 왜 그 영화를 봤는지 떠올리려는 나 자신이 어처구니가 없어서 나도 모르게 헛웃음이 나왔다.

"영화를 혼자 보는 사춘기 소녀라. 나도 사춘기 티 좀 내봤으면 좋겠네." 은재는 못내 아쉬운 사람처럼 내게 다 들리도록 혼잣말했다.

나는 애꿎은 숟가락을 씹었다. 내가 농구에 대해서 뭘 안단 말인가? 농구는커녕 내가 움직이는 것도 좋아하지 않는 사람이라는 것을 새삼스럽게 깨달았다. 학기 초 체육 수업 시간에 체육관에서 간이 농구를 한 적이 있었다. 체육 선생님이 반 아이들을 체육관 바닥에 앉혀 놓고 드리블과 패스, 슛에 대해 시범을 보이며 올바른 자세를 열띠게 설명하고 있을 때 나는 이미 지친 기분이었다. 선생님의 설명이 끝나고 각자 농구공을 하나씩 들어 제자리에서 공을 튕기는 연습을 시작하자 나는 농구공이 생각보다 크고 무겁다는 사실에 놀라 주위를 둘러보았다. 다들 어떻게든 공을 튕겨 보려고 공이 튀어 오를 때마다 손바닥으로 공을 힘껏 눌러 댔다. 이걸 튕기며 뛰어야 하다니. 내게는 애석하게도 농구 수업이 삼월 내내 이어졌다. 패스가 오지 않기를 간절하게 바라며 사이드라인 근처에 어정쩡하게 서 있는데 수많은 사람을 뚫고 하필 내게 공이 왔다. 잡아든 공을 황망하게 바라보고 있는데 어서 슛하라고 외치는 소리가 들렸고 나는 있는 힘을 다해 림으로 공을 던졌지만 공은 골대에 닿지도 못하고 그대로 베이스라인 밖으로 떨어졌다. 그때의 그 민망함이라니. 운동을 좋아하는 사람이 있고 좋아하지 않는 사람이 있다고 스스로 합리화하기에는 경기가 너무 달아올라 있었다. 골이 들어가지 않아도 괜찮다고 의례적으로나마 팀원을 격려하는 박수 소리 하나 없이 아이들은 실망스러운 기색을 감추지 않은 채 수비를 하러 우리 쪽 골대로 뛰어갔다. 정신없이 뛰는 와중에 한 쿼터가 끝났고 나는 교체되었다. 고작 십 분을 뛰고 기진맥진해진 나는 숨을 몰아쉬며 체육관 바닥에 털썩 주저앉았다. 나와는 달리 처음 배운 농구치고 제법 잘하는 아이들이 있었고 그네들이 던진 공이 골대의 그물을 통과할 때 큰 박수와 함께 터진 환호성이 귀를 찌르며 체육관 안에 울렸다. 선생님은 하프 라인에 서서 경기를 유심하게 지켜보다 수업이 끝나자 몇몇의 이름을 불러 잠시 이야기를 나누었고 그네들 중 일부는 나중에 농구부원이 되었다. 그런데도 나는 농구에 대해서 부정적으로 생각하지는 않았다. 다만 격렬하게 코트 위를 오가며 골을 넣는 영화 속 인물들의 모습이 멋있다고 생각할 겨를은 없었는데 왜냐하면 경기장 위에서 벌어지는 장면 자체가 좀처럼 이해되지 않았기 때문이었다. 입장료가 조금 아깝다고 생각하며 중도에 영화관에서 나가려던 차에 주인공이 경기 중 어린 시절을 회상했고 그때 등장하는 집이 뜻밖에 내 시선을 붙들었다. 분명 외국 영화임에도 작은 정원과 가옥을 야트막한 돌담이 둘러싸고 있었는데 내가 살고 있는 곳 말고도 돌담이 있을 거라는 생각을 해 본 적이 없었던 나는 그때부터 농구 경기보다 주인공의 가정사에 몰입하게 되었다. 아무래도 주인공의 회상이 경기 중 짧게 나뉘어 삽입되는 편집 방식 때문에 하나의 줄거리로 엮는 것이 어려웠지만 몇 개의 인상적인 장면들이 연결되면서 나는 뒤늦게 가슴이 뭉클해졌다. 영화관을 나와 집으로 걸어갈 때만 해도 상대를 이기기 위한 승부욕 때문에 의기투합하는 고등학생들의 우정을 다룬 영화라고만 생각했었다. 하지만 주인공이 엄마에게 편지를 쓰려다가 미처 다 쓰지 못하고 구겨 버린 편지지를 휴지통에 던지는 장면과 나중에 주인공의 엄마가 모래사장에 홀로 앉아 아들이 쓴 편지를 읽는 장면이 겹쳐지면서 나는 주인공이 그토록 농구에 매달리는 이유를 갑작스럽게 이해하게 되었다. 농구 실력이 출중했던 큰아들의 죽음으로 비탄에 빠졌던 엄마는 작은 아들인 주인공이 농구하는 모습을 볼 때마다 큰아들이 떠올라 주인공이 농구하는 것을 그만두게 하려고 했다. 하지만 주인공은 오히려 농구에 더 매달렸는데 엄마에게 자랑스러운 아들이 되어 형의 상실로 인한 엄마의 슬픔을 덜어 주고 싶었기 때문이었다. 집에 거의 다다를 무렵 주인공과 엄마가 해변에서 재회할 때 경기가 어땠냐고 물어보는 엄마의 물음에 무서웠다고 대답하는 주인공의 모습이 마저 떠올랐는데 그 때문에 울컥하는 감정이 밀려와 나는 잠시 걸음을 멈출 수밖에 없었다. 왜냐하면 엄마에게 위안이 될 수 있는 존재가 되기 위해 분연하게 경기에 임했던 자신의 마음을 차마 내색하지 않고도 엄마가 알아주었으면 하는 주인공의 숨겨진 갈망이 그 짧은 대답 속에 담겨 있었기 때문이었다. 혹여나 속이라도 후련해질까 싶어 아무 생각 없이 본 영화 때문에 오히려 기분이 뒤숭숭해지자 마음을 아리게 했던 감정이 순식간에 당혹스러움에 뒤덮였고 나는 힘없이 문을 열어 집으로 들어갔다. 때마침 욕실에서 동생을 목욕시키고 거실로 나오던 엄마가 벽시계를 슬쩍 쳐다보며 "오늘은 그림을 오래 그렸나 보네."라고 혼잣말을 하는 것처럼 물었고 나는 고개만 끄덕이며 방으로 들어가 침대에 드러누웠다.

나는 멍한 시선을 들어 올렸고 은재가 계속해서 나를 바라보고 있었다는 사실을 깨달았다.

"괜찮아?" 은재의 얼굴에서 어느덧 웃음기가 사라지고 나를 걱정하면서도 의구심이 뒤섞인 기색이 감돌았다. "네가 그렇게 생각에 잠길 만큼 내가 진지한 질문을 했던 거야?"

나는 고개를 저었다. 그러고는 잠시 은재를 빤히 쳐다보았다. 영화도 보지 않은 은재에게 그때의 감정을 어떻게 설명한단 말인가. 나는 아이스크림이 녹고 있었다는 사실을 뒤늦게 알아차린 사람처럼 아이스크림을 허겁지겁 먹기 시작했다. 은재는 굳이 아이스크림을 다 먹지 않고 고개를 돌려 매장 밖을 내다보았다.

잎을 모두 떨어내고 거뭇한 나뭇가지를 앙상하게 드러낸 가로수가 도로에 차가 지나갈 때마다 밀려드는 공기에 몸을 떨었다. 우리는 이내 도서관으로 걷기 시작했는데 졸업식 준비에 바쁠 선생님을 만나려면 우리도 학년말에 몰려 있는 수행 평가나 학교 과제를 조금 해 두는 편이 좋을 것 같다는 은재의 생각 때문이었다. 때마침 동영상을 제작해야 하는 모둠 수행 평가에서 동영상 편집을 맡은 내게 은재가 무료로 사용할 수 있는 동영상 편집 앱의 사용법을 알려줄 수 있다고 해서 나는 토를 달 것도 없이 도서관에 가는 것을 기꺼이 찬성했다.

"선생님께 문자 메시지는 보냈어?" 내가 목깃을 턱까지 끌어올리며 은재에게 물었다.

"메시지를 어떻게 보내? 어디에 갈지 정하지도 않았는데." 은재가 손바닥을 연신 비벼 대다가 팔짱을 끼며 겨드랑이 사이에 끼워 넣었다.

"우리 도서관에 도착하면 그것부터 정할까?" 나는 배시시 웃으며 말했다. 은재는 내 속셈을 다 알겠다는 듯 어깨로 나를 살짝 밀치더니 도서관으로 향하는 발걸음을 재촉했다.

우리는 도서관 열람실 앞에 놓인 소파에 앉아 책가방을 내려놓고 선생님과 가고 싶은 장소를 저마다 스마트폰으로 검색했다.

"너 저번에 선생님 만날 때 계속 웃고 있더라." 나는 은재를 쳐다보지도 않고 말을 툭 던졌다. 은재의 반응이 기대되어 웃음을 참을 수가 없었다.

은재가 스마트폰을 내려놓고 무슨 생뚱맞은 소리를 하냐는 듯 정색하며 나를 쳐다보았다. "내가?"

나는 스마트폰 화면의 지도를 이리저리 미끄러뜨리며 고소하다는 표정을 지었다. 은재는 자신의 반문에도 스마트폰에 시선을 고정한 채 내가 끝내 자기 얼굴을 쳐다보지 않자 손으로 내 어깨를 잡아 흔들었다.

"내가 계속 웃었다고?" 은재는 그게 무슨 큰 잘못이라도 되는 것처럼 진심으로 억울하다는 말투였다.

"너 선생님께서 보내 주신 사진들 안 봤어? 계속 웃고 있던데?" 은재의 얼빠진 얼굴을 보는 건 얼마나 즐거운 일인가. 은재를 골리는 일이 이렇게 쉽다니.

은재는 한참 동안 말을 잇지 못하다가 항변하기 시작했다. "그러면 오랜만에 선생님 만나는데 울고 있냐? 그리고 네가 매번 어이없게 행동했잖아!"

"어어, 이상하다. 농담으로 한 말에 왜 이렇게 죽자 살자 달려들어?" 나는 불난 집에 부채질했다.

마침내 은재의 하얀 낯빛이 불그스름하게 물들기 시작하며 입술이 굳게 맞물렸다. "그럼, 선생님 만나지 말까? 선생님 만나자고 말을 꺼낸 사람은 너였잖아!"

"왜? 만나야지! 나 패스트푸드점에서 햄버거 먹고 싶은데?" 나는 스마트폰을 기울여 지도에서 찾은 패스트푸드점의 위치를 은재에게 내보였다. 은재는 갑작스러운 화제의 전환에 말문이 막힌 듯 내 얼굴을 흘겨보더니 한숨을 내쉬고 스마트폰을 들여다보았다. "패스트푸드점 근방에 놀이공원이 있어. 놀이공원에서 바다 방면으로 가면 해변 광장이랑 방파제도 있고." 은재는 무언가 말을 하려다 말고 놀이공원을 검색하기 시작했다. 은재의 스마트폰 화면이 곧 붐비는 인파 사이로 빙글빙글 돌거나 멀건 하늘을 배경으로 위아래로 움직이는 놀이 기구가 찍힌 사진들로 채워졌다. 은재가 손가락으로 사진 한 장을 누르자 선미가 수직으로 들려 땅으로 꺼질 것처럼 내려앉는 배 앞에 고둥 모양의 아이스크림을 손에 쥔 아이가 서 있는 모습이 화면에 떠올랐다. 아이가 고개를 미묘하게 틀어 얼핏 놀이 기구가 아닌 철골 지지대에 박힌 전구들이 사방으로 튀기는 불꽃을 올려다보는 것처럼 보이기도 했다.

나는 은재의 어깨에 내 어깨를 바싹 붙이며 두 손가락으로 아이스크림을 들고 있는 아이를 확대했다. "이거 패스트푸드점에서 파는 아이스크림 아냐?"

은재는 그냥 웃음을 짓고 말았다. "우리 방금 아이스크림 먹고 밖에 나와서 덜덜 떨었잖아. 그러고도 아이스크림 먹으면서 놀이 기구 타고 싶어?" 은재는 아무래도 내키지 않는 모습이었다. 나는 은재와 함께 바이킹을 타는 모습을 상상해 보았다. 옆에 앉은 은재는 바이킹이 하늘로 치솟거나 바닥으로 곤두박질치는 순간마다 차마 눈을 뜨지 못하고 안전바를 손가락이 하얘지도록 움켜쥘 것이다. 하지만 나는 두 팔을 들고 마음껏 소리를 지르며 머리카락을 세차게 흩뜨리는 바람에 온몸을 내맡길 것이다. 은재와 순수한 친밀감을 나눌 수 있는 찰나의 시간. 처연한 눈빛과 태연한 낯빛으로 나를 살피는 은재가 아닌, 내게서 놓여나 자신에게 온전히 마음을 쏟는 은재를 보고 싶었다. 은재는 나의 간절한 표정에 두 손 두 발 다 들고 말았다.

"선생님께 놀이공원 입장료까지 내 달라고 할 수는 없으니까 용돈 정도는 조금 가져가자."

나는 가눌 수 없이 기쁜 마음에 은재를 끌어안았다. "선생님께는 내가 문자 메시지를 보낼게."

은재는 내가 선생님에게 메시지를 보내는 모습을 물끄러미 바라보았다. 그러고는 내가 다운로드해야 할 동영상 편집 앱의 이름을 말해 주었는데 나는 메시지를 보내느라 은재가 말해준 앱의 이름을 기억하지 못했다.

졸업 앨범 사진

아이들은 막바지에 다다른 학예회 공연 연습에 매진했다. 인기 있는 아이돌의 노래와 안무를 줄줄이 꿰고 있던 몇몇 열성적인 여학생들이 방과 후에도 교실에 남아 스물두 명의 동그란 이름표를 두 개의 화이트보드에 자석으로 붙이고 옮기며 대형의 배치와 안무의 동선을 구상했다. 그들은 키와 춤 실력, 공연을 위한 열의까지 신중하게 고려하여 아이들을 대칭적으로 배치하되, 노래의 소절마다 대형을 바꾸고 화살표로 동선을 표시했다. 한 명이 나머지 스물한 명에게 춤을 가르치기에는 버거우므로 아리가 춤을 주도적으로 만들어서 스마트폰으로 춤을 촬영하고 희서와 예빈에게 동영상을 보냈다. 희서와 예빈은 집에서 동영상을 보며 그녀들 말로는 동작들을 하나하나 '땄다.' 그렇게 세 명이 먼저 춤과 동선을 연습하고 내게 선보였는데 신나고 빠른 박자로 몰아치는 음악과 육 학년다운 간결하면서도 기지 있는 동작이 짜임새 있게 어우러져 나는 입이 벌어졌다. 이렇게 춤과 동선이 완성되었고 우리 반은 하루에 한 차시의 수업 시간을 할애하여 본격적인 공연 연습에 돌입했다. 다목적강당이 협소한 탓에 관람을 위한 의자를 배치할 수 없어 방송부원이 공연을 카메라로 촬영하고 이를 교실의 텔레비전으로 송출하기로 했다. 물론 방송부의 카메라와 내 스마트폰 카메라의 화각이 다르기는 하지만 스마트폰 카메라로 간격을 벌려 춤을 추는 스물두 명을 대중해 본 결과 대열의 양 끝에 서 있는 아이들이 화각을 벗어나는 일이 빈번했다. 그래서 우리는 고심 끝에 공연을 시작할 때부터 좌우로 열한 명씩 대형을 나누고 이를 카메라가 번갈아 가며 촬영하는 것이 최선이라는 결론을 내렸다. 아직은 연습이기에 아리가 음악을 조정하고 희서는 왼쪽 대형, 예빈은 오른쪽 대형 앞에 서서 거울 모드로 춤을 추기로 했다. 나는 방송부원의 역할을 맡아 스마트폰으로 아이들이 춤을 추는 모습을 촬영하고 녹화한 영상을 방송 모니터로 재생해서 개선해야 할 동작을 아이들과 함께 확인하기로 한 것이 삼 주 전이었다. 우리는 지금까지 해 왔던 대로 아리의 신호에 따라 최종 연습을 시작했다. 아리가 노래를 틀자 전주에 맞춰 왼쪽 대형이 먼저 춤을 추기 시작했고 한 소절이 끝나면 내가 몸을 돌려 오른쪽 대형의 춤을 촬영했다. 내가 오른쪽 대형을 찍고 있는 동안 왼쪽의 열한 명은 대형을 바꿔 두 줄로 만들었고 내가 스마트폰을 향하자 줄의 뒤쪽에서부터 남녀 학생이 한 명씩 줄의 가운데로 몸을 내밀어 상체를 튕기고 팔과 다리를 꺾어서 현란한 춤을 선

보였다. 왼쪽 대형이 공연할 때 오른쪽 대형은 다목적강당의 한가운데로 모이고 다시 오른쪽으로 방향을 튼 내 스마트폰 앞으로 두 명씩 당당하게 걸어오며 거울에 비치는 것처럼 춤을 추고 내 양옆으로 빠져나갔다. 그 와중에 왼쪽 대형이 두 줄로 서서 모두가 춤을 절도 있게 췄고 그 장면을 촬영한 내가 오른쪽 대형 앞으로 이동하자 그새 왼쪽 대형과 똑같이 줄을 맞춘 오른쪽 대형이 약간 다른 춤을 왼쪽 대형 못지않게 박력 있게 췄다. 노래의 일 절이 끝나고 이 절로 접어들자 춤은 다시 한번 반복되면서 더욱 격렬해지고 노래는 아이들의 상기된 얼굴과 거칠어지는 호흡에 개의치 않고 최고조에 다다랐다. 아이들은 대형을 바꾸며 힘을 쥐어 짜내 팔과 다리를 구부리거나 뻗었고 나는 다목적강당에 들어오는 현관 입구까지 최대한 물러서며 세 줄로 공연을 펼치는 우리 반 전체를 풀 샷으로 잡았다. 노래가 조금씩 잦아들며 시작되는 후렴구에 맞춰 인원의 절반이 대형의 좌우에서 카메라 밖으로 질서 있게 빠져나갔고 남은 절반의 인원은 카메라를 꼭짓점으로 삼각 대형을 만들며 느릿하게 춤을 이었다. 마침내 후렴구마저 끝나고 후주가 이어지는 순간 카메라 밖에 나가 있던 아이들이 대형에 다시 뛰어 들어와 천진난만한 자세를 취했고 스마트폰을 응시하고 있는 아이들의 얼굴을 나는 카메라로 한 명씩 잡았다. 여기까지 오는데 무수한 언쟁과 불화, 합의가 도출되지 않는 학급 회의, 쉬는 시간마다 부탁하는 개인적인 간청이 있었다. 그런데 이 순간, 춤을 좋아하지 않거나 심지어 남 앞에 서는 것조차 쑥스러워 하는 아이들이 후끈한 열기에 휩싸여 무언가에 홀린 것처럼 스마트폰을 뚫어지게 바라보고 있었다.

아리가 나와 눈을 마주치다 "컷!"이라고 외쳤고 아이들은 바닥에 그대로 주저앉았다. 나는 아이들을 분별없이 껴안으며 등을 두드려 주거나 머리카락을 헝클어 주고 싶었지만 박수만 크게 치며 "잘했어, 잘했어!"라고 인색한 칭찬만 외쳤다. 아이들은 그야말로 바닥에 널브러져 상의를 손가락으로 집어 펄럭대거나 긴 머리카락을 양손으로 들어 올려 목덜미의 땀을 식혀 냈다. 나는 들떠 있었다. 정확하게 뭐라고 말할 수 없는 이 감정이 흔적도 없이 휘발되기 전에 마음에 새겨 두려고 노력했다. 졸업을 불과 열흘여를 앞둔 지금 나는 홀가분함과 섭섭함이 점철되어 어느 한쪽으로 가늠할 수 없는 착잡한 기분에 휩싸였다. 해마다 이맘때면 이 감정에 적응하기가 어려웠다. 나는 한때 그들의 삶에 실재했지만 졸업 앨범에서는 서투르게 미소 짓느라 눈언저리가 경직된 선생님의 사진으로 남게 될 것이다. 그 사진조차 손가락으로 문질러서 사진을 덮고 있는 망각이라는 시간을 벗겨 내고도 중학생이 된 아이들에게 별다른 감회를 불러일으키지 못하는 무관심한 수집가의 효용 없는 우표가 될 것이다. 나는 손뼉을 치며 아이들을 일으켜 세웠다. 세면대에서 손을 씻고 교실로 돌아가 종례 준비를 하라고 말했다.

"오늘 종례할 거예요?" 아이들의 볼멘소리가 오늘따라 유난히 컸다. 아이들은 교실에 돌아가자마자 쉬거나 집에 가고 싶어 할 것이다. 교실에 돌아간 나는 알림 내용을 하나하나 설명하던 평소와는 달리 오늘 일자로 커뮤니티 SNS에 올린 공지사항을 확인하라고 한마디만 하고 애들을 놓아주었다. 몇몇은 교실이 쩌렁쩌렁하게 울리도록 인사하며 부리나케 교실을 나갔고 몇몇은 자리로 돌아가 축

늘어지는 손으로 스마트폰을 꺼내어 공지사항을 확인했다. 나는 아리와 희서, 예빈에게 교실에 잠깐만 남아 달라고 부탁했다. 아이들은 서로의 얼굴을 바라보며 내가 남아 달라고 말한 이유를 짐작하려고 애썼다. 곧 교실은 비고 나는 교탁 옆에 선 아이들에게 내가 할 수 없는 일을 너희들이 해주고 있다고 말했다. 아이들에게 쏟아부은 너희들의 시간과 노력이 고맙다고. 졸업하고 나면 지금의 순간이 언젠가 너희들의 삶을 지탱해 줄 의미의 작은 일부가 되겠지만 너희들은 그저 그것을 그리움이라는 감정으로 부를 거라고 말했다.

친화력이 뛰어난 희서가 눈가를 가늘게 좁혔다. "저희도 즐거웠어요. 애들도 잘 따라 줘서 고맙고요." 아리와 예빈은 서로 어리둥절한 눈빛을 주고받았고 대화의 분위기는 거북해졌다. 옆에 선 아리와 예빈을 힐끔 둘러본 희서는 저희들 이제 가 봐도 되냐고 애써 평소대로 말했다.

"그럼, 바쁜데 얼른 가 보거라." 나는 괜한 말을 꺼낸 것을 후회했다.

아리가 가방을 둘러메다 말고 나를 돌아보았다. 그러고는 "무슨 말씀인지는 잘 모르겠지만, 여하간 기분은 좋아요."라고 말했고 나는 고개를 끄덕였다. 아이들이 자취를 감추자 나는 의자를 뒤로 젖히며 긴 숨을 내쉬었다. 혹시나 최종 점검 때 볼 수도 있을 거라는 생각에 마지막으로 녹화했던 공연 영상을 컴퓨터에 옮겨놓으려고 스마트폰을 집어 들었는데 그새 문자 메시지가 와 있었다. 설하였다.

사선에 버린 얼굴

나는 침대 매트리스의 가장자리를 살짝 들어 올려 커터 칼을 끄집어내고 책상 서랍에서 연필 상자를 꺼냈다. 엄지손톱으로 상자를 열어젖히고 입구를 밑으로 향해 흔들자 연필들이 책상 위에 한꺼번에 쏟아져 나뒹굴었다. 그중 몇 자루가 서로 부딪치며 사방으로 굴러서 멈춰 섰고 검은색 연필대에 은색으로 음각된 글씨가 벽에서 방바닥까지 내리긋는 겨울의 여린 빛에 희미하게 번들거렸다. 나는 책상 밑의 쓰레기통을 발로 당겨 의자 옆에 끌어 놓고 연필을 한 자루씩 끝부분부터 깎기 시작했다. 엄지손가락으로 커터 칼의 등을 한 번씩 밀 때마다 연필대의 껍질이 얇게 벗겨지더니 곧이어 불규칙한 나무의 단면으로 둘러싸인 연필심이 조금씩 드러나기 시작했다. 나는 가능하면 칼날이 연필심에 닿지 않도록 주의했는데 칼날이 연필심 위를 미끄러지고 나서 칼날에 묻은 흑연 가루가 연필대의 깎인 부분에 그을음처럼 묻는 것을 좋아하지 않았기 때문이었다. 그래서 칼날을 최대한 눕혀 나무 면에 밀착시킨 뒤 연필심에 닿기 전까지 천천히 밀어 올리고 연필대에 미세하게 붙어 있는 나뭇조각이 톡 떨어지도록 칼날을 들어 올렸다. 그렇게 연필대를 먼저 깎고 나중에 길게 드러난 연필심은 칼날을 세워 연필심이 부러지지 않도록 세심하게 긁어내듯 갈아 뾰족하게 만들었다. 연필을 깎다 보면 번잡한 머릿속이 비워지고 마음이 차분하게 가라앉았다. 나무의 표면을 부드럽게 밀면서 켜를 낼 때 칼등이 손가락의 살갗을 누르는 감각과 연필심을 갈 때 칼날을 통해 손가락으로 전해지는 미세한 진동이 기분 좋은 감촉을 만들었다. 나는 단면과 단면이 만들어 내는 모서리를 줄기차게 다듬어 깎인 부분이 매끄러워지도록 노력했다. 그렇게 아홉 자루를 깎고 책상 위에 한 줄로 늘어놓은 뒤 연필심과 연필대의 깎인 부분의 길이를 비교하여 연필심과 연필대가 덜 깎인 연필은 조금 더 깎았다. 연필이 고르게 깎인 것을 확인하고 나서야 비로소 마음이 흡족해진 나는 연필 아홉 자루를 양손으로 한꺼번에 쥐고 쓰레기통 위에서 비벼서 연필심에 묻어 있는 흑연 가루를 마저 떨어냈다. 그러고는 상자 입구를 벌려 연필을 한 자루씩 집어넣고 상자를 책상 서랍 안에 넣었다. 커터 칼은 그대로 쓰레기통에 버리려다가 움켜쥐고 커터 칼 몸체 밖으로 머리를 내밀고 있는 칼날을 들여다보았다. 칼날에는 연필심을 다듬을 때 묻은 흑연 가루가 여러 줄의 사선을 긋고 있었고 비껴 그어진 선 사이로 내 얼굴이 비쳐 보였다. 나는 커터 칼 손잡이에서 떼어낸 커터로 칼날을 한 칸씩 밀어내며 부러뜨리기 시작했고 뚝뚝 부러지는 칼날이 흑연 가루로 덮여 있는 쓰레기통 안에 떨어져 금세 날카로운 광택을 잃었다. 언제 다시 그림을 그릴지 알 수는 없지만 그림을 그리기 위해 연필을 깎아야 한다는 구실로도 커터 칼을 방에서 사용할 일은 당분간 없을 것이다. 나는 칼날을 모두 부러뜨린 다음 커터 칼의 몸체마저 쓰레기통에 버리고 발로 쓰레기통을 책상 밑으로 깊숙이 밀어 넣었다.

학교 정문에 도착해 보니 정문에서 운동장으로 이어지는 주차장은 그야말로 만차여서 주차선에 상관없이 아무 데나 세워 놓은 차 사이를 비집고 운동장으로 향해야 했다. 운동장 스탠드 차양막 밑에 서서 운동장을 내려다보니 형광색과 주황색 망사 조끼를 입은 초등학교 축구 선수들이 공을 쫓아 내달리고 있었다. 아마 학교 대항전인 모양인지 대개는 학부모로 보이는 관중들이 스탠드에 모여 앉아 간간이 학교 이름을 함께 외치며 응원하거나 선수의 이름을 부르며 격려하는 소리를 질렀다. 때마침 형광색 망사 조끼를 입은 선수가 페널티 에어리어에서 찬 공이 골대 크로스바를 살짝 벗어나 펜스를 강하게 때렸고 스탠드 여기저기에서 탄식하는 소리가 터져 나왔다. 나는 낭패를 당한 심정으로 펜스를 맞고 튕겨 나온 공을 가지러 뛰어가는 골키퍼를 눈으로 쫓았다. 하필이면 은재와 선생님을 만나기로 한 날에 축구 경기를 하다니. 나는 고개를 돌려 구령대를 바라보았다. 구령대 위에는 사회대에 상체를 기대고 공을 따라 고개를 좌우로 움직이는 체육 선생님과 사인용 테이블에 응급 키트를 올려놓고 접의자에 앉아 있는 보건 선생님의 모습이 조그맣게 보였다. 내가 중학생이 되었어도 선생님은 그대로였지만 초등학생 때의 기억을 아련하게 되새길 상황은 아니었다. 나는 구령대에서 만나기로 했던 은재와의 약속을 떠올렸다. 버스 도착 시각이 정확하다면 은재는 이미 학교에 도착했을 것이다. 나는 스탠드를 휘둘러봤지만 구령대 너머의 스탠드는 보이지도 않을뿐더러 그나마 보이는 이쪽 편의 스탠드에는 온통 검은색의 머리카락을 내보이는 뒷모습들만 앉아 있을 뿐이었다. 은재에게 전화하려고 외투 주머니에서 스마트폰을 꺼내려는 순간 운동장에서 긴 호각 소리가 울렸고 경기가 멈추면서 선수들이 스탠드 앞 트랙으로 걸어 들어오기 시작했다. 스탠드의 맨 앞줄에 앉아 있던 같은 학교의 선수들이 일제히 일어나더니 앞에 놓여 있던 비닐 팩을 뜯고 스포츠 음료를 꺼내어 앉아 있거나 그새 누워 있는 선수들에게 하나씩 건네주었다. 갑작스럽게 마이크를 두드리는 소리에 이어 십오 분간 중간 휴식 시간을 실시할 예정이니 용무가 있는 경우 운동장 서쪽의 체육관 화장실을 이용하고 쓰레기는 반드시 수거해 달라는 익숙한 목소리의 안내 방송이 구령대 기둥에 매달린 두 개의 스피커에서 울려 퍼졌다. 운동장이 텅 비고 안내 방송 소리가 잠잠해지자 스탠드 맞은편에 있는 그네가 흔들리는 모습이 보였다. 은재가 그넷줄을 팔로 꿰어 외투 주머니에 손을 집어넣고 정신을 딴 데 둔 사람처럼 그넷줄에 머리를 기대고 있었다.

나 자신마저도 낯선

    나는 관덕정 인근의 공영 주차장에 차를 세웠다. 연말은 비수기인 모양인지 관광버스 한 대만 덩그러니 세워져 있었고 주차장은 한산했다. 나는 설하와 은재가 차에서 내리자 차 열쇠의 버튼을 눌러 차 문을 잠갔다. 주차칸에 약간 비뚜름하게 세워진 차가 삑삑 소리를 내며 후미등을 깜빡였는데 왼쪽 후미등에는 불이 들어오지 않았다. 서비스센터에서 차를 출고했을 때만 해도 멀쩡했는데 그사이에 고장이라도 난 걸까. 나는 트렁크 덮개에 손을 짚고 허리를 숙여 테일 램프의 안쪽을 살폈는데 잔가시처럼 돋은 성에가 방향 지시등을 온통 뒤덮고 있었다. 나는 램프 커버를 중지 마디로 툭툭 두드리거나 손가락으로 문질러 보았지만 내 손길이 닿지 못할 것을 성에는 알고 있다는 듯 오히려 투명한 겨울의 빛을 모아 날카롭게 벼리며 전구를 옭아맸다. 나는 머리를 긁적이며 허리를 세웠는데 갑자기 "차가 윙크를 다 하네요."라는 천진한 목소리가 들려서 뒤를 돌아보았다. 내가 방금 들은 말이 설하가 아닌 네가 한 말이 맞냐는 표정으로 은재를 멀거니 바라보았는데 은재는 쑥스럽게 웃으며 입꼬리를 우묵하게 볼 안으로 집어넣었다. 내가 우둔하게도 농담의 의도를 바로 알아차리지 못하자 은재는 내게 눈을 찡긋해 보이고는 자신이 밟고 올라서 있는 주차 블록을 내려보았다. 나는 그제야 아이들을 내버려 둔 채 고장 난 차에 정신을 팔았다는 사실을 깨달았다. 은재는 우리가 여기에 온 이유를 내게 재치 있게 상기시키고 싶었던 것이다. 우리가 차에서 내리기 전만 하더라도 우스갯소리를 서로에게 쉬지 않고 넘기고 상대방의 말꼬리를 붙잡고 늘어지느라 옥신각신했던 수선스러움은 어느새 냉랭한 침묵 속에 얼어붙어 있었다. 설하와 은재는 팔짱을 끼거나 외투 주머니에 손을 찌르고 주차 블록에 발꿈치를 붙였다 떼었다 하며 여기서는 손쓸 방법이 없는 고장에 매달리는 나를 마뜩지 않게 기다렸을 것이다. 나는 차와는 더 이상 볼일이 없다는 것을 설하와 은재에게 보여주기 위해 부러 차 문을 한 번 더 잠근 뒤 쾌활하게 말했다. "자, 이제 가볼까?"

나는 주차장에서 벗어나 짧은 샛길을 걸어 보도에 올라섰고 설하와 은재는 반걸음 정도 간격을 두고 참새처럼 조잘거리며 내 뒤를 따랐다. 차갑지만, 청명한 하늘 아래로 관덕정이 눈에 들어왔는데 관덕정의 고색창연하고 맵시 있는 기와지붕을 붉은 나무 기둥이 굳건하게 떠받치고 있었다. 우리는 목관아를 둘러싸고 있는 기와 담장과 노란 타일이 다닥다닥 붙어 있는 우체국을 지나쳐 원도심에 있는 쇼핑 타운 입구에 도착했다. 설하는 고개를 들어 이 층 건물 모양의 입구를 올려다보더니 건물 모양이 마치 『미녀와 야수』에 등장하는 탁상시계를 닮았다고 말했는데 나와 마찬가지로 은재도 그 탁상시계에 대해서는 딱히 떠오르는 장면이 없었는지 "저 안에 들어가면 야수가 있다는 거야?"라고 설하에게 실없이 대꾸해서 나를 당황하게 했다. 은재도 자신이 한 말에 민망했는지 괜스레 입구 안을 들여다보았고 곤란한 상황에 처한 은재를 도와주기 위해 나도 어쩔 수 없이 한마디 거들기로 했다. "들어가서 야수를 만나면 내 야수인지 외야수인지 한번 물어보기로 하자." 은재는 도저히 믿어지지 않는다는 듯 손바닥으로 입을 틀어막으며 설하를 바라봤는데 설하는 바닥에 쓰러질 것처럼 휘청이더니 입구 기둥에 등을 기대고 박장대소했다. 설하가 웃느라 눈물과 콧물을 쏟아 내는 동안 은재는 돌아서서 달아오른 뺨을 손바람으로 식혔다. 나는 그제야 안도하며 쇼핑 타운 안으로 가벼운 걸음을 내딛었는데 은재가 설하를 붙들고 내 오른편으로 뛰어와 우리 셋은 함께 걸었다. 하얀 기둥이 떠받친 아크릴 차양막이 좁지만 세련된 거리를 뒤덮고 있었고 그 밑에 매달린 별 모양의 구조물이 반짝이면 가게에서 내비치는 조명과 더불어 꽤 예쁘게 보일 것도 같았다. 나는 설하에게 이 길이 패스트푸드점으로 가는 지름길이라고 말했는데 설하는 정작 거리 양 옆에 즐비한 가게들을 정신없이 둘러보느라 패스트푸드점까지 가는 데 걸리는 시간을 물어보지 않았다. 대개는 옷 가게지만 격자문과 황토벽에 아직도 푸릇한 관목들이 아취를 드리우는 한옥 카페와 창틀에 초록색 노끈을 두른 테왁과 뿔소라 껍질들을 담은 망사리를 걸어 놓은 식당도 보였다. 설하는 마음에 드는 옷을 발견할 때마다 그 앞에 멈춰 서서 나름 품평했고 은재는 어처구니없지만 들어준다는 표정으로 설하의 말이 끝날 때까지 옆에 서 있어 주었다. 가게 안에서 착장한 옷을 거울에 비춰 보거나 점원과 이야기를 나누고 있는 손님이 우리를 내다볼 때도 있었는데 설하는 재빨리 자리를 뜨기는커녕 손님을 마주 보고 웃어 주기도 해서 나와 은재를 질겁하게 만들었다. 설하는 수많은 마네킹에 입힌 모자와 옷에 일일이 눈길을 줬지만 가끔은 가발을 내려뜨린 마네킹의 얼굴을 다양한 각도에서 관찰하는 것 같았고 그 와중에 은재는 어른이 착용할 만한 여성용 목도리와 장갑을 유심하게 살펴보았다. 갑자기 설하가 웃음을 터트리며 은재와 팔짱을 끼지 않은 팔을 들어 허름한 간판 하나를 가리켰다. 나와 은재가 고개를 돌려 설하가 가리킨 곳을 바라보니 「SORRY MOM」이라는 검은색 글자가 분홍색 간판에 붙어 있었다. 가게 전면이 통유리로 되어 있었고 암막이 쳐져 있었다. 설하가 내게 "무슨 가게 이름이 이래요?"라고 물었다. 나는 진열창을 가리는 이유를 궁금해 하며 가게 문에 다가갔는데 문손잡이에 문신 예약이라는 문구와 함께 전화번호가 적힌 카드가 걸려 있었다. 나는 가게 문에서 돌아서며 설하와 은재에게 문신을 새겨 주는 가게라고 말해 주었다. 설하와 은재는 내 말을 듣고 눈썹 사이가 벌어졌다.

"와, 여기에 문신을 새겨 주는 가게도 있구나. 문신할 때 몹시 아플까?" 설하가 미지의 세계에 관한 호기심을 여과 없이 드러내며 외투의 소매 밖으로 드러난 스카프를 슬쩍 긁었다. 당연히 은재는 알 수가 없기에 고개만 도리도리 저을 뿐이었다. 설하는 나를 바라보았다.

"나도 그렇고 주변에 문신을 한 사람이 없어서 문신할 때 어떤 기분인지 도무지 알 수가 없구나." 나는 설하에게 말하며 아무것도 보이지 않는 진열창 안을 들여다봤는데 떨떠름한 낯빛의 은재가 얼굴을 돌리는 모습이 진열창에 흐릿하게 비쳤다.

은재는 설하가 거리의 구석구석을 탐색하며 내뱉는 감탄사에 맞장구를 쳐주면서도 얼굴의 근육은 경직되어 있었다. 나는 은재의 처진 기분이 아까부터 신경 쓰여 은재를 내려보았는데 은재는 소리를 내지 않고 입술만 움직여서 "왜요?"라고 물었다. 나는 이유를 짐작했기에 아무것도 아니라는 듯 고개를 살짝 가로저은 뒤 오늘따라 유난히 활기차게 지나가는 행인들을 무심하게 바라보았다. 우리는 아기자기한 풍경의 골목길을 오 분 정도 걸었다. 그러다가 휘황찬란한 스포츠 브랜드의 매장들이 늘어선 대로에 들어섰는데 난데없이 대로 한가운데 매달린 대형 전광판이 하얀빛을 튀겨서 나는 잠깐 시야를 잃었다. 내가 찌릿한 통증에 마비된 안구를 손으로 감싸며 멈춰 선 사이 어디선가 수문을 개방하여 쏟아지는 물줄기처럼 밀려드는 인파에 설하와 은재가 휩쓸려 우리 셋은 뿔뿔이 흩어졌다. 내가 인산인해를 뚫고 작은 골목의 입구에 서 있는 전신주에 손을 짚어 잠시 눈을 문지르고 있는 동안 설하와 은재가 범람한 개울을 간신히 건넌 몰골로 내게 다가왔는데 둘 다 아연실색한 얼굴이었다. 우리는 마주 보며 어처구니없다는 표정을 주고받았다.

"오늘 무슨 날이에요? 저기서 넘어지기라도 했으면……." 설하가 거친 숨을 내뱉느라 말을 미처 끝내지 못했다.

"여기에서 무슨 행사라도 하나 보다." 나는 턱으로 대로의 오른쪽을 가리켰다. 하얀 천막의 꼭대기가 여덟 개 보였는데 인파라는 물에 잠겨 수해를 입은 집의 지붕처럼 보였다.

"궁금하기는 한데 가볼 엄두는 안 나네요." 은재가 혀를 내둘렀다.

우리는 대로에서 불과 두 걸음 정도 밖에 떨어져 있지 않은 곳에서 행사장에 진입하는 사람들의 물결을 물끄러미 바라보았다. 앰프에 연결된 마이크를 몇 번 손으로 두드리는 잡음이 들리더니 행사에 참여하는 모든 분께 사은품을 드린다고 안내하는 목소리가 천막 지붕을 타고 떠올라 거리를 가로지르는 만국기들을 잠시 펄럭이게 했다.

한동안 밀고 밀리는 온갖 행색의 사람들을 지켜보던 우리는 그만 돌아서서 대로와 비교하면 한산하기 그지없는 골목길을 걷기 시작했다. 떡볶이나 순두부를 파는 음식점에서 풍기는 맵고 달큰한 냄새가 코를 찔렀는데 온 사방이 음식점 천지였다.

"우리 언제 도착해요?" 설하는 처량하게 목소리를 쥐어 짜냈다.

나는 거의 다 왔다며 설하를 달랬다. "조금만 참으렴."

설하가 배를 쓰다듬었다. "이래서 어른과 뭘 하는 게 힘들다니까. 매번 참으라고만 하고." 설하는 입을 쩝쩝거리며 터덜터덜 걷더니 곧 생기를 되찾았다. 뜬금없이 은재와의 팔짱을 풀고 혼자 앞으로 달려가더니 검정 시트지에 애니메이션의 주인공이 크게 그려져 있는 진열창에 들러붙었다.

"여기는 만화방일까요?" 설하는 내 대답을 듣기도 전에 이미 상점 안에 들어갈 기세였다.

나는 피규어를 파는 곳이라고 대답했다. 안에는 온갖 종류의 피규어가 진열되어 있다고.

"선생님, 여기에 와 보셨어요?" 설하는 애니메이션의 주인공이 쓴 밀짚모자를 제대로 씌어주려는 것처럼 목덜미로 젖혀진 챙의 앞을 손가락으로 쓰다듬었다.

나는 아무런 대답도 하지 않았다. "한번 구경해 볼까?" 나는 상점 문을 열었다. 설하는 한 걸음으로 상점 안에 들어가고 은재는 호기심을 감추며 천천히 들어갔다. 가게 안의 유리 진열장이 셀 수 없을 정도의 피규어들로 가득 채워져 있었다. 놀랍게도 설하는 피규어의 이름뿐만 아니라 특정 피규어가 등장하는 애니메이션 회차의 줄거리까지 줄줄 꿰고 있었다.

"이 수많은 피규어를 어떻게 다 알고 있니?" 내가 설하에게 물었고 설하는 조금 망설이더니 일여 년간 애니메이션을 보느라 밤을 지새웠다고 대답했다. 그래서 선생님께서 수업하실 때 가끔 졸았다고. 나는 설하의 대답에 웃어야 할지 울어야 할지 알 수 없었다. "지루한 수업 때문에 존 것이 아니라면 그나마 다행이구나."

설하는 무릎을 구부리고 피규어 하나를 들여다봤는데 주먹을 쥔 오른팔이 길게 늘어나 있었다. 상점 구석에 앉아 있는 주인은 우리를 쳐다보지도 않고 만화책을 보고 있었는데 아마 구경만 하고 나가는 손님이 많은 모양이었다. 우리도 그럴 것 같아 상점 안에 오래 머무르면 안 된다는 생각이 갑작스럽게 들었다. 나는 설하에게 "볼 만큼 봤니?"라고 물었고 설하는 흡족한 표정으로 고개를 끄덕이더니 여전히 만화책을 보느라 고개를 숙인 주인에게 꾸벅 인사하고 가게를 나섰다.

마침내 눈웃음을 치는 모양새의 노란 간판이 선명하게 보이자 설하가 환호성을 질렀다. "진짜 햄버거 하나 먹는데 이렇게 배를 곯게 할 거예요? 아무리 패스트푸드점 주변에 주차할 장소가 없다고 해도 이 추위에 산전수전 다 겪었잖아요!"

나는 억울했지만 설하를 안쓰럽게 내려다보며 그냥 웃기만 했다. 여기에 오자고 한 사람은 내가 아닌데.

"저도 목이 말라요." 은재도 어지간히 지쳤는지 고개를 꺾으며 하소연했다.

우리는 사거리에서 왼쪽의 횡단보도를 건넜다. 직진 방향으로 산지천을 넘어가는 다리와 그 너머 현대 미술 전시관이 보였다. 다리 입구에 조성된 간이 무대에서 패딩점퍼를 걸친 치어리더 복장의 학생들이 이 날씨에도 공연을 앞두고 있는지 씩씩한 호각 소리에 따라 동작을 맞췄다. 그때도 분명히 공연 연습을 하고 있었다. 큰딸의 손을 잡고 그 앞을 지나칠 때도.

패스트푸드점에 들어서자 천장 위에서 히터가 더운 공기를 뿜어내는 소리가 들렸고 나는 외투의 지퍼를 조금 내렸다. 설하는 키오스크 앞으로 직행해 화면을 눌렀고 은재는 손등으로 볼을 지그시 누르며 매장 안을 둘러보았다. 테이블을 채우는 손님 수에 비해 매장 안은 소란스럽지 않았다.

"우리 세트로 주문해도 되죠?" 설하가 키오스크의 화면을 휙휙 올리며 물었다.

"세트로 시켜도 되고, 음료와 사이드 메뉴를 따로 시켜도 되고, 당연히 더 먹어도 되고." 나는 매장의 집사라도 되는 듯 정중한 목소리로 대답했다. 그러고는 은재도 키오스크 화면을 볼 수 있도록 설하 뒤로 비켜섰고 은재는 설하에게 어깨를 붙이며 키오스크 앞에 얼굴을 갖다 댔다.

"선생님 큰일 나셨네. 저희들은 진짜 먹을 준비가 되어 있다고요." 설하가 언 손바닥을 비비며 잔뜩 별렀다. 은재는 무슨 말을 할 때마다 자신을 끌어들이는 설하의 옆얼굴을 바라보며 힘없이 웃다가 "저도 배고픈 것 같아요."라고 말했다.

설하는 인상을 쓰며 고심에 고심을 거듭하더니 결국 고른다는 게 빅맥 버거였다. "여기에 오면 당연히 빅맥이죠."라고 누구한테 하는 말인지도 모르게 말해서 나와 은재가 동시에 설하에게 고개를 돌렸다.

"너 이게 입에 들어가?" 은재는 도통 이해가 안 된다는 표정으로 맥크리스피 버거를 골랐다. 그나마 입을 벌리면 들어갈 것 같다면서. 나는 1955 버거를 선택했다.

버거를 정한 우리는 바로 음료를 골랐다. 설하는 초코셰이크를, 은재는 스프라이트를, 나는 디카페인 카푸치노를 화면에서 눌렀다.

"선생님, 불면증이라도 있으세요?" 매장 안이 따뜻해서인지 아니면 메뉴를 골라서인지 설하의 목소리가 제법 누그러졌다.

"그래. 이 시간에 커피를 마시면 잠들기 어려울 수도 있는데, 어쩌겠니? 김이 모락모락 올라오는 뜨거운 커피 한 모금을 목으로 넘기고 싶구나." 나는 비록 농담조일지언정 애먼 사람에게 신세타령하는 것 같아 조금 머쓱했다. 오늘 새벽에도 망망대해를 표류하는 뗏목 같은 침대에서 뒤척이느라 팔을 침대 밑으로 떨어뜨렸다가 밤바다에 팔을 담근 것처럼 소름이 돋아 팔을 이불 속으로 끌어당겼었다.

"정말요?" 별다른 의도 없이 던진 질문에 내가 순순히 대답하자 설하는 놀란 눈치였다.

"약도 먹고 있다." 이번엔 은재가 키오스크 화면을 보다 말고 나를 돌아보았다.

"왜요? 선생님 나이가 되면 불면증이 생겨요?" 설하는 불면증의 증세라도 찾으려는 것처럼 내 눈언저리를 빤히 쳐다보았다.

나는 웃으며 설하를 진정시켰다. "불면증이 생긴 이유는 나도 모르겠지만 햄버거를 고를 땐 지장이 없으니 지금 우리 셋에게는 좋은 소식이라 말할 수 있겠구나." 나는 재빨리 사이드 앤 디저트 메뉴를 눌렀다.

우리는 꽤 많은 양의 음식을 주문했지만 음식은 빨간 고무 쟁반에 담겨 순식간에 나왔다. 은재가 감자튀김을 쟁반에 쏟아 내고 케첩 봉지를 찢어 감자튀김이 담겨 있던 종이봉투에 케첩을 짜내는 사이 설하는 입을 쩍 벌려 햄버거를 물어뜯었다. 입을 벌린 크기에 비하면 그다지 음식을 입안에 많이 넣지는 못하고 입술과 턱에 소스가 일자로 묻었다. 설하는 냅킨으로 입언저리를 대충 닦고 다시 햄버거를 공략했지만 이번에는 햄버거 번과 패티 사이에 끼어 있던 야채 조각들이 쟁반에 우수수 떨어졌다. 은재는 햄버거를 손가락으로 꾹 눌러 조금 납작하게 만들고 조심스럽게 입안에 밀어 넣었다. 그러고는 햄버거에서 자신이 방금 베어 문 자국을 보며 웃었다. "흠, 맛있어요." 설하는 왼손으로 햄버거를 쥐고 오른손으로는 쟁반에 떨어진 야채들을 집어 먹느라 바빴다. 그리고 감자튀김 두세 개를 한꺼번에 집어서 케첩에 찍고 입안으로 욱여넣었다. 감자튀김을 삼키는 과정에서 감자튀김 가루가 식도에 달라붙기라도 했는지 갑자기 컥컥거리더니 종이컵을 들고 요란스럽게 음료를 빨아들였다.

나는 설하에게 부탁했다. "천천히 먹으렴. 그러다가 고무 쟁반도 먹겠구나. 네가 체하기라도 하면 오늘 놀이공원이고 뭐고 아무 데도 갈 수 없을 거다." 나는 설하의 턱을 받치고 있는 쟁반에 손가락을 살며시 대었다. 이렇게 말을 해도 설하가 먹고 있는 햄버거가 이 세상에서 사라지고 나서야 쟁반에서 벌어지고 있는 이 작은 소란이 가라앉을 것이다.

"선생님, 아까 피규어 파는 상점에서요, 시트지 때문에 안이 안 보였는데 어떻게 피규어를 파는 줄 아셨어요?" 설하는 이번엔 햄버거 안의 피클을 씹어서 혀가 시큼했는지 다시 한번 음료를 쭉 들이켜 입안의 햄버거 파편들을 목뒤로 넘겼다.

나는 햄버거를 가급적 오래 씹었지만 설하는 무안하게도 내 얼굴을 계속 쳐다보며 기어이 내 대답을 기다릴 태세였다. 나는 항복했다. "거기 갔었으니까 알지."

"선생님도 그 애니메이션을 보셨어요?" 설하가 쥔 햄버거가 목성에서 지구 크기로 줄어 있었다.

"아니, 집에 텔레비전도 없어." 하지만 큰딸과 작은딸은 스마트폰과 태블릿PC 때문에 굳이 텔레비전을 사달라고 말한 적은 없었다. 오히려 작은 화면을 가까이에서 보느라 시력만 더 나빠졌을 따름이었다.

"텔레비전이 없는 집도 다 있네. 그러면 그냥 호기심에 들어가 보신 거예요?" 설하는 이상하리라 만치 집요하게 물었다.

나는 대답을 망설였다. "아니, 큰딸이 들어가 보자고 해서 들어갔지."

"우와, 아빠와 딸이 데이트한 거예요?" 설하는 한 입이면 사라질 햄버거 조각을 쟁반 위에 가만히 내려놓았다. 햄버거 번과 패티만 남아 있는 햄버거 조각이 지진으로 드러난 지층의 단면처럼 보였다.

설하가 진심으로 부러워했기에 나는 더욱더 주저하며 말을 이었다. "그때 딸의 나이가 아홉 살이었으니까 벌써 오 년 전의 일이지. 오늘 여기까지 오느라 걸었던 거리를 딸과 함께 걸었단다. 피규어에 관심을 보인 것도 딸이었고. 딸은 뭐가 뭔지 하나도 몰랐단다. 밀짚모자를 쓴 소년의 팔이 쭉 늘어난 것을 보고 왜 저렇게 팔이 기냐고 내게 물었는데 나도 이유를 몰랐지. 오늘 네가 말해 주기 전까지는 말이다."

"그럼, 여기에도 왔었어요?" 설하는 햄버거를 마저 입에 넣었다. 은재는 눈썹을 차분하게 내려앉히고 나와 설하와의 대화를 듣고만 있었다.

"아니, 우리는 사거리에서 왼쪽으로 꺾어서 여기에 왔잖니. 그때는 딸과 곧은 방향으로 쭉 갔었단다. 그러면 산지천이 나오고 다리를 건너면 현대 미술 전시관이 있는데 거기에 들어갔지. 전시관에 입장하자마자 맨 위층으로 올라가서 한 층씩 내려오며 전시실을 둘러봤는데 수많은 작품 중에서 누더기로 만든 것 같은 거대한 인형이 딸의 눈길을 사로잡았단다. 작품이 어찌나 큰지 한 층을 모두 채울 정도였지. 딸이 사진을 찍어 달라고 해서 스마트폰으로 촬영했는데 작품 앞에 서 있는 딸이 마치 방울토마토처럼 보이더구나. 관람을 마치고 밖으로 나가려고 일 층으로 내려왔는데 입구 옆 카페에서 딸이 토스트를 먹고 싶다고 말해서 점심을 먹었단다. 부드러운 햇빛이 들이치는 창가에 앉아 딸은 금방 익힌 계란이 들어간 토스트를 먹고 나는 갈색의 뭉근 크림이 떠있는 에스프레소를 홀짝였지. 유리창 밖으로 자갈 모양의 포석이 깔린 보도가 보였고 사람들이 밟고 밟아서 닳은 표면에 하얀빛이 구르고 있었단다. 딸은 너처럼 토스트의 속을 온통 접시에 떨어뜨리며 토스트를 먹는 데 여념이 없었고 그런 딸을 보며 나는 누군가에게 감사해했다. 내게 이런 순간을 주셔서 말이다."

설하의 눈자위가 촉촉했다. "선생님의 이야기를 눈앞에서 들었으면서도 도저히 믿어지지가 않아요. 그런 아빠와 딸이 있다니. 저는 부모님과 사이가 좋은 애들이 세상 제일 부러워요."

"그런데 딸도 사춘기가 되어서 그런지 요새는 예전만큼 친밀하지 않단다." 나는 눈을 내리깔았다. 햄버거를 다 먹고 테이블에 올려놓은 설하의 손목에 스카프가 묶여 있었는데 스카프의 매듭에 케첩이 묻어서 붉게 얼룩져 있었다.

나는 침을 삼키고 마침내 말을 꺼냈다. "서로 말을 안 한 지 일 년도 넘었단다."

설하의 얼굴이 돌연하게 굳어지고 은재가 마시고 있던 음료를 내려놓았다. 갑작스럽게 매장 안에서 사람들의 대화 소리가 크게 들려왔다. 한동안 시간이 흘렀지만 아무도 남은 음식에 더 이상 손대지 않았고 우리는 그만 자리에서 일어섰다. 우리가 앉았던 자리는 금방 들어온 한 무리의 가족이 채웠다.

화장실에 다녀오느라 매장에서 뒤늦게 나온 설하는 아이스크림을 사주겠다는 내 제안을 맥없이 거절했고 은재는 그런 설하를 걱정스럽게 바라보았다. 우리 셋은 말없이 패스트푸드점 인근에 있는 놀이공원으로 걷기 시작했다. 설하는 풀이 죽어서 뭔가를 골똘하게 생각했고 은재는 외투 주머니에 손을 꽂더니 보도를 내려다보며 걸었다. 두 블록을 걸어가니 바닷바람에 잎이 나부끼는 야자수 사이로 큰 현수막이 보였는데 자세히 보니 창고형 마트의 간판이었다. 마트의 지붕 위로 나무젓가락을 쪼개고 한쪽 끝을 맞댄 모양새의 철골 구조물이 비죽 솟아 있었다. 우리는 그쪽으로 향했다.

놀이공원에는 들어갈 수조차 없었다. 출입문은 잠겨 있었고 출입문 손잡이를 다시 한번 감은 쇠사슬 끝이 커다란 자물쇠로 채워져 있었다. 행여 열릴지도 모른다고 생각하며 슬그머니 출입문을 밀어보려는 사람이라도 있을 것처럼 출입문에는 "주차장 예정 용지"라는 글씨가 빨간 페인트로 휘갈겨져 있었고 그 때문에 나는 출입문에 손도 대지 못했다. 출입문 너머로 보이는 놀이 기구들이 모두 멈춰 있었고 직원조차 한 명도 보이지 않았다. 설하와 은재는 놀이

공원이 개장했으면 타려고 했던 놀이 기구들을 뒤꿈치를 들어서 출입문 너머로 들여다보았다. 한때는 호기로운 해적을 태우고 치솟는 파도를 헤치느라 물보라에 휩싸였던 배가 지금은 지지대 사이에 가라앉고 있었다. 입장객의 즐거운 비명과 짜릿한 환호성이 들어차야 할 놀이 기구들은 무관심한 정적과 을씨년스러운 한기가 들러붙어 곳곳이 녹슬어 있었다. 나는 놀이공원에서 눈을 떼지 못하는 설하와 은재를 바라보았다. 설하와 은재는 마치 혼잡하게 오가는 입장객들이 놀이 기구마다 줄 서 있거나 놀이 기구를 타고 있는 모습이 보이기라도 하는 것처럼 망연한 시선을 던지고 있었다. 나는 고개를 돌려 설하와 은재의 시선을 좇았다. 그때 배의 갑판에 올라서는 계단 앞에서 초록 비니를 쓰고 빨간 외투를 입은 여자아이가 머리카락이 목덜미까지 덮은 남자의 손을 잡고 서 있더니 투명하게 사라졌다. 나는 가슴이 철렁 내려앉았다.

　설하가 해변 공원으로 발길을 돌렸다. "뭐, 별로 타고 싶은 기분도 아니었어요." 은재는 실망한 기색을 감추지 못했다. 나는 둘을 따라갔다. 도로 하나를 건너자 바다를 매립하여 만든 해변 공원이 시야가 미치는 곳까지 가로로 길게 펼쳐졌고 이미 공원을 들쑤시고 있는 바람이 우리 셋의 머리카락을 거칠게 흩뜨렸다. 은재는 긴 머리카락을 부여잡았지만 설하는 얼굴을 때리는 머리카락을 상관하지 않고 공원을 가로질러 방파제로 걸어갔다. 나와 은재도 설하를 따라 왼발과 오른발을 교차하며 인라인스케이트를 타는 동호회원과 핸들을 이리저리 틀며 바구니가 달린 자전거를 모는 여자를 지나쳐 산책로에 올라섰다. 바다에 면한 방파제 벽에는 바다 생물들이 부조로 새겨져 있었는데 비를 맞아서인지, 바닷바람에 쓸려서인지 칠이 군데군데 벗겨지고 균열이 나 있었다. 하지만 그것 때문에 오히려 인공적인 이물감이 사라지고 자연스러운 생동감이 부여된 느낌이었다. 물고기의 비늘조차 빛이 닿는 부위에 따라 미묘하게 다른 색조의 페인트로 칠해져 있을 만큼 생물의 모습이 정교하…… 나는, 이 부조를 언젠가 본 적이 있었다. 설하가 만지려는 저 게도. 설하는 손을 내밀어 해안의 암석 위에 왼쪽 집게를 걸치고 기어오르려는 게의 껍데기를 문질렀다. 등딱지와 배딱지가 맞물리며 날을 세운 호선과 다리의 집게와 마디를 분할하는 투박한 직선이 외골격의 단단하고 강인한 인상을 부각했다. 설하는 방파제 벽 너머 바다를 내다보았다. 방파제에 부딪혀 포말을 날리는 바다 위로 아직은 푸른빛이 선연한 서쪽 하늘에 초승달이 희멀겋게 떠 있었다. 밤은 아직 오지도 않았건만 달은 벌써 지고 있는 것 같았다. 우리 셋은 달을 보았다.

"제가 깎아서 버린 깨진 손톱 같네요." 설하가 오른 손등을 얼굴에 대고 손가락을 펼쳤다. 나와 은재는 그제야 봤다. 설하의 손목에 새겨져 있는 상흔을.

나와 은재는 얼어붙었다. 설하는 손을 내리고 우리를 쳐다보더니 영문을 모르겠다는 표정을 지었다. 그러고는 자신의 손목에 스카프가 묶여 있지 않은 것을 뒤늦게 알아차렸다. 아마 케첩이 지워지지 않은 설하의 스카프는 패스트푸드점 화장실에 있을 것이다. 물기를 짜낸 스카프를 세면대 위에 올려놓고 손을 씻은 설하는 스카프를 손목에 다시 묶는 것을 잊어버렸을 것이다. 설하는 왼손으로 오른

손목을 감싸 쥐었다. 나는 나도 모르게 손을 오므렸다가 펼쳤다. 말해야 했다. 지금이 마지막 기회일 것이다. 설하와 은재를 언제 다시 만날지 기약조차 하기 어려웠다. 나는 설하의 눈을 마주치지 못했다. 헛기침을 몇 번 하고 설하가 만졌던 게의 한껏 치든 집게발을 쳐다보았다. 알고 있었다고 말했다. 걱정 많이 했다고. 이제는 그만했으면 좋겠다고 말했다. 설하는 차마 이 상황이 믿어지지 않는다는 듯 황망한 시선으로 자신에게 다가오는 은재를 바라봤다. 은재는 설하의 손을 잡으려 했지만 은재의 손이 닿기도 전에 설하는 힘껏 뿌리쳤다. 설하는 호흡이 거칠어지면서 가슴에 손을 얹고 고개를 젓다가 나를 빤히 쳐다보았다. 설하의 입술에 미세한 경련이 일었다.

"처음에는, 놀라서 정색한 엄마한테 걱정스러운 타박을 듣는 게 좋았어요. 엄마가 제 손을 잡고 조심스럽게 연고를 발라 주느라 미간이 좁혀진 얼굴을 바라보는 게 좋았다고요. 엄마가 눈물을 글썽이며 나를 안아주고 이렇게 하지 말아 달라고 다정하게 부탁하는 것도 좋았어요. 손가락 사이로 배어 나오는 핏방울을 보고 응급실로 다급하게 운전하는 엄마의 뒷모습이…… 좋았어요. 병원 복도에서 입을 틀어막으며 오열하는 엄마의 굽은 등을 감싸 안고 모든 게 죄송하다고 말씀드리는 것이 좋았다고요. 저는, 엄마랑 화해하고 싶었어요." 설하는 칼자국이 수없이 그어지고 아문 손목을 내게 내보였다. "진즉에 물어보고 싶었는데 제가 이렇게 한 이유라도 알게 되어서 이제 후련하세요? 선생님은 딸하고도 잘 지내지도 못하시면서 철없고 얄팍진 제자에게 점잖게 훈계해서 만족하세요? 선생님의 그런 표정, 제가 아빠에게서 늘 봐왔던 그런 표정!" 설하는 눈물을 참느라 눈을 질끈 감고 소리를 고래고래 질렀다. "제가 기껏해야 위선적인 설교나 듣자고 선생님을 만난 줄 아세요? 모든 걸 아는 척하지만, 정작 아무것도 모르는 선생님이 불쌍하기만 해요!" 점점 거세게 흐느끼는 호흡 때문에 설하의 발음이 뭉개졌다. "선생님은 선생님 딸한테나 잘하시라고요!" 내 눈앞에 거실 테이블을 사이에 두고 딸이 아득하게 서 있다. 네가 내 딸이 아니었다면 네게 관심을 갖는 일은 없었을 거다. 딸의 눈가에 눈물이 차올랐다. 딸은 내 앞을 지나쳐 화장실로 걸어가 문을 쾅 닫았다. 세면대에 물이 쏟아지는 소리가 나더니 곧이어 세면대에 차오른 물이 바닥으로 떨어지는 소리가 들렸다. 그런데도 나는, 나는 무심한 아빠가 되었다. 우리는 서로에게 보이지 않는 공기 같은 존재가 되었다. 볼 수도, 만질 수도, 소리도 나지 않는. 숨을 들이쉬고 내쉬고 나서야 가슴에서 통증으로만 느낄 수 있는. 그날 이후로 내 안에서 잠은 메말랐다. 길고 깊은 밤마다 내 귀에는 아릿한 어둠이 서걱거리며 흘러들었다. 불면증을 이유로 내가 규칙적인 시각에 침대에 몸을 뉘어 귓불까지 이불을 끌어올리면 딸의 방문이 열리고 닫혔다. 멀어지는, 소리를 내지 않으려고 조심스럽게 딛는 발소리가 멈추면 서재에 불이 딸깍하며 켜지고 살며시 문이 닫혔다. 캄캄한 거실에 잠시 머물렀던 서재의 빛이 닫히는 문에 놀란 것처럼 다시 서재로 후다닥 달아났다. 설하가 돌아서고 내 눈앞에서 조그맣게 멀어져 갔다. 설하를 쫓아 달려가며 나를 돌아보는 은재의 시선이 내 얼굴에 초점을 맞추지도 못하고 비껴갔다. 나는 혼자 서 있었다. 어그러진 공전 궤도를 그리며 나를 스쳐 지나가는 모든 사람들이 마네킹처럼 보였다. 모두가 낯설었다. 나 자신마저도. 한줄기 눈물이 흘러 턱에 맺혔다. 지금이 아닌, 딸이 나를 지나쳤을 때 흘렸어야 할 눈물을.

검은 눈동자

방문이 열리는 기척을 느꼈지만 나는 이불 속에 몸을 파묻고 그대로 누워 있었다. 침대 가장자리가 천천히 내려앉더니 이불 위로 누군가가 내 어깨를 부드럽게 쓰다듬었고 곧이어 머리끝까지 뒤집어쓴 이불을 살며시 걷어 내는 손길에 나는 게슴츠레한 눈을 떴다. 베개에 올린 내 손등 위에 이불과 침대의 틈새로 들이치는 희멀건 빛이 스멀스멀 기어오르고 있었다. 이불이 귓불까지 내려왔을 때 나는 더 이상 이불을 벗겨 내지 못하도록 이불을 움켜쥐고 얼굴 앞에서 단단하게 붙들었다. 그러자 이불은 더 이상 당겨지지 않더니 이번에는 팔 전체가 이불 속을 파고들어 내 몸을 껴안으며 얼굴의 형상이 목덜미에 닿았다. 네가 말을 탈 기분이 아닌 것은 알지만 그렇다고 지금 취소할 수는 없다고. 이제는 나갈 준비를 해야 한다고 속삭이는 말이 이불 속 어둠 너머에서 아득하게 들려와 귓가에 맴돌았다. 내 몸을 포근하게 누르고 있던 무게감이 깃털처럼 가벼워지며 내려앉았던 침대가 솟아올랐고 잠시 뒤에 방문이 조용하게 닫히는 소리가 들렸다.

나는 한참 동안 이불 속에서 몸을 웅크리고 있다가 이불을 턱까지 끌어내리고 방 안을 둘러보았다. 눈의 초점이 맞지 않아 미간을 오므리고 눈꺼풀을 몇 번 껌벅이고 나서야 여러 개로 흔들리던 윤곽선이 하나로 겹쳐지며 방 안의 물건들이 점차 뚜렷해졌다. 방 한가운데 놓여 있던 캔버스와 이젤이 어느새 치워져 방 한쪽에 세워져 있었고 책상 위에 너저분하게 흩어져 있던 그림 용구들은 보지 못했던 플라스틱 바구니에 담겨서 책상 위에 놓여 있었다. 텅 빈 책가방은 속을 내보이며 책장 옆에 반쯤 누워 있었고 책가방 안에 있던 책들은 책장에 가지런히 꽂혀 있었다. 나는 이불을 걷어 올리고 천천히 몸을 일으켜 침대에 걸터앉았다. 발바닥이 방바닥에 닿자 먼지 하나 없이 반질반질하게 닦인 촉감이 느껴졌다. 아무래도 내가 하염없이 자고 있을 때 엄마가 방 안에 들어와 청소한 것 같았다. 내가 책상 밑에 밀어 넣었던 쓰레기통은 책상다리 옆에 꺼내어져 있었고 심지어 엄마가 씻었던 모양인지 안까지 윤을 내며 말끔했다. 불과 몇 걸음밖에 되지 않는 거리의 책상까지 걸어가려고 몸을 일으켰는데 흐리멍덩한 의식으로 시야가 흔들리고 균형 감각을 잃어버린 근육에 힘이 들어가지 않아 발걸음을 떼는 다리가 휘청거렸다. 오랫동안 병실에 입원했던 환자가 모처럼 집에 돌아오면 이런 느낌일까? 오랫동안 누워 있어서인지 몸에서 느껴지는 모든 감각이 생경했다. 나는 왼손으로는 책상을 짚고 오른손으로는 의자를 끌어당겨 풀썩 주저앉았다. 힘없이 서랍을 열자 충전하지 않아서 방전된 스마트폰이 연필 상자에 부딪히며 고개를 모로 틀었다. 나는 모습을 드러낸 스마트폰에 무감한 눈길을 던졌다. 굳이 찾지는 않았지만, 구태여 눈에 띄었다는 듯이. 내가 스마트폰을 서랍에 넣었을 때의 상황은 기억나지 않았다. 실타래처럼 엉킨 상념에 잠겨 그때의 기억을 더듬었지만 정작 떠오르는 것은 축축해진 베개에 뺨이 젖어 들고 헐떡이던 호흡이 점차 가라앉을 즈음 어느 순간 의식을 잃었다는 사실뿐이었다. 나는 서랍의 손잡이를 붙들고 있는 팔을 내려다보았다. 유난히 도드라지게 아문 한 줄기 상흔 양옆으로 바늘땀이 있던 자리에 선홍색 점들이 줄지어 박혀 있었다. 마음 한구석에 잔여물처럼 가라앉아 있던 후회의 감정이 폐부에 몰려들었고 비명을 지르듯 엄마를 불렀던 내가 어렴풋하게 떠오르기 시작했다. 커터 칼로 손목을 베었을 때 예리하게 그어진 붉은 선에서 시작된 통증이 순식간에 온몸을 관통했고 생각보다 굵게 맺혀 떨어지는 핏방울이 커터 칼을 든 채 벌벌 떨고 있는 왼손에 떨어졌었다. 응급실로 급박하게 달려가던 차 안의 공기가 희박한 것처럼 나는 숨이 가빴고 쿵쾅거리는 심장 박동에 몸서리를 치며 팔꿈치 안에 젖은 얼굴을 파묻었다. 손목을 꿰매고 복도에 나왔을 때 짓물러진 얼굴을 양손으로 감싸고 가냘픈 어깨를 들썩이던 엄마의 모습이 어째서 내 마음을 어루만져 주는 것으로 느껴졌을까. 심지어 서글픈 눈매로 웃음을 지어 주던 은재를 만나고 들어온 날에도 나는 슬며시 커터 칼을 집어 들었었다. 눈가에 차오른 눈물이 스마트폰 위로 뚝뚝 떨어져 부서지며 캄캄한 화면에 비친 내 얼굴을 일그러뜨렸다. 이번에도 내가 모든 것을 망쳐 버린 것일까. 나는 서랍을 닫았다. 그러고는 책상 위에 엎드려 소리 없이 흐느꼈다.

아빠가 운전하는 차는 하늘과 지평선이 맞닿는 지점에 소실점을 만들며 직선으로 쭉 뻗은 사 차선 도로를 무료하게 달렸다. 간간이 옆 차선의 차가 새된 바람 소리를 내며 우리 차를 앞질러 멀어졌지만 주말치고 도로는 한산한 편이었다. 나는 뒷좌석에 몸을 둥글게 말고 앉아 차 문에 얼굴을 기대고 조수석 등받이에 멍한 눈길을 던졌다. 내가 처한 상황이 얄궂다는 생각이 들었다. 원할 때는 가질 수 없었지만, 마음을 비울 즈음이면 기대치 않게 찾아왔다. 나는 허탈한 숨을 내쉬고 다리를 끌어올려 팔로 정강이를 감싸 안았다. 그때 차가 노면의 파인 곳을 밟으며 갑자기 덜컹거렸고 내 머리가 좌우로 흔들리며 이마의 오른쪽이 유리창에 부딪혔다. 나는 놀라기도 하고 부딪힌 부위가 아프기도 하여 얼굴을 찡그리며 도로를 내다보았는데 가로수의 우듬지가 얼어붙은 하늘을 긁으며 쏜살같이 뒤로 밀려나고 있었다. 기분이 언짢은 와중에도 저 모습을 어디선가 본 것도 싶어 나는 관자놀이를 손바닥으로 문지르며 얼얼한 통증이 휘젓고 있는 머릿속을 잠시 뒤적였다. 아빠가 차 안의 공기가 텁텁했는지 운전석과 조수석의 창문을 조금 내려 차가운 바람이 뒷좌석에 들이쳤고 그 때문에 창문에 서린 김이 서서히 옅어지며 창밖이 선명하게 보였다. 그제야 기억이 떠올랐다. 택시 안에서 봤었구나. 집으로 돌아오는 길에. 그때는 가로수의 메마른 가지 끝이 건물 벽을 타고 도는 바람에 흔들리며 커다란 유리창에 비친 하늘을 긁었었다. 나는 눈을 감았다. 뒤늦게 상황을 이해한 내가 소리를 지른 탓에 걸음을 멈추고 고개를 돌리는 행인들에 둘러싸여 미동 없이 서 있는 선생님과 내가 조금씩 물러서다 곧 달아날 것 같은 작은 짐승이라도 되는 양 간절하게 손을 내밀며 다가오는 은재를 뒤로하고 나는 무작정 돌아서 뛰기 시작했다. 저물어 가는 하늘을 배경으로 고개를 숙인 가로등에서 유리 파편 같은 빛이 바닥에 떨어지고 무거운 공이 튕기다가 무언가에 퉁 하고 부딪히는 소리가 바다에서 불어오는 바람에 쓸려 사라졌다. 기우뚱거리는 자전거에 위태롭게 앉아 있던 여자가 막무가내로 앞을 지나치는 나를 피해 핸들을 꺾으며 멈춰 섰고 해변 공원을 향해 걸어오던 한 무리의 관광객이 멈칫거리며 길을 터 주고는 나를 돌아보며 웅성거렸다. 얼굴은 온통 눈물범벅이 되고 가슴이 터지도록 달리자 나를 지나치는 모든 빛과 형상이 휘어지며 뭉그러졌다. 어둑한 허공에 떠 있는 원형의 붉은 빛이 내 머리 위를 지나쳤는데 그때 경적과 뒤섞인 고함이 귀를 찔렀고 나는 내가 무단 횡단했다는 사실을 알았다. 횡단보도를 건너자마자 출발 신호를 기다리느라 정차하고 있던 택시를 발견하고 도로로 뛰어내려 뒷문을 열었다. 놀란 눈으로 돌아보는 택시 기사에게 목적지를 말하고 숨을 헐떡이면서 창밖을 내다보니 도로 건너 붉은 신호등에 멈춰 선 은재가 꺾인 배를 움켜쥐고 어깨를 들썩이며 나를 쳐다보고 있었다. 녹색등이 켜졌는지 택시가 출발했고 은재는 상체를 일으키며 떨리는 손바닥으로 뺨에 번진 눈물을 닦아냈다.

차는 실내가 캄캄한 장례식장 옆에서 우회전하더니 좁고 고르지 않은 길을 흔들리며 달리다 부연 먼지를 일으키며 멈춰 섰다. 아빠는 시동을 끄고 차에서 먼저 내려 목적지에 도착했음을 내게 간접적으로 알렸다. 나는 문 손잡이에 손을 올리고도 한동안 머뭇거리다 차 문을 힘겹게 밀고 차에서 내렸다. 아빠가 차 열쇠의 버튼을 눌러 문을 잠그자 후미등이 깜빡거렸고 긴 목줄에 매달려 있는 개가 이에 놀라 컹컹 짖었다. 내가 건물 앞으로 천천히 걸어가자 금방 짖었던 개가 꼬리를 흔들며 혀를 내밀었다. 나는 외투 주머니에 손을 찌르고 내 주위를 수선스럽게 얼쩡거리는 개를 무심하게 내려다보다 양 문이 활짝 열려 있는 건물 안으로 들어갔다. 건물 안에는 좌우로 열 칸 정도의 마방이 있었는데 철봉 울타리로 둘러싸인 방마다 말이 한 마리씩 들어가 우직하게 건초를 질겅대거나 느긋하게 목덜미를 흔들었다. 나는 마구간 바닥이 청결하다는 것을 알아채고도 혹여나 분뇨 냄새라도 날까 싶어 코를 큼큼거렸지만 청명한 한기와 뒤섞인 마른 풀 냄새만 희미하게 풍겼다. 아마 높은 천장과 커다란 출입구가 원활한 실내 통풍에 도움이 되는 것 같았다. 손수레를 조금씩 이동시키며 그 안의 건초 더미를 덜어내어 마방 앞에 가지런히 쌓고 있던 다부진 체구의 남자가 장갑을 벗으며 우리에게 다가왔다. 내게 말을 걸어야 할지, 내 뒤에 서 있는 아빠에게 말을 걸어야 할지 혼란스러운 듯 우리를 번갈아 보더니 결국 키가 비슷한 아빠에게 물었다.

"열두 시에 예약하셨나요?" 아빠가 외국인 억양에 놀라 얼결에 고개를 끄덕였고 남자는 출입구 밖으로 귀퉁이가 내보이는 간이 건물을 가리키며 "휴게실에서 잠시만 기다려 주시면 말을 준비하고 알려 드리겠습니다."라고 유창하게 안내했다. 지푸라기가 묻은 검은 비니를 눈썹까지 눌러쓰고 얼굴을 반쯤 가린 그는 느릿하게 손수레로 돌아가 얼마 남지 않은 건초 더미를 마저 옮기기 시작했다.

나는 터벅거리는 아빠를 따라 휴게실로 향했다. 휴게실 문틀을 쥐며 안으로 들어가자 누군가가 온기를 부어 두었던 것처럼 사방에서 따스한 공기가 몰려와 여전히 욱신거리는 관자놀이를 매만졌다. 벽에 널빤지를 댄 의자에 앉아 있던 중년의 여자가 솜뭉치 같은 고양이를 허벅지 위에 올려놓고 이마에서부터 목덜미까지 부드럽게 쓰다듬고 있었다. 여자는 우리가 들어오는 것을 보고 직원이라고 생각하기에는 격식 없는 어조로 말 타러 오셨냐고 물었다. 아빠는 졸음에 겨워 앞발에 머리를 내려놓은 고양이의 수염이 천천히 구부러지는 것을 보며 "네."라고 대답했다. 여자가 고양이의 엉덩이를 밀어내듯 토닥였고 고양이는 여자의 허벅지에서 내려와 의자 위의 납작한 쿠션에 엎드리더니 크게 하품하며 눈을 감았다. 여자는 손바닥에 붙은 털 몇 가닥을 떼어내며 일어나 내게 고개를 돌려 위에서 아래로 훑어보았다. 그리고 코르크판으로 만든 문을 열고 안으로 들어가 안전모와 안전 조끼, 승마 장화를 품에 들고 다시 나왔다. 안전모를 문 옆에 박힌 못에 걸어 놓고 장화를 바닥에 내려놓은 다음 조끼를 내 앞으로 가져와 상체에 대어 크기를 가늠했다. 크기가 얼추 맞는 모양인지 고개를 가볍게 끄덕이더니 내게 열려 있는 문안으로 들여다보이는 수납함을 눈으로 가리켜 보였다. 그다지 내키지 않는 표정으로 외투와 운동화를 벗어 놓고 휴게실 안으로 다시 들어오자 여자는 능숙한 손길로 내가 안전 조끼를 입고 승마 장화를 신는 것을 도와주었다. 마네킹처럼 입히는 대로 입고 신기는 대로 신고 있는데 그 동안에 휴게실 벽에 걸려있는 사진들을 둘러보고 있던 아빠는 느닷없이 놀란 눈으로 나를 돌아보았다. 공교롭게도 여자가 안전모의 끈을 조이기 위해 내 턱 밑에 얼굴을 대고 고개를 기울이고 있어서 나와 어색하게 시선을 마주친 아빠는 아무것도 아니라는 듯 다시금 액자로 눈길을 돌렸다. 나는 어리둥절해 하면서 손가락을 끈에 걸쳐 살짝 잡아당겨 보고 괜찮다는 신호로 눈앞의 여자에게 고개를 끄덕여 보였다. 여자는 양손을 허리에 걸치고 내 모습을 위아래로 뜯어보더니 이만하면 그럴듯한지 입꼬리를 늘어뜨리고 턱에 주름을 만들었다. 그러고는 일이 분 뒤에 말이 준비되어 있을 거라고 말하며 휴게실 문을 닫고 밖으로 나갔다. 나는 무릎까지 올라오는 긴 장화가 익숙지 않아 절룩이면서 몇 발짝 걸어 보았다. 생각보다 빡빡하게 끼는 장화 속에서 정강이의 살갗이 청바지에 쓸리자 나는 장화의 입구를 벌려 보기도 하고 발목 부분을 아래로 잡아당겨 보기도 하면서 장화에 적응하려 애썼다. 뒤꿈치를 바닥에 쿵쿵 디뎌 봐도 정강이에 조여지는 느낌이 덜어지지 않자 나는 그만 체념하고 아빠가 봤던 사진 앞으로 시큰둥하게 걸어갔다. 작은 체구의 기수가 고삐를 꽉 쥐고 말 등에 납작하게 엎드려서 횡목을 뛰어넘는 모습이 찍혀 있었는데 어디 하나 눈길을 잡아끄는 데가 없는 흑백 사진이었다. 아빠가 뭐에 놀라 굳이 나를 돌아봤을까 생각하던 찰나 나는 눈썹을 모으며 사진에 얼굴을 대었다. 사진 속에서 말갈기로 보였던 긴 털이 알고 보니 안전모 바깥으로 휘날리는 기수의 머리카락이었고 기수는 그 당시에 앳되었던

354

중년의 여자였다.

하고많은 자리 중에 굳이 복슬복슬한 털을 조몰락거리느라 고양이 옆에 앉은 아빠를 남겨 놓고 휴게실 밖으로 나왔을 때 말이 푸르르하고 입술을 떠는 소리가 들렸다. 한결 나긋해진 정오의 빛살이 원형 마장의 하얀 지붕 위에 꽂히며 나무 울타리 주위에 가느다란 테 모양의 그림자를 만들었다. 말에는 이미 안장이 채워져 있었다. 긴 머리카락을 목덜미 위로 단단하게 틀어 올린 여자가 고삐를 말목에 걸었고 말은 고개를 이리저리 흔들며 주위를 천천히 살폈다. 여자는 말의 콧등에 얼굴을 비비며 오른손으로는 굴레의 양쪽 뺨 끈을 몰아 쥐고 왼손으로는 재갈을 받쳐 주면서 말의 입안에 재갈을 부드럽게 밀어 넣었다. 말이 고개를 떨어뜨리며 입을 벌리지 않자 여자는 허벅지로 말의 입을 밀어 올려 오른쪽 겨드랑이에 말의 얼굴을 살며시 끼워 넣고 왼쪽 손가락을 말의 입술 안에 넣어 재갈을 물렸다. 그러고는 코 끈과 이마 끈의 위치를 조정하고 코 끈을 양쪽 뺨 끈 안으로 넣어서 버클을 채웠다. 여자는 마구를 채우는 모습을 넋을 잃고 바라보는 나를 보며 재미있다는 표정을 짓더니 내 손을 잡아 올려 고삐를 넘겨주었다. 말이 고개를 돌려 나를 쳐다보고 커다란 눈꺼풀을 몇 번 껌벅였다. 바닥이 존재하지 않는 것처럼 깊이를 헤아릴 수 없는 검은 눈동자에 고삐를 쥐고 떨리는 손으로 말의 콧등을 쓰다듬는 내가 비쳤다. 여자는 말을 놀라게 하지 않으려는 듯 내 귓가에 입술을 대고 말의 이름이 탕투리라고 속삭였다.

안온한 아침

해를 넘긴 겨울의 기세는 어느덧 누그러지고 사방에서 짙은 초목의 내음이 몰려오며 교실 밖 풍경의 색채가 차츰 진해지기 시작했다. 나는 작년과 똑같은 교실에서 똑같은 학년의 새로운 학기를 시작했다. 학생만 달라졌을 뿐 교실의 모든 것은 그대로였다. 교실에 들이치는 햇빛은 시각에 따라 교실 벽을 옮겨가며 공중에 부유하는 먼지를 떨어뜨렸고 바닥에 보얗게 내려앉은 먼지는 떠들썩하게 교실을 오가는 아이들의 발걸음에 이리저리 떠밀렸다. 내가 창문을 열자 방충망을 통과한 신선한 공기가 교실 안으로 밀고 들어와 책상 사이에 흘러넘쳤고 먼지는 다시금 공중으로 떠올라 오전의 빛이 책상 위에 내리그은 능선을 넘어 그늘 속으로 모습을 감췄다. 개학한 지도 벌써 두 달이 지나고 어느새 오월 초였다. 겨울 방학이 끝나기 전 은재에게서 받은 문자 메시지에는 그날 이후 설하와의 연락 두절로 인한 끝 모를 상심과 그래도 예전의 관계를 회복할 수 있을 거라는 일말의 기대가 혼재되어 있었다. 선생님께는 죄송한 마음에 다시 뵐 용기가 나지 않는다고. 나는 은재에게 답신을 쓰다 지우기를 반복했다. 내가 변명과 위로를 나열한 메시지를 보낸다 한들 설하가 은재에게 돌아오는 것은 아니지 않은가. 서로를 기만할 따름이었다. 나는 결국 메시지를 은재에게 보낼 수 없었다. 이제는 상흔을 드러내지 않기 위해 천연스럽게 웃고 떠들며 은재의 낯빛을 살피는 설하를, 자신의 의지로는 어찌할 수 없는 존재임을 절감하면서도 설하를 보듬는 은재를 나는 다시는 볼 수 없을 것이다. 지금은 그때를 돌이킬 때마다 명치를 손으로 문지르고 숨을 길게 내쉬어도 가슴이 저릿하겠지만 언젠가 그 통증마저 사라지고 나면 나는 설하와 은재에게 굳이 찾아보고 싶지 않은 졸업 앨범의 사진이 될 것이다.

교무실에 호출되었다가 교실로 돌아온 여민의 손에는 얇은 책자가 들려 있었다. 지난달에 여민이 써서 보낸 원고가 도교육청에서 발간하는 월간 교육 탐방 오 월호에 실렸다고 말하며 선생님께서도 읽어보시라고 내게 잡지를 내밀었다. 여민의 손에 쥐여 부드럽게 구부러진 잡지의 뒷면이 내가 건네받으며 펼쳐졌고 지면을 가득 채우는 문구가 유광지의 광택으로 투명하게 빛을 냈다. YOUTH ART FESTIVAL! 원고를 쓸 때 일찍이 경험해 본 적이 없던 창작의 고뇌로 힘들었던 모양인지 여간해서는 내보이지 않는 자랑스러움으로 여민의 얼굴에는 생기가 가득했다.

"읽고 돌려주마." 나는 최선을 다해서 웃었다. 자리로 돌아가는 여민의 발걸음이 가볍고 짧은 머리카락이 유난히 찰랑거렸다. 자리에 앉은 여민은 다음 수업을 준비하느라 수학 교과서와 수학 익힘책을 꺼내면서 나를 힐끔힐끔 쳐다봤다. 나는 나중에 읽어보려다가 여민의 시선을 의식하고 수업이 늦어질 수 있다고 생각하면서도 여민의 글을 찾아 책장을 넘겼다. 몇 장 걸었더니 잡지의 뒷면에서 봤던 축제를 소개하는 특집 기사가 툭 튀어나왔다. 기사를 훑어보니 중등예술연구회에서 주관하고 학생문화원에서 열리는 미술 전시회 및 음악회를 비롯해 다양한 예술 공연을 소개하고 있었다. 대회에 입상한 그림을 전시할 예정인지 대상부터 장려상까지 스무 작품에 달하는 그림이 네 쪽에 걸쳐 실려 있었다. 별다른 관심 없이 책장을 넘기려다가 대상 옆에 있는 그림이 뭔가 낯이 익어 책장을 다시 펼쳤다. 얼굴의 윤곽조차 직선을 연결해서 그린 듯하고 눈썹과 귓등까지 완전히 드러낸 짧은 머리카락과 검은색 승마복 상의가 물감을 박박 문지른 것처럼 투박한 질감을 드러내고 있었다. 렌즈를 응시하는 눈 사이로 각진 콧대와 그 밑에 치켜진 윗입술이 살짝 파인 인중으로 연결된 부분을 보며 나는 눈썹을 세웠다. 나무 울타리에 쌓인 눈을 보아 사진을 한겨울에 찍은 듯한데 얼굴의 굴곡에 따라 군데군데 칠해진 붉은색과 노란색, 갈색의 물감이 볼과 귓가의 창백함을 덜어냈다. 오른손으로는 고삐를 쥐고 왼손으로는 말의 얼굴을 감싸고 있는데 승마복 소매 밖으로 드러난 오른 손목에는 아무것도 묶여 있지 않았다. 마른 손목이 하얗게 빛나고 있다. 나는 서둘러 수상자를 확인했다. 그림 밑에 "한담중학교 이 학년 박설하"라고 쓰여 있었다.

나는 그림을 스마트폰으로 찍었다. 그리고 아무런 문장도 쓰지 않고 은재에게 사진을 보냈다. 스마트폰은 그날 밤 구조 신호를 보내는 것처럼 화면을 점멸하며 협탁 위에서 떨었다. 내가 보냈던 사진 밑에 단문이 붙어 있었다. 자신이 보낸 문자 메시지를 설하가 읽기는 하지만 아직은 답신이 없다고. 그래도 설하가 연락을 차단하지는 않아서 언젠가 다시 연락을 주고받을 수 있을 거라는 희망은 가지고 있다고 했다. "한나처럼 제가 할 수 있는 일을 할게요. 선생님께서도 잘 지내셨으면 좋겠어요." 나는 스마트폰을 내려놓았다. 그러고는 얼굴을 베개에 묻었다.

끝없이 이어지는 밤의 정적 속에서 나는 잠들지 못할 때마다 머리맡의 스마트폰을 집어 들어 메모장 앱에 한 단어, 한 문장씩 쓰기 시작했다. 속절없이 머릿속을 부유하는 단상을 글자로 새기고 나서야 단상은 홀연하게 자취를 감추었고 그 자리에 잠이 흘러들었다. 혼미한 의식 속에서 나는 아무것도 보이지 않고 아무것도 들리지 않는 심해에 가라앉아 있다가 침대 옆의 블라인드가 빛에 물들면 잔잔하게 출렁이는 수면으로 떠올랐다. 나는 따가운 눈꺼풀을 들어 올리고 창살 같은 눈썹 사이로 작은방의 열린 문을 보았다. 나는 이내 이불을 치워 내며 몸을 일으키고 거실로 나갔다. 부엌에 서 있는 아내의 손놀림이 분주했다. 큰딸이 말없이 식탁을 차렸다. 미처 잠에서 깨지 못한 작은딸이 소파에 상체만 걸치고 엎드려 있다. 나는 거실 창으로 걸어가 벚나무의 그림자가 어른거리는 블라인드의 틈새를 손가락으로 들춰 밖을 내다보았다. 눈이 부셨지만,

빛은 안온했다. 나는 작은딸의 등을 슬그머니 토닥여 잠을 깨우고 큰딸이 앉을 의자를 식탁에서 반쯤 꺼내 두었다. 아내가 식탁 위에 두툼한 계란말이가 뜨거운 김을 올리는 접시를 내려놓자 작은딸은 눈을 뜨지 못하고 포크를 찾느라 식탁 매트를 더듬거렸다. 큰딸이 힐끗 쳐다보더니 작은딸의 손가락에 닿도록 무심하게 포크를 밀어 주었다. 나는 잊지 않을 것이다. 오늘도, 아침이 시작된다.